Les THIBAULT 8

チボー家の人々

一九一四年夏 I

ロジェ・マルタン・デュ・ガール

山内義雄＝訳

白水 u ブックス

チボー家の人々8　一九一四年夏I　目次

一

ジャックは、疲れながらも、ポーズをくずすまいと首すじを硬直させていた。わずかにひとみだけしか動かせなかった。そして、うらめしそうな一瞥を、なさけ知らずの相手のうえに投げかけた。

パタースンは、ふた飛びすると、壁のあたりまですさっていた。片手にはパレット、片手には絵筆を立てながら、右に左にかわるがわる首をかしげながら、熱心に自分の前三メートルのところ、画架の上にすえられたカンヴァスにながめ入っていた。ジャックのほうではこんなことを考えた。《やつ、絵かき商売とはうまくやってやがる！》そしてその目を、腕時計のところまでおろしていった。《このおれは、今夜までに記事をひとつ書きあげなければならない。ところがやつ、そんなことなど問題にしてもいないんだ！》

息づまるような暑さだった。なさけ容赦のない日の光はガラス窓からそそぎこんでいた。以前台所だったこの部屋は、会堂の隣り、町を見おろす建物のいちばん上にあるにもかかわらず、ここからは湖水もアルプス連山も見えなかった。目のくらむような青さを見せた六月の空と向かいあっているばかりだった。

部屋の奥、傾斜した天井の下には、タイル張りのゆかの上にわらぶとんがふたつ、隣りあってじかに敷かれていた。くぎには、そまつな衣服がかかっていた。さびの出たオーヴンの上、切込み暖炉の棚の上、それに流しの上には、思いきりふつりあいな品々が雑然と積まれていた。エナメルの洗面器、靴、からのチューブのいっぱいつまった葉巻のから箱、シャボンのあわがごわごわかわいているひげブラシ、皿小鉢、コップの中にしおれたばらが二本、それにパイプなど。ゆかには、カンヴァスが何枚か裏返しにして壁にもたせてあった。

パタースンは、上半身裸になっていた。歯を食いしばり、鼻から荒々しい息づかいをしてまるで駆けつけてきたばかりの人といったようだった。

「楽じゃない……」と、ふり向こうともしないで言った。

北方人特有の白い胴体は、汗でつやつや光っていた。しなやかな皮膚のかげには、筋肉がぴくぴくふるえていた。胸部の下のあたりは、やせているのでそこに三角形の影が掘られていた。薄くなった古ズボンの布の下には、注意力の緊張から、足の腱のふるえが見えていた。

「しかも、もうひとつまみのタバコもないときてやがる」と、低い声でつぶやいた。

ここへ来るなりジャックがポケットの底からとり出した三本のタバコを、パタースンは、制作にとりかかるが早いか、やつぎばやにすぱすぱふかしてしまった。きのうから何も入れてない胃袋は、しきりにひきつれを感じていた。だが、それにもいまは慣れてしまっていた。《ひたいのあたりの光といったら》と、思った。《ホワイトがたりるかな？》そして、まるで金属製のリボンとでもいったようにひしゃげているゆかの上のセリューズ(鉛白色)のチューブに一瞥をくれた。絵の具商のゲランにももう百フランばかり借りがあった。さいわい、かつてアナーキストであり、最近ソシアリストに転向したこのゲランとは大の仲好しだった……

パタースンは、肖像から目を放さず、さもそばに誰もいないかのように顔をしかめてみせた。手にした絵筆は、空間のからくさ模様を描いた。と、とつぜん、その青い目をジャックのほうにふり向けた。そして、ジャックのひたいのうえに、鋭さのあまり冷酷とさえ思われるほどな、かささぎのような眼差しをじっと見すえた。

《まるでくだもの皿のりんごでも見ているようじゃないか》と、ジャックは愉快そうに考えた。《ところで、あの記事を書くことさえなかったら……》

パタースンが、遠慮しいしい肖像を描こうと言いだしたとき、ジャックにはどうもことわりきれなかった。数カ月もまえから、パタースンは金がないのでモデルを雇うことができず、さればといって絵筆を動かさずには一日もいられない性分ときているので、おとなしい静物を描くことだけで満足していた。ところでパタースンの最初の言葉によれば《せいぜい四回か五回のポーズ……》ということだった。それがきょうの日曜日ですでに九回め、そのあいだジャックは、不平をおさえおさえ、昼近く、きちんきちんとこの町の山手のほうまで通わされていたのだった。しかも、そのポーズが、いつもきまって二時間以下で終わったためしがなかった！

熱に浮かされたように、パタースンはパレットの上に絵筆をこすりはじめていた。彼は一瞬、さも跳躍板の弾力性をためす飛込み選手といったようにひざを曲げながら、じっとジャックのほうをみつめて動かなかった。たちまち、ぐっと腕を張って、剣士のように身がまえた。そして、画面の上、そことあやまたぬところにひとはけの光、それもわずか一点の光を点じた。それからまた壁のところまで飛びすさり、目を細め、頭を左右に揺りながら、まるでおこったねこといったようにせいせい息をはずませていた。やがて彼は相手のほうに向き直った。そしてやっと微笑を浮かべながら、

「まゆげ、こめかみ、ひたいに突っ立った髪の毛のあたり、とてもえらい力だ！　楽じゃない……」

そう言うと、パレットと絵筆を流しの上にほうり出し、くるりと身をひるがえしたかと思うと、わらぶとんの上にごろりと横になった。

「きょうはこれまで！」

ジャックは、やっと解放されてほっと大きな息をついた。

「見てもいいか？……や、きょうはとても進んだな！」

ジャックの肖像は、椅子に腰をかけているところで、斜めから描かれていた。肖像は、ひざまでだった。左肩は画面のうしろのほうに引かれ、右肩、それに右の腕とひじとがぐっと前のほうに突き出されていた。すじ張った手はまたの上に大きく開かれ、画面の下部に、明るい溌剌とした色を点じていた。首は、すっかり光をうけてきっと立てられていたが、髪の毛とひたいの重さに引かれでもしたように、軽く左肩のほうにかしいでいた。光線は左からきていた。顔の半面はかげになっていた。だが、首のかしげかげんで、ひたいは全面的に光線を受けていた。そして、ひたいを左から右にかけて

横ぎっている栗色のつやをみせた濃いひとふさの髪の毛のおかげで、皮膚の輝きはさらに一だんときわだっているのだった。パタースンは、この低くひたいにたれさがった、まるで草のような、ごわごわした、密生した髪の毛のちょうしをとりわけみごとに描きだしていた。がっしりしたあごは、半開きの白いカラーの上にのっていた。一抹苦みばしったようすは、顔にすさまじい峻厳さを添えて、唇のあたり、均斉の欠けている大きな口もとを何か高雅なものに思わせていた。悩ましげなまゆげの線の下のあたりには、ほの暗い眼窩（がんか）にひそんだ眼差しが、淡泊で意思的な光をしめしていたが、そこにはまた、似てもつかない、あまりにも不敵な、臆面なしとも思われる表情がうかがわれた。じつは、パタースンもそれに気がついていた。全体からいって、ひたい、肩、あご骨などから出てくるずっしりした力を表現してのけていた。だが、こうした瞑想と沈痛さと不敵さとの微妙な色わけ——動いてやまぬ眼差しの中に、たがいにまじりあうことなくつぎつぎにあらわれるこうした変化をいかに描きとめていいか、ほとんど絶望するよりほかはなかった。

「あしたも来てもらえるね？」

「そのほうがよかったら」と、ジャックは気のりのしないちょうしで答えた。

パタースンは、身を起こして、ベッドの上にかかっていた雨外套のポケットをさがした。と思うと、からからと笑った。

「ミトエルクのやつ、警戒してやがる。このごろぜったいタバコをポケットに入れておかないんだ」

パタースンが笑いだすとき、彼はすぐに、いまを去る五、六年まえ、清教徒たるその家庭と縁を切り、オックスフォードを逃げだしてこのスイスに来て生活するようになった、そのころのままのやんちゃな彼にもどるのだった。

「ざんねん」と、彼はユーモラスなちょうしでつぶやいた。「日曜日のごほうびに、タバコを一本進呈しようと思ったんだが！……」

食物はがまんできても、タバコなしではいられなかった。そして、タバコはがまんできても、絵の具なしではいられなかった。もっとも、絵の具でも、タバコでも、また食料でさえも、そう長いこときれてこまるようなことはなかった。

彼らは、このジュネーヴにあって、べつになんの収入もなく、そして、現存するいずれかの結社に多少とも関係している若い革命党員の大きな集団を形成していた。では生活はどうしている？　なんにしても生活していることだけはまちがいなかった。ジャックのように、恵まれたインテリに属する者たちは、新聞社とか雑誌社とかで働いていた。その他のもの、すなわち世界のさまざまな方向からやってきた専門の職人たち――印刷工、図案工、時計工などは、なんとか食っていくだけのものをかせいでいた。そして、必要あらば、職にあぶれた仲間たちにもそれを分けてやっていた。だが、大部分の者たちは、なんら定職といったものを持たなかった。そして、いきあたりばったり、あまりぱっとしない仕事、賃金の安い仕事に雇われては、少し金がはいれば、それきりやめてしまっていた。こうした連中のなかに、すり切れたシャツを身につけたたくさんの学生群がいた。彼らは、個人教授に雇われたり、図書館での調査や研究所でのややこしい仕事に雇われたりして、なんとか口すぎをやっていた。だが、幸いなことに、これら学生群の全部が一時に困るというようなことはなかった。おりあしく一文の収入にもありつけずにうろついている連中は、いささかのパンなり、肉なり、あたたかいコーヒーなり、タバコ一箱なりを確保してやるためには、誰かふところぐあいのいい友人がひとりいたら事たりた。相互扶助はこうして自然に行なわれていた。若い連中というものは、好奇心をひとしくし、確信をひとしくし、社会的情熱をひとしくし、希望をひとしくしながら集団生活を営んでいるといった場合、一日一度だけの食事にも、たちまち慣れてしまうものなのだ。そのうちのあるものは、たとえばパタースンのように、極端な空腹の刺激は、頭脳にたいしても好もしい陶酔感をあたえるものだとじょうだんまじりに主張さえした。そこには諧謔以上のものがあった。おそまつすぎる食事は、彼らの精神的興奮をそそりたてるのにあずかって力があった。その結果、町かどでなり、カフェーでなり、あるいは下宿でなりの終わるのを知らぬ彼らの会合には、ますます熱が加わるのだった。とくにそれは《本部》での場合においてそうだった。みんなはいつもそこに集まっては、外国の革命家たちからもたらされた報告を交換しあい、自分たちの体験や主義を検討し、そしてひとしき熱情をもって、きたるべき社会の確立のためにこぞって働いていた。

ジャックは、ひげそり用の鏡の前に立って、カラーとネクタイを直していた。

「べつに急ぐことはないんだろうに、……そんなに急いでどこへ行こうっていうんだ?」と、パタースンがつぶやいた。

彼は、あいかわらず、半裸のまま、両腕をひろげてベッドの上に横たわっていた。手くびは小娘のそれのようにきゃしゃだったが、手はまさにおとなのそれだった。足くびは細かったが、足自体はまさにイギリス人特有のやつだった。頭は小柄だった。ねずみがかったブロンドの髪は、汗のためぴったり頭の地について、ガラス張りの天井の下にあって、くすんだ朱色のつやを見せていた。余情ゆたかというためにはいささか明るすぎるその目の中には、単純さと悩ましさとがたえずあらそっているように思われた。

「話したいことが山ほどあるんだが」と、彼は投げやりなちょうしで言った。「まず第一には、きみはゆうべ本部からいやに早くひきあげちまったじゃないか……」

「疲れていたもんだから……みんな、堂々めぐりをして、おなじことばかりくり返してるんだ……」

「そうだった……だが、議論はとても熱してきたぜ……いなくって惜しかった。とうとう《パイロット》の口から、ボワソニへの返答が聞かれたんだ。うん、言葉は短かった。だが、その言葉たるや――さ、なんていうかな？――じつにけっこうなお言葉だった！」

そのちょうしには、隠然たる反感の気持ちがしめされていた。ジャックは、これまでにもしばしば、メネストレル――みんなが《パイロット》という名で呼んでいるメネストレルにたいし、パタースンのいだいている一種悪意ある尊敬の気持ちに気がついていた。だが、一度もパタースンに弁解がましいことは言わなかった。彼は深くメネストレルに傾倒していた。メネストレルを、単に友人として愛しているだけにとどまらなかった。一個の師としての尊敬さえもささげていた。

彼は、くるりとふり返った。

「どんな言葉だ？　なんて言ったんだ？」

パタースンは、すぐには答えなかった。そして、天井を仰ぎながら、奇怪な微笑を浮かべていた。

「それはとつぜん、終わり近くなってのことだった。多くの人たちは、もうきみのように帰ってしまっていた……彼は、そら、例の気のないようなようすでボワソニの話を聞いていた……ところがとつぜん、彼は、例によって自分の足もとに腰をおろしているアルフレダのほうに身をかがめたかと思うと、ひじょうに口早に、誰の顔も見ずに言ってのけたのだ……待て、待て。なんと言ったっけかな……だいたいこんなことだった。《ニーチェは、神の観念を抹殺した。そしてそれにおき換えるに人間の観念をもってした。だがそんなことはなんでもないんだ。いまや無神論はぐっと前進しなければならない。そして人間の観念をも抹殺しなければならないのだ》」

「ふん、それがどうだっていうんだ？」ジャックは、軽く肩をゆすって見せた。

「待て、待て……すると、ボワソニがこうたずねたんだ。《ではそれにおき換えるに何をもってするんです？》パイロットは、ほら、例の、辛辣な微笑をもってこれにむくいた。……そして、きわめて強く《何によってもおき換えない！》と、はっきり言いきったのだ」

ジャックもまた、返事がわりに微笑して見せた。暑かった。モデルをつとめたので疲れていた。早く仕事をしに帰りたかった。お人好しのパタースン相手に哲学的論争をしたい気持ちなど毛頭なかった。彼は、微笑をやめて、単に、「だが、彼は否定し得ない高貴な精神の所有者だ！」と言った。

パタースンは、ひじを突いて身を起こした。そしてジャックの顔をじっとみつめながら、

「何によってもおき換えないって！　だって、それはたしかに absolutely monstuous（絶対的にとほうもないこと）だ！　Don't you think so？（きみはそうは思わないか？）」

ジャックが黙っているのを見るとふたたびベッドの上に身を落とした。

「いったいパイロットはどんな経歴の所有者なんだろう？　おれはいつもそのことを考えてみるんだ。ああした……非情にまで到達するには、ずいぶん苦難の道をあゆみ、おそろしい毒気も吸ってきたことと思うんだが？……ところでチボー」と、彼は、ほとんどすぐに、言葉のちょうしもそのままに、ただふたたびジャックのほうに向きなおりながら言葉をつづけた。「おれはずいぶんまえからきみにききたいことがあったんだ。きみはふたりをよく知ってるんだから。きみは、アルフレダが、あのパイロットに満足してると思うかね？」

ジャックは、自分自身いままでついぞこうした質問をかけてみなかったことに気がついた。何はともあれ、それはさして非常識な質問ともいえなかった。だが、その解答はむずかしかった。それに、何かしらばくとした直観が、この点に関しパタースンと深入りしないようにとその心にささやいていた。彼はネクタイを結び終わった。そして両肩で、用心ぶかく回避するようなしぐさをして見せた。

いっぽうパタースンのほうも、こうした沈黙に気を悪くしたらしくも見えなかった。彼はふたたびベッドの上に横になっていた。そしてこうたずねた。

「今夜ジャノットの講演にやってくるかね？」

ジャックは、転換の好機をのがさなかった。

「たしかなことは言えない……『ファナル』のために書かなければならないものがあるんだから……それの進行しだいで、六時ごろ本部に寄ろう」彼は、帽子をかぶっていた。

「じゃ、たぶん今晩！」

「アルフレダのことの返事がまだだったじゃないか？」

と、パタースンは、半身起きあがりながら言った。

ジャックは、すでに戸をあけていた。そしてふり返りながら、

「ぼくは知らない」と、目にたたぬほどの躊躇を見せたあとで答えた。「第一、幸福でなかろうはずがないじゃないか？」

二

もう一時半を過ぎていた。ジュネーヴの人々は、まだ日曜の昼食のテーブルについていた。日の光はブール・デュ・フールの広場に垂直にそそいでいて、陰を、家々のすそのあたり、紫がかったふちどりにちぢめていた。

ジャックは、人けのない広場を斜めに横ぎっていった。沈黙をみだすものといっては、噴水の水の

響き以外なにもなかった。ジャックは足早に歩いていった。首を伏せ、襟もとに日をうけながら、鏡のようなアスファルトのために目は燃えるようだった。彼は、ジュネーヴの夏の暑さ――それは白い、そして青みをおびた暑さ、仮借ない、健康的な暑さであり、断じて優柔不断なものではなかったが、酷熱と称すべき場合はまれだった――を、過度におそれてはいなかったにもかかわらず、いま狭いフォンテーヌ町の店舗にそってわずかばかりの陰を見いだしながら、そこに楽しい喜びを思いだしていた。

彼は原稿のことを考えていた。それは『ファナル・スイス』紙の読書欄に書く、フリーチの近業についての何枚かの批評原稿のことだった。もう三分の二は書きあげていた。だが、冒頭の部分はぜんぜん書き直さなければならなかった。おそらくそれは、ラマルティーヌ（十九世紀フランスのロマン派の詩人、政治家としても聞こえた）の文章の一節の引用によって始めなければなるまい。彼はそれを、おととい図書館で写してきておいたのだった。《愛国主義には二種ある。第一のものは、各国民相互を離反させることを利益とする政府によって目つぶしされた国民が、その相互間にいだくにいたったあらゆる憎悪、あらゆる偏見、あらゆる言語道断な反感から成り立っている……ほかのものは、これとは反対に、諸国民が共通に有するところのあらゆる真理、あらゆる権利からできている……》言わんとするところはたしかに正しい。しかも高邁である。だが、その表現は……《ふん》と、彼は微笑しながら考えた。《おそらくこれが一八四八年代の言いまわしとでもいうんだろう……だが、考えてみれば、われわれにしたって今日たいしてちがわない口のきき方をしているんではないかしら？……もちろん例外はある》と、彼はすぐに考えた。《たとえば、パイロットの言い方はこれとぜんぜんちがっている……》メネストレルのことから、パタースンの質問のことが思いだされた。アルフレダは、はたしてしあわせでいるだろうか？彼としては、しかりともいなとも答えてのけることはできなかったろう。女というもの……女なんて、なんでわかるものか？……彼の心には、あのソフィア・カンメルジンとの思い出がちらりと浮かんだ。最初のうち、ソフィアはいく度か彼に会うためジュネーヴにやってきた。が、やがてこなくなった。ローザンヌ、そしてカンメルジンおやじの下宿を去ってから、ほとんどソフィアのことを忘れていた。もっとも、彼はいつも楽しく彼女を迎えてやっていたのだった。彼の心がすっかり自分から離れたということに気がついたのだろうか？　一抹惜しいといったような気持ちが心をかすめた……いっぷう変わった女だった……彼は、それ以後彼女に代わるものを持たなかった。

彼は足を早めた。ローヌ川まで下っていかなければならなかった。彼は川の向こうがわ、グルニュ広場に住んでいた。それは、狭い横町やむさくるしい住宅の多い、いかにも貧しい町だった。まんなかに共同便所のあるその広場の一角に、四階建ての下宿グローブ・ホテルが、その雨しみの目だつ正面をこっそり見せていた。低い入口のドアの上には、ガラスの地球儀に夕方になると看板がわりに灯がともされた。その町の他のホテルとちがって、そこは売春婦をとめなかった。経営者はふたりとも独身のヴェルセリニ兄弟で、ともに数年まえから社会党の党員になっていた。部屋のすべて、少なくともほとんどすべては闘士たちに貸してあって、部屋代も安く、勘定も有るとき払いというわけだった。ヴェルセリニ兄弟は、ただ金がないというだけの理由で宿泊人を立ちのかせたことは一度もなかった。ただし、うさん臭いやつだけは追っ払った。というのは、こうした革命家の仲間には、きわめて良いやつと悪いやつとが同時に集まって来るからだった。

ジャックの部屋は、ホテルの上層にあった。きわめて小さな部屋ではあったが、小ざっぱりしていた。ただ、困ったことには、たったひとつの窓がパリエ(踊り場)のほうへ向かってあいていた。そのため、階段に吸いこまれる物音や物のにおいが、なんの会釈もなく部屋の中に流れこんでいた。静かに仕事をしようと思うと、いやでも窓をしめ、天井の電気をつけなければならなかった。家具は事たりていた。狭いベッド、衣装箪笥、テーブルと椅子、そして壁ぎわには洗面台があった。テーブルは小さく、上にはいつも雑然と物がおかれていた。書き物をするときには、ジャックは、机がわりに地図をひざにのせ、たいていベッドに腰をかけてそれをやった。

仕事をはじめてから三十分もたったと思うころ、誰かまをおいてドアを三つたたいたものがある。

「おはいり!」とどなった。

くしゃくしゃな髪をした男のひたいが戸のあいだからのぞいた。白子のヴァンネードだった。彼もまた、去年、ちょうどジャックと同時にローザンヌを去ってこのジュネーヴに来た。そしておなじホテルに住んでいた。

「失礼……おじゃまでしたかしら、ボーチー?」これもまた、ジャックのことをかつてのペンネームで呼びならわしているひとりだった。そのジャックは、父の死後、いまでは書くものにすべて本名をつかうことにしていた。

「カフェー・ランドールでモニエに会ったんです。パイロットから、あなたあての言伝をふたつたのまれてるんだって。そのひとつは、パイロットがあなたに会う用があって五時まで家で待ってるって。もひとつは、あなたの原稿は今週の『ファナル』にはまわさないことになったから、今夜までに届けないでもいいんだって」

ジャックは、自分の前に散らばっている紙の上に両手をそろえておいた。そして、頭を壁にもたせかけた。

「助かった！」と、ほっとした気持ちで言った。だが、またすぐにこう思った。《すると今週は二十五フランふいというわけだな……》もうほとんど金もないのだった。

ヴァンネードは、微笑を浮かべながらベッドに近づいた。

「うまく書けない？　いったい何を書いてるんです？」

「フリーチの『インターナショナリズム』についてさ」

「で？」

「じつをいうと、自分にもどう考えていいかわからないでいるのさ……」

「その本のことが？」

「本のことと……それにインターナショナリズムのこともさ」

ひたいのあたりにあるかなきかのヴァンネードのまゆげがひきしまった。

「フリーチは偏狭だ」と、ジャックは言葉をつづけた。「それに、まったく価値のちがういくつかのことを混同しているように思われるんだ。国民の観念とか、国家の観念とか、祖国の観念とか。その結果、正しそうなことを言っているときでさえ、何か考え方がまちがっているような印象をあたえるんだ」

ヴァンネードは、目にしわをよせながら聞いていた。その眼差しは、色のないまつげのかげにかくれていた。口をすぼめているので、唇の両端はさがって見えた。テーブルのところまで帰ると、書類や、化粧品や、書物などを少し片よせてそこに腰をかけた。

ジャックは、ためらいがちなちょうしで言葉をつづけた。

「フリーチやその一党の連中にとっては、インターナショナリズムの理想はまず祖国観念の廃棄を意味している。だが、それは必要だろうか？　それは必至のことだろうか？　そう確言はできないと思うんだ！」

ヴァンネードは、人形のような手をあげた。

「だって、けっきょく、愛国主義の廃棄じゃないですか！　一国という狭いかまちの中だけでどうして革命を考えることができるでしょう？　革命、真の革命、われらの革命、それは万国を通じての仕事なんです！　そして、いたるところで、同時に、全世界のあらゆる労働大衆によって実現されなければならないんです！」

「そうだ。だが、そら、きみ自身すでに愛国主義と祖国の観念とのあいだに区別をしてるじゃないか」

ヴァンネードは、執拗に、ほとんどまっ白なちぢれ毛のふさをのせたその小さな頭を振ってみせた。

「それは同じものですよ、ボーチー。十九世紀の例にみるがいいや。いたるところ愛国主義、祖国の感情を高揚させながら、十九世紀は国民的国家の原則を固めたんです。そして、各国民のあいだに憎悪をまき散らしながら、新しい戦争を準備していたんですよ！」

「同感だ。だが、おのおのの国において祖国の観念を誤らしめたものは、それは愛国主義者たちではなかった。それは十九世紀の国家主義者たちだったのだ。感情のうえの、正当な、無害な愛着に代えるに、彼らは一種の信仰、一種攻撃的な狂信をもってした。こうした国家主義をやっつけること、そうだ、それはもちろんだ。だが同時に、フリーチのいうように、祖国の感情、この人間的な、いわば、体質的な、肉体的な現実までも廃棄しなければならないだろうか？」

「そうですとも！　真の革命家になろうと思ったら、まずあらゆる係累を断ち切り、自分というものからあらゆる……」

「気をつけろよ」と、ジャックがさえぎった。「きみは革命家——きみ自身なりたいと思っている革命家の型を頭においているんだ。そして人間というもの、一般的にいっての人間というもの、自然により、現実により、人生によって考えられる人間というものを見落としている……それに、ぼくのいう感情上の愛国主義というもの、人はそれを真に廃棄できるものだろうか？　ぼくには確信がない。人間がいかにあせろうと、しょせん人間は風土に従う。生まれながらの気質というものを持ってるんだ。人種的特徴を持ってるんだ。彼はその習慣に拘泥し、みずからを形作るにいたった文明の特殊形態に拘泥する。たといどこへ行こうと、その言語を守っている。これに注意が肝要だ！　この点きわめて重要で、祖国の問題もおそらくはその根底において言語の問題にほかならないと思う！　どこにいようと、どこに行こうと、人は自分の国の言葉、自分の国の語法で考えることをやめない……われらの身のまわりを見るがいい！　このジュネーヴでのわれらの友人たち、みずから進んで国を追われた人たち、生まれた国を捨てたと心から信じている人たち、そしてここに来て真の超国家的団体を作っていると思っている人たち！　そうした人たちが、本能的に求め合い、結び合い、あるいはイタリア人、あるいはオーストリア人、あるいはロシア人と、小さな派をなして集まっている事実を見るがいい。おなじ土地による、同胞的な、愛国的な小さな派だ。ヴァンネード、きみ自身にしたってベルギー人たちといっしょになっているじゃないか！」

　ヴァンネードは身をふるわせた。夜禽のような彼のまぶたは、非難の光を見せた一瞬ジャックのうえにそそがれたが、ふたたびまつげのふさのかげに消えてしまった。肉体上の弱みは、その態度のうえの慎ましさをさらに強調してしめしていた。だが、その沈黙こそは、彼の考え方自身よりずっと堅固なその信念、一見臆病らしく見えていながら、その実、奇怪なほど自分に確信を持っているその信念を守るにとりわけ役だつところのものだった。ジャックでさえも、またパイロットでさえも、誰ひとりヴァンネードの心を真に左右しうるものはなかった。

「そうだ」と、ジャックはなおもつづけた。「人はその祖国を去ることはできる。だが、祖国をふるい落とすことはできない。そしてこうした意味での愛国主義は、われらインターナショナルな革命家の理想となんら本質的に抵触しないのだ！……そこでぼくは考える、あのフリーチのように。本質的に人間的な要素、それ自身力を代表するところのものに向かってつっかかっていくことは軽率ではないだろうか、って。ぼくはこうまで考えるんだ、あすの人間から、そうしたものを奪い去ってしまうことはむしろ有害なことではないだろうか、って」しばらく口をつぐんだ後、別なちょうし、ちょっとあいまいな、何かためらいがちなちょうしで言葉をつづけた。「ぼくは、そう思う。だが、それでいてそう書くだけの勇気がない。いわんやわずか数枚の月旦記事においてをやだ。誤解を避けるためには、まさに一冊の書物として書くべきだろう」こう言ってからまた口をつぐんで、やがてとつぜん「もっとも、そうした書物にしたって、やはりぼくは書かないだろうさ……なぜかといえば、けっきょくぼくは何ひとつ確信というものが持てないからだ。ふん、祖国を忘れた人間というものも考えられないことはない。人間は順応していくものだ。おそらく、そうした奇形にも慣れてしまえるかもしれない……」

ヴァンネードはテーブルから離れて、われ知らずジャックのほうにひと足近づいた。盲人のようなその顔のうえには、何かしら清らかな喜びの表情が浮かんでいた。

「そして、そこに大きい償いを見いだすにちがいないんです」

ジャックは微笑した。こうした感激の所有者たる意味において、彼はこのヴァンネードが好きなのだった。

「じゃ、ぼく、帰る」と、ヴァンネードが言った。

ジャックは微笑しつづけていた。そして、ヴァンネードが踊るような足どりで戸口へ行き、軽く別れの合図をしながら、音を立てずに部屋から出て行くのをみつめていた。

いまとなっては、もう書きあげないでもいいにかかわらず——むしろそのためにこそ——ふたたび元気よく仕事にとりかかった。

玄関で四時の鳴るのが聞こえたとき、彼はまだ書きつづけていた。メネストレルが待っている時刻だ。彼はベッドから飛びおりた。立ちあがるやいなや、腹のすいていることに気がついた。だが、町でぐずぐず食事をしている暇はなかった。引き出しの奥に、粉チョコレートがふた袋残っていた。湯の中に入れるとたちまち溶けるやつだ。おりよくアルコール・ランプにもきのうアルコールの補充ができた。顔と手を洗っているあいだに、すでに小さいなべの中には湯が煮え立っていた。彼は、やけどをする思いでチョコレートを一杯すすると、いそいで部屋を出ていった。

三

メネストレルの住まいは、グルニュ広場からかなり遠く、革命家たちの多く、とりわけロシア亡命者たちの住んでいるカルージュ町にあった。それはプランパレの原のむこう、アルヴ川に沿った、なんととりたてて特徴もない郊外の町だった。広い敷地を必要とする請負師、材料商ないし薪炭商、鋳鉄商、馬車屋、はめ木商、飾屋といった手合いが、そこに仕事場を持っていた。広い吹き抜けの往来に沿って、そうした連中の材料置場が、飛びとびにある古ぼけた家や、だいなしにされた庭々や、分譲地などと入りまじっていた。

パイロットの家は、ポン・ヌフの入口のところ、シャルル・パージュ川岸とカルージュ町のかどに建てられていた。四階建ての長い建物で、黄いろっぽく、平たく、そしてバルコニーもついていなかったが、夏の日をうけて、イタリア風の荒塗りの好もしい色調が見られていた。かもめの群れは、窓をかすめては、アルヴ川の提防に舞いおりていっていた。浅くはあるが、流れの早さは、水に顔を出した岩々を飛沫につつんで、さも激流といった趣をあたえていた。

メネストレルとアルフレダは、廊下のはずれに二間の部屋をしめていた。そして、狭い戸口がふたつの部屋を仕切っていた。小さい戸の部屋は台所にあてられていた。そしていっぽうの部屋は、居間兼事務室にあてられていた。

よろい戸をしめた日のあたる窓のそば、メネストレルは小さな持ち運びのできるテーブルの上に身をかがめて、ジャックの来るのを待ちながら仕事をつづけていた。細かい、熱情的な、略字たくさんな書き方で、彼はなめらかな紙の上に何かしら短いノートを書きつけていた。アルフレダの役は、それを読みほぐすことにあった。そして彼女は、つづいてそれを旧式のタイプライターでたたくのだった。

いま、パイロットはひとりだった。アルフレダは、ついいましがた、いつも腰かけている椅子をはなれた。それは一脚の低い椅子で、メネストレルの椅子にぴったりつけておかれていた。メネストレルの仕事が一段落ついたのをしおに、彼女は、水さしに水を満たそうと、水道をひねりに台所のほうへ行ったのだった。とろ火のガスにかけた酸味をおびた桃の砂糖煮のにおいが、暑い空気の中にただよっていた。ふたりはもっぱら、乳製品と野菜とくだものの煮たのとで暮らしていた。

「フレダ！」

彼女はちょうどコーヒーわかしをゆすいだところだった。彼女はそれを手にして水を切り、いきおいよく指をふいた。

「フレダ！」

「はい……」

彼女はいそいで彼のそばにもどってきた。そして、低い椅子にきて腰をおろした。

「どこへ行ったんだね？」と、メネストレルは、彼女のかしげた褐色の襟足のあたりに手をおきながら言った。べつに返事を必要とする問いかけではなかった。彼は、仕事をつづけながら、夢みるような声でそうたずねた。

彼女は、顔をあげて微笑してみせていた。その眼差しは、燃えるようで、誠実にあふれ、そして落ちついていた。大きく開かれたそのひとみは、あらゆるものを見、あらゆるものを理解し、あらゆるものを愛したいという欲望をあらわしていた。だが、そこには、執拗さとか、好奇心とかの片鱗さえもうかがわれなかった。彼女は、ながめ、期待するために生まれてきたとでもいうようだった。彼女のため、メネストレルがその思うところを声に出して語りはじめるやいなや（彼はたえずそうするならわしだった）、彼女はメネストレルのほうへ向きなおって、じっとその目でき入るとでもいうようだった。おりおり、思想が微妙な域にはいってくると、彼女はまつげをしばだたいてそれに賛意を表した。こうして彼女がいつも身近にいて、静かに、そしてたえず目を放さないでいてくれること、それこそメネストレルの必要とするすべてだった。それらのこと、それは彼にとって、いまや生きんがため空気同様なくてはならぬものだった。

彼女はまだやっと二十三歳だった。彼にくらべると十五も年下だった。ふたりがどうして相知るにいたったか、ふたりが共同生活という形のもとにどうした関係によって結ばれているのだろうか、それは誰ひとりはっきりとは知っていなかった。ふたりは、まえの年、相たずさえてジュネーヴにやってきた。メネストレルはスイス生まれだった。彼女のほうは、自分の口からはその家族なり、幼年時代なりについて何ひとつにおわせるようなことを言わなかったにもかかわらず、南アメリカ生まれだということが知られていた。

メネストレルは、あいかわらず走り書きをつづけていた。面長なその顔は——黒い、短く先をとがらせて刈りこんだひげのせいでさらに面長に見えていた——いま前方にかがめられていた。狭い、そして両方のこめかみのあいだにひきつけられたように見えるその顔は、ぐっと光線の中に浮きでていた。左手は、あいかわらずアルフレダの首すじにおかれていた。女は、身動きもせず、背をまげたまま、ねこのような潑剌たる不動さをみせて、こうした愛撫に身をまかせていた。

メネストレルは、手はそのままにして、ただ筆だけをとめながら、じっと空間をみつめていたが、やがて否定的に首をふりながら、

「ダントンはこう言った。《吾人は下なるものを上に、上なるものを下におきたいと思う》と。だが、これは一個の政治家の言葉なのだ。これは、革命的社会主義の言葉ではない。ルイ・ブラン、プルードン、フールニエ、マルクスは、けっしてそんなことは言わなかったにちがいない」

彼女は、目をメネストレルのほうに向けた。だが、男のほうでは彼女を見ていなかった。いま日の光がよろい戸をもれてそそぎこんできている窓の上方に向けられた男の顔には、そこになんの感情もみられなかった。顔だちは端正だったが、そこにはふしぎなほど生気というものがみられなかった。顔色は、病的というのではないがねずみ色をしていて、さも皮膚の下の血が無色ででもあるかのような印象をあたえていた。短く刈りこんだ黒いひげの下の唇も、まったく皮膚とおなじ色だった。あらゆる活力は、すべて両眼に集中されていた。両眼は小さく、奇怪なほどたがいに迫っていた。まっ黒なひとみは、まぶたの切れめの全部をしめていて、わずかに白目がうかがわれるにすぎなかった。その輝きには、ほとんど注視できないほどな強さがあったが、それでいて、そこからはなんの情熱も発散させてはいなかった。その眼差し、そこにはなんの情味もなく、明敏の一語に尽き、そしてつねに極度の注意力に緊張させられているかにみえて、まったく人間の眼差しとはいえなかった。それは、

相手を征服し、いらだたせずにおかない眼差しだった。それはある種の動物、ある種の猿にみられる、鋭い、野生的な、ふしぎな眼差しを思わせた。

「……個人主義的イデオロギーの三段論法」と、彼は、ひと息につぶやくように言った。それはさも、心の中の考えの結末を、口に出して言いおわったとでもいうようだった。

力のない、きわめて平板な声だった。話し方は、ほとんどいつも短い託宣めいた言葉にかぎられて、それを、弱い、だが疲れを知らぬ呼吸で押し進めていくといった感があった。そのひとつひとつの音綴をはっきり分離させながらも、《個人主義的イデオロギーの三段論法》といったようななめらかな一連の言葉をただひと息に編み合わせていくところ、そこにはおなじ弓のひとひきで、ふたつのすみやかな諧音の滝つ瀬をかなで出すヴァイオリンひきの腕のさえを思わせるものがあった。

「階級的社会主義は、社会主義でない。階級秩序をくつがえすことは、単にひとつの悪に代えるに他の悪をもってし、ひとつの圧迫に代えるに他の圧迫をもってするにほかならない。現在におけるあらゆる階級は悩んでいる。利潤制度、あくことなき競争の暴虐、狂激な個人主義は、雇用者側をも打ちのめしていたんだ。ただし雇用者側は、このことを理解していない」こう言いながら、二度まで胸に手をあてて せきをした。そして、きわめて早口にこう言った。「新しい労働組織により、あらゆる健全な分子を、無差別に、階級なき社会の中にひろく溶かしこむこと、要はそこにあるんだ……」

こう言ってから、彼はふたたび書きつづけた。

メネストレルの名は、航空機発達の当初の歴史と結びついていた。パイロット兼機関士だったメネストレルは、あのチューリッヒ工場創設のころ、S・A・S（スイス航空協会）から招聘（しょうへい）された人々のひとりだった。そして、こんにちなお使用されているいくつかの装置には、彼の名が冠せられていた。当時たてつづけに計画したアルプス越えの試みは、彼のうえにひろく大衆の注視をひきつけた。だが、チューリッヒ・トリノ連絡飛行の失敗のできごとで足に負傷した彼は（しかも、彼はあやうく一命を落とすところだった）、それ以後操縦のほうを断念した。つづいて、S・A・Sのストに際し、決然技術家としての職を放擲して労働運動に身を投じ、とつぜんスイスを去ってしまった。それからいったいどうしたというのだろう？　スイスをあとにしての数年間を、東部ヨーロッパですごしたとでもいうのだろうか？　彼は、ロシア問題に関してきわめて明るかった。そして、いく度か、スラヴ方言をかなりみごとにあやつれる手なみを見せもした。それでいて、小アジア、スペインのことにも通じていた。たしかに、ヨーロッパ革命界の大部分の有力な人々と個人的交渉もできていたにちがいない。それらの人々の多くと、彼は文通をつづけさえしていた。だが、そうした人々とは、いかなる機会、いかなる意図をもって近づいたというのだろう？　彼らについて語るとき、そこにはいつも、人をはぐらかすような正確さとあいまいさとの混同がみられ、それはいつも、何かほかのことに関し、一般的討論の場合、それに付随しての報告とでもいったようにしてなされるのが例だった。自分の耳にした特別な言葉、自身その場に居合わせたらしいできごとを語るときでも、彼自身その事件にどういう役割を演じていたのか、ついぞ説明しようとしなかった。それをにおわせる場合にも、それはいつも挿話的といったような態度でなされていた。事実なり、主義なり、個人なりについて語るにあたっては、真剣で、しかも、しっかりした根拠あるちょうしで語っていたにかかわらず、いったん自分自身のこととなると、じょうだんとさえ思われるほどとらえどころがなかった。

それでいながら、彼は、何かできごとのあったときには、いつもその場に居合わせたような印象をあたえていた。少なくも、ある日ある所で実際に行なわれたことについて何人(なんぴと)にもましてよく知っており、その事件について独特な観察を持ち、その結果、そこから、思いもかけぬ、一点あやまたぬ推断をひき出し得ているような印象をあたえていた。

彼はなぜジュネーヴへ来たのだろう? 《落ちついていたいため》と、ある日語っていた。最初の数カ月は、亡命者たちとも、スイス社会党の党員たちともつきあわず、閉じこもった生活をつづけていた。そして来る日来る日を、アルフレダと諸方の図書館ですごしながら、フランス革命に関する名だたる論客の述作を読みふけり、またこれに注釈をすることにすごしていた。そこには、彼自身の政治的教養を完成する以外他意なきもののように見うけられた。

やがて、ある日のこと、ジュネーヴの若き闘士リチャードドレーは、彼を《本部》につれていくことに成功した。そこには毎晩、スイスや諸外国の革命家たちのかなり雑多な一団が集まっていたのだった。そこの空気が気にいったとでもいうのだろうか? その日はひとことも口をきかなかったが、翌日になると、自分から進んでやってきたのだった。そして、きわめて短時日のあいだにそのたくましい人柄は、一座に重きをなすにいたった。一時手も足も出ず、むだ話だけに終始していたこれら理論家たちの集団にあって、彼のたくましい批判的精神、読書や寄せ集めの知識というよりむしろ体験に根ざしているかにみえる往くとして可ならざるなき才能、あらゆる問題を具体的水準に引きもどし、革命思想につねに実際目標を呈示することを忘れない本能、きわめて錯雑した社会問題の中からたちまちにその本質をつかみ出し、それをきわめて明確な方式に要約してのける手腕――それらは、すべての連中にたいして異常な影響力を確保することになったのだった。数カ月にして、彼はこの集団の中心となり、指導者となり、ある者たちは《おやじ》とさえ呼ぼうとしていた。彼は、毎日のように姿をあらわした。だが、その身をとり巻くふしぎななぞはそのままだった。それこそはまさに一歩しりぞき、みずからをたくわえ、自分をととのえようと思うものの持っているなぞだった。

「こちらから」アルフレダは、ジャックを台所に招じ入れながらこう言った。「いま仕事中なのよ」

ジャックは、顔の汗をふいていた。

「ほしかったら?」水栓の水をうけている水さしをしめしながらこう言った。

「どうか」

水をついでくれたコップは、たちまち水玉で曇ってしまった。彼女は、ふだん見なれた慎ましい愛想のいい姿で、水さしを手にして彼の前に立っていた。軽くおしろいをはいたつやのない顔、低い鼻、唇を合わすとさもうれたいちごのようにふくらむ子供らしい口もと、こめかみのあたりにかけて心もち切れ長な目、それに、まゆげのあたりまで顔をかくした黒いごわごわしたつやのいい頭髪、それらすべては、何かヨーロッパ製の日本人形を思わせた。《それに、たぶん青いキモノを着ているせいかもしれない》と、彼は思った。そのとき、水を飲みつづけている頭の中に、パタースンの言った質問が思い浮かんだ。《アルフレダは、パイロットといっしょで満足していると思うかね？》じつのところ、メネストレルとの話のときにはいつも彼女がそばにいたにもかかわらず、彼女自身についてはほとんど何も知らなかった。彼は、生きものとしてより、何か家庭生活上のひとつの道具——さらに的確にいえばメネストレルの一部として彼女を考えるようになっていた。いま彼は、アルフレダとさし向かいになって知る軽い気づまりに、はじめてそれと気づいたのだった。

「もう一杯いかが？」

「いただきましょう」

チョコレートのために、咽喉（のど）がかわいていた。彼は、昼食を食わなかったこと、ばかげたものを飲んだことを考えた。と、とつぜん、とほうもないことが頭をかすめた。《アルコール・ランプを消してきたかしら？》と、思いだしてみようとした。だが、記憶はぼんやりしたままだった。

パイロットの声が、ついたてを通して響いてきた。

「アルフレダ！」

「はあい……」

彼女は微笑した。そして《なんてわがままなおぼっちゃん！》とでもいうかのような、いたずらめいたわるさ相手を求める目まぜでジャックのほうをじっと見つめた。

「行きましょう」と、女が言った。

メネストレルは、椅子から立ちあがっていた。彼は、逆光線を身に浴びて、いまよろい戸がなかばあいた窓の前に立っていた。日の光は部屋に流れこみ、低い大きなベッド、むき出しの壁、万年筆とほかに何枚かの紙のそろえたのがあるだけのテーブルの上を照らしていた。

ねずみ色のもめんのパジャマを着て立ったメネストレルは、ずっと大柄に見えていた。からだはすっきりして、上半身のあたりがかなりせばまって見えていた。だが、両肩は、どうやらかがみかけているようだった。ジャックのほうに手を出しながら、鋭いその目が、じっとジャックの目を見すえた。

「来てもらってすまなかったが、ここのほうが本部よりも落ちつけると思って……アルフレダ、きみの仕事はこれだ」アルフレダに、しおりでその個所をしめした書物をわたした。

彼女は、従順にタイプライターをとり出すと、背中をベッドにもたせながらゆかの上にうずくまり、そのままタイプを打ちはじめた。

メネストレルとジャックとは、テーブルのそばに腰をおろした。パイロットの顔には不安の色が見られていた。彼は、椅子の背に身をもたせ、足を前方に伸ばしていた。（負傷以来、左ひざのあたりが硬直し、日によると軽くびっこを引かなければならないのだった。）

「困ったことがおこったんだ」と、話しだした。「ある者から手紙をよこした。それによると、警戒しなければならない者がふたりいるらしい。その第一はギットベール」

「ギットベール？」と、ジャックは声をたてた。

「第二は、トブレール」

ジャックは、口をつぐんでいた。

「驚いたかね?」

「ギットベールですって?」と、ジャックはくり返した。

「これが手紙だ」メネストレルは、パジャマのポケットから一通の封筒をとり出しながら言葉をつづけた。「読んでみたまえ」

「なるほど」ジャックは、その手紙をゆっくり読んだあとでこうつぶやいた。署名のない、長い、冷ややかな攻撃の一文だった。

「ギットベール、トブレールが、クロアチア運動でとった立場についてはきみも知っているとおりだ。ふたりは総会のため、ウィーンに来るだろう。要は、ふたりをどの程度まで信用していいかという点にある。この点きわめて重大だ。ぼくは、確たるところをつかむまでは、危険呼ばわりをしたくない」

「なるほど」と、ジャックは、ふたたびくり返した。あやうく、《で、あなたはどうするつもりです?》と、口の先まで出かかった。だが、自分自身をおさえてのけた。メネストレルとの関係には、一種仲間としての気持ちが打ちだされていたにもかかわらず、そこには本能的に、ある程度の隔たりがおかれていた。質問を予期していたというように、メネストレルは口を切った。

「第一……」(彼は、病的と思われるまでに、いつも明確たらんことを期していた。そして、その言葉を、しばしば、このきりっとした鋭い《第一》なる語をもってはじめるのだった。——しかも、そのあとは必ずしも《第二》がくるとはいえなかった。）「第一、確証を得るためには、その方法はただひとつ。現地探査だ。ウィーンでの探査は穏密にされることを必要とする。そのためには人目にたたない者にやらせる。なるべくはいかなる党にも属さないもの……それでいて」と、言葉をつづけながら穴のあくほどジャックを見つめた。「気の許せるものでなければならない。というのは、つまりその判断に信がおき得るといった人物なのだ」

「なるほど」ジャックは、驚きながらも、内心ひそかに得意だった。彼はたちまち、相当愉快になりながらこう思った。《これでモデルから救われるぞ……パタースンにはきのどくだが》それにつづいて、またもやアルコール・ランプのことが思い浮かんだ。

ちょっとのあいだ沈黙がつづいた。そのあいだ、聞こえるものはタイプの音と、流し元を流れる水の音ばかりだった。

「引き受けてくれるか?」と、メネストレルが言った。

ジャックは、軽く頭を動かして承諾の意をあらわした。

「出発の時まで二日間」と、メネストレルは言葉をつづけた。「そのあいだに、いろいろ書類をととのえる。そして、ウィーンには必要期間中がんばるんだ。たとえば、必要とあらば二週間」

一瞬、アルフレダはジャックのほうに目をあげた。ジャックは何も答えないで、ふたたび頭で承諾の意をしめした。彼女もふたたび仕事をつづけた。

メネストレルは話をつづけた。

「ウィーンには、オスメールがいて助けてくれる」

こう言いかけて口をつぐんだ。誰かが入口の戸をたたいた。

「アルフレダ、行ってごらん……トブレールに金をもらった事実があるかどうか」彼は、ジャックのほうを向きながらそう言った。「オスメールが知っているにちがいない」

オスメールは、メネストレルの友のひとりだった。オーストリア人で、ウィーンに住んでいた。ジャックも、去年、ローザンヌで会ったことがあった。オスメールは、そこに来ていく日かをすごしていった。そしてジャックは、そのときの邂逅から深い印象を受けていた。彼ははじめて、厚顔にも日和見的革命家をもって自任してはばからぬひとり、手段を選ばず、最終目的だけを唯一の目標とし、いささかたりとも革命目的に役だつかぎりみずからをおとすことなど意に介せず、必要とあれば、恥も外聞もなんのその、進んで借り着も身につけようという、そうしたひとりに会ったのだった。

アルフレダがもどってきて、客の名を告げた。

「ミトエルクさん」

メネストレルは、ジャックのほうを向いて、ふきげんらしく言った。

「あとから《本部》でまた話そう……」そして、声を高めて、「ミトエルク君、さあどうぞ」

ミトエルクは、弧を描いたまゆげの下に、大きなまるい眼鏡をかけていた。そのまゆげのため、いつも驚いたような表情に見えるのだった。顔はぼってりして、その輪郭がゆるみ、いささかはれぼったくさえ見えるところは、眠りたりなかった夢遊病者のようにも思われた。

メネストレルは、椅子から立ちあがっていた。

「ミトエルク君、なんの用だね？」

ミトエルクの目は、ひとわたり部屋の中を見わたし、パイロットをはじめとして、ジャック、アルフレダのうえにそそがれた。

「ジャノットが本部にやってきたんです」と、彼は説明した。

《いや》と、ジャックは思った。《どうも吹き消してきた確信がない。チョコレートを茶碗に入れてから、なべを焜炉(こんろ)の上にもどしておいた。だが、どうもそのまま消さなかったぞ……チョコレートを飲んで、飛びだした……たぶん火はそのままだったにちがいない……》彼は、じっと目をすえたまま黙りこんでいた。

「ジャノットは、今夜の講演をするまえに、あなたにとてもお会いしたがっていました」と、ミトエルクはつづけて言った。「だが、旅行でとても疲れていましてね……暑さに弱いほうだから……」

「なにしろ物すごいたてがみだから……」と、アルフレダがつぶやいた。

「で、少し寝にいきました……だが、どうかわたくしの口からよろしく伝えてほしいということで」

「いいとも、いいとも……」と、メネストレルは、まったく思いがけない裏声を出した。「なあミトエルク君、ジャノットなんか、おたがいどうでもいいんだからなあ……なあアルフレダ、ちがうかね？」

そう言いながら、彼はアルフレダの肉付きゆたかな肩に腕をのせ、そして手で髪の毛をなぶってやっていた。

「そのかたをごぞんじ?」アルフレダは、いたずらめいた目をジャックのほうに向けながらたずねた。

ジャックは聞いていなかった。その記憶の中に、何か自分を安心させてくれるような的確な事実をむなしく求めつづけていた。彼は、たしかになべを下におろしたように思った。そうだとすると、たしかに火を吹き消し、ふたをしたにちがいないかな? だが……

「まるで白髪頭の年とったライオンみたいな髪の毛をしているのよ」と、アルフレダは笑いながら言った。「宗教打倒主義者でいながら、まるでお寺のオルガンひきみたいな頭をしているのよ!」

「これこれ!……」と、メネストレルがやさしくたしなめた。

ミトエルクは、狼狽しながら、ちょっとてれたような微笑をもらした。そのさか立っている髪の毛は、すぐにも怒りだしそうな男に見せていた。もっとも、かなりしばしば怒ることも怒ったが。

彼はオーストリアの生まれだった。五年まえ、ザルツブルクで薬学の勉強をはじめていたが、兵役をのがれるためにそこを去った。それからスイスに来て、最初はローザンヌ、つづいてジュネーヴ。ここで専門の勉強を仕上げ、それから後、いま一週間に四日、ある研究所で規則正しく働いているのだった。だが、その心は、化学よりも社会学のほうに夢中だった。驚嘆すべき記憶力にめぐまれた彼は、あらゆるものを記憶し、あらゆるものをその四角なあたまの中に整理していた。まるで何々便覧といったように、どんな質問にも答えてのけた。友人たちは、まずメネストレルをはじめとして、これを利用することを忘れなかった。彼は、暴力主義の理論家だった。それでいながら情にもろく、センチメンタルで、気が弱くて、そして、いつも恵まれなかった。

「ジャノットは、もうだいぶほうぼうで講演をやっているんですよ」彼はゆっくり言葉をつづけた。「ヨーロッパのことにきわめて詳しい。ミラノから来たんです。オーストリアでは、トロツキー（ロシア革命の人物。当時亡命してオーストリアにいた）と二日いっしょに暮らしました。話がなかなかおもしろい。ぼくたち、講演がすんでから、カフェー・ランドールにつれていって、いろいろ話を聞く計画をたてています。おいででしょうね？」彼は、メネストレルを、つづいてアルフレダのほうを見ながら言った。さらにジャックのほうをふり向いて「きみはどうだね？」と言葉をつづけた。

「カフェー・ランドールか。そう、いこうかな」と、ジャックが言った。「だが、講演のほうはまっぴらごめんだ！」頭にこびりついたランプのことが、いらいらさせているのだった。それに、よほどまえからあらゆる宗教的信仰から解放されていたとはいいながら、ほかの者たちの反宗教論にはほとんどどいつも腹をたてずにはいられなかった。「題からしてなんだか子供じみた挑戦口調だな。《神なきことの証明》か！」そう言いながらポケットから引き札らしい緑色の紙をとり出した。「しかも、その宣言文というのが、だ！」そう言いながら肩をすくめて、誇張したちょうしで読みはじめた。「《予は、精神的第一原因の仮定をぜったい無益のものたらしめる宇宙の大法について説きたいと思う……》」

「文章をくさすのはわけのないことさ」ミトエルクは、まるい目をぎょろりとさせながらそれをさえぎった。(興奮してくると、唾腺に分泌がさかんになって、言葉には唾液の音がまじってきた。)

「もちろん、これらを、もっとりっぱな理論体系で語りうるであろうことには異存がない。だが、これらを口にし、くり返し口にすることが必ずしも無益であるとはいえないと思うね。何世紀というもの、僧侶はじつに迷信によって人間のうえに支配権をふるってきた。宗教さえなかったら、人間はこれほど長いあいだ、あのみじめな状態を甘受しないでもすんだろう。おそらくもっと早く反抗をこころみていたにちがいない。そして自由を獲得してきたにちがいない!」

「そうかもしれない」と、ジャックは折れた。そしてプログラムをもみくしゃにし、それをいかにもいたずらっ子らしく、細めに開いたよろい戸のあいだからおもてに投げた。「そして、そうしたお説教が、ウィーン、ミラノにおけるとおなじように、今夜もまた拍手かっさいを浴びるであろうことも考えられるさ……さらに言えば、何百という男おんな……むしろ湖水の岸に腰をおろし、夜をながめ、星をながめていたほうがどんなにいいかわからないと思われる男おんなを、この暑さに、いぶりかえった息苦しい空気の中にひっぱり出す、あの何か知りたい、そして解放されたいという欲望、そこに何か心打たれるようなもののあることも否定しない……だが、ぼく自身、そんなものを聞くのにひと晩を費やすのはまっぴらごめんだ。とてもぼくには堪えられない!」

言葉の最後に近くなって、声のちょうしが急に折れた。いま、ありありと、炎がテーブルの上に散らばった書類をなめ、窓のカーテンに燃えうつっているさまを心に描いて息ができなくなったのだった。メネストレルもアルフレダも、それに平素あまり気のつかないミトエルクまでが、驚いたように彼をみつめた。

「じゃ、さよなら」ぶっきらぼうにこう言った。

「いっしょに本部に行かないのかね？」と、メネストレルがたずねた。

ジャックは、すでに手をドアのハンドルにかけていた。

「そのまえに、ちょっと家へ帰ってきます」

投げだすような声だった。


カルージュ町に出るやいなや走りだした。プランバレーの四つ辻では、動き出した電車を見て、いきなり踏み段に飛びのった。だが、河岸の停留所まで来ると、なんともしんぼうできなくなって、電車を飛びおりると橋のところまで駆けていった。

エテューヴ町を抜け、いつも見なれたグルニュ広場の道具立て、共同便所、なんの変わりもないグロープ・ホテルの建物をながめたとき、きちがいじみた恐怖ははじめて魔法のように消えていった。

《なんておれはばかなんだ》と、思った。

いまになって、芯に真鍮のふたをかぶせたこと、そのとき指先にやけどをしたことまでが思いだされたのだった。親指の腹には、まだやけどの痛みが残っていた。そして彼は、やけどの跡をみようとじっとその指にながめ入った。いまや記憶は明確となり、一点疑いをゆるさぬものとなって、その正確さをたしかめるため、あえて四階まであがっていくことを要しなかった。くびすを返すと、彼はローヌ川のほうへおりていった。

橋上からながめると、水にすそを洗われている緑の堤防から聖ピエール寺院のいくつもの塔にかけて、みごとな諧調を見せて積み重ねられているこの古い町は、いまアルプス連山を青いバックとしてその目のまえに浮きあがっていた。彼はふたたび《なんてばかばかしい！……》と、くり返した。事自体のくだらなさにくらべて、襲われた不安が度はずれて大きかったこと、それが彼にはなんともふしぎでたまらなかった。彼は、ほかの例を思いおこした。こうした空想にもてあそばれたこと、それは何も今度が最初のことではなかった。《ああしたとき、どうしてああも完全に自制力を失ってしまうのだろう？》心のうちにたずねてみた。《なんというふしぎな、病的な快感で、不安に身をまかせてしまうことだ！　しかも不安ということだけにとどまらず、小心翼々というところまでいってしまうのだ……》

息を切らし、汗にまみれながら、いつも見なれたこれらの町々をべつに気にもとめず小きざみ足にあがっていった。ほの暗いひんやりした往来は、ところどころ平らになったところや家の入口の石段によってとぎられながら、木造の店を持った古い家々のあいだを、町の中心さしてのぼっていった。

彼はいま、それと心づかずにカルヴァン（宗教改革者。カルヴァン派の祖。ジュネーヴに没）町にさしかかっていた。それは市の高台の線に添った町なのだった。おごそかな、何かもの悲しいカルヴァン町は、まさにその名にふさわしかった。商店のないこと、いかつい、どっしりとした、ねずみ色の石造りの家並み、そうした家々の高い窓のうしろに想像されるいかめしい生活、それらはまさに、裕福な清教主義の観念を思いおこさせるものだった。そして、こうしたもの悲しげな遠見のかなた、破風（はふ）や、柱石や、古い菩提樹のいく株などをもち、日に照らし出された聖ピエール広場は、まるであたえられたひとつのめぐみとでもいうようにその姿を見せていた。

四

《日曜だな》と、ジャックは、会堂の前庭の婦人たちや子供たちをながめながら思った。《日曜、そして、もう六月二十八日だ……オーストリアでの調査が十日ないし二週間つづきでもしたら……しかも、大会までにしておかなければならないことは山ほどあるんだ！》

この一九一四年の夏、彼は友人たちのすべてとおなじように、八月二十三日ウィーンで開かれることになっている社会主義大会が、インターナショナルの大問題についていかなる決意をなすであろうかをきわめて熱心に期待していた。

パイロットから託された任務はかなり愉快に思われた。彼は、活動することが好きだった。それは、なんの悔恨もなしに自分自身を愛しうるための方法だった。それに、いく日かのあいだここを離れること、ひっきりなしの会合や、内輪同士の討論会からのがれることもまんざら悪い気持ちではなかった。

ジュネーヴでは、彼は毎日、でないにしてもほとんど毎日、夕方になると、本部に行かずにはいられなかった。ときには、そこへ来て、幾人かの手を握り、そのまま出ていくようなこともあった。またあるときは、グループからグループへとわたりあるき、さてそのあとで奥の一間にメネストレルも閉じこもる。それこそじつにこのうえなく楽しい日々なのだった。（いかにもとうとい親しみの時。だが、それは彼にたいしてやきもちをやく多くの者を作りあげた。というのは、過去何年にわたる闘争の経歴を持った人々、身をもって《革命的行動》を行なってきた人々にとっては、パイロットが、自分たちよりジャックといるのをよろこぶということがなんとも理解できないのだった。）だが多くの場合、彼は、いつもその友人たちとともにいた。黙りこんで、いつもいささかの距離をおくことを忘れなかった彼は、たいていいつも論争の外に身をおいていた。だが、いったん、それに加わると、そこに見解の広さ、理解と調和への欲望、すぐれた才能のひらめきをしめして、論争にはたちまちいつもとちがった面があたえられた。

彼は、この各国の人々をあつめた小さな集まりのなかに、おなじような集まりのすべてに見られるようなふたつの革命家の型を見いだしていた。すなわち、使徒型のものと技術家型のもの。彼の生来の共感は、たとい、それが社会主義者であろうと共産主義者ないし無政府主義者であろうと、使徒型の者のほうに傾いていた。彼は、きわめてすなおに、それら勇ましい主義者とそりの合う自分であることを感じていた。反発の動機とするところは、彼らも彼も同様だった。すなわち、不正不義にたいする持って生まれた感覚だった。彼らのすべては、彼とおなじく、現在の世界の廃墟のうえに正しい社会を打ち建てることを夢みていた。彼らのいだく将来の夢想は、その細部においてこそ相違があっても、希望するところは同一だった。すなわち、平和と友愛との新しい秩序だった。みんなもジャックとおなじように——そして、そのゆえにこそジャックは彼らをきわめて身近なものに感じていた——心の高貴さをきわめてたいせつにしていたのだった。偉大さにたいする感覚、それにたいするかくれた本能は、彼らをして自分自身のうえ高く立ちあがらせようとし、自分自身を凌駕させようとするのだった。じつのところ、彼らを革命の理想に結びつけていたものは、ジャックの場合とおなじく、そこに生きるための激しい動因を求めようとしたためにほかならなかった。その点彼らは、われにもあらず個人主義者を脱却できないでいた。生活を共同目的の勝利のためにささげながら、闘争と希望との強烈な空気の中にあって、彼らがとりわけ無意識に味わっていたところのものは、自分たちの個人的な力、自分たちの能力が十倍になることとの快感だった。自分自身を凌駕するほどの大きな仕事に一身をささげることになり、自分たちの資質を解放することとの喜びだった。

だが、ジャックは、こうした理想主義者たちに好意をよせながらも、彼らがただ自分たちの熱情のみに身をまかせ、際限なくむなしい動揺をつづけているにちがいないことも見のがさなかった。革命的ねい**り物**の真の酵母、発酵素は、少数のもの、《技術家組》によってととのえられていた。彼らは、的確な要求を打ち立て、具体的な現実を準備していた。彼らの革命的教養は広く、しかもたえず新しい要素によって補充されていた。彼らの狂熱には一定の目的があたえられ、そして、それらの目的は重要度に応じて配列され、しかも断じて空想的なものではなかった。《使徒組》によってととのえられた興奮したイデオロギーの空気の中にあって、これら《技術家組》は、実行的信念を代表していた。ジャックは、明確な意味においてはこれらのどの種類にも属していなかった。もっとも相隔たること少ないのはいうまでもなく《使徒組》だった。だが、彼の精神の明確さ、というより、少なくともその明確さを好むこころ、はっきりした対象への好尚、事態、個人、いろいろな関係などについて持っていた正しいセンスは、少し努力さえしたら、かなりりっぱな《技術家組》たらしめもしたであろう。そうだ、機会さえあったらあるいは《おやじ》にさえもなれるだろう。《おやじ》を《おやじ》たらしめるもの、それこそは《技術家組》の政治的資質に加うるに《使徒組》的ふしぎな情熱ではなかったろうか？　これまで接した幾人かの革命的指導者たちは、申し合わせたようにこのふたつの特質を持っていた。ひとつはすなわち指導性（さらに適切にいえば、事実にたいする洞察力、それはきわめて総括的のものであるとともにきわめて明敏なもの、これあるによって彼らは、あらゆる変化に際し、ただちに事件をいかにさばき、いかにその動きの方向を変えるべきかを指摘しうるのだった）、さらにひとつは、影響力（一種の牽引力、それこそは彼らをして一挙にあらゆる人々、さらにいえば、事物そのもの、事実そのものまでを直接的に把握せしめるもの）だった。しかるにジャックは、洞察力と影響力と、このふたつのものにこと欠かなかった。そしてさらにかなり異色ある共感の資質、誘導力さえ持っていた。そして、こうした資質をこれまで伸ばそうとしなかったのも、それはきわめてわずかな例外の場合を除いて、他人の発展なり、その動き方なりに影響をあたえるということを本能的にきらっていたからにほかならなかった。

彼はしばしば、こうしたジュネーヴの連中の中での自分の奇妙な立場について考えてみた。彼には、集団にたいする場合と個人にたいする場合とによって、自分の立場に大きな相違があるように思われていた。

集団にたいする場合、彼の態度は概して受動的だった。というのは、彼の影響力が絶無だったことを意味するのであろうか？　それは断じてしからずだった。そして、その点彼にとってはもっとも大きな驚きだった。彼は、自然の成り行きとして、これまでにひとつの役割、しかもかなりはえない役割をつとめてきた。すなわち、彼の役割は、周囲のすべての人たちが《ブルジョワ的》と呼び、簡単に、総括的に排撃していたある種の価値なり、教養の成果なり、ないしある種の芸術形式なり生活体系なりを解明し、これを意義づけることに終始していた。彼は、仲間たちと同様に、ブルジョワジーは、いまや文明の領域においてその歴史的使命の終局に達しているとの確信を持っていたにもかかわらず、自分自身なおその全的影響下にあることを感じているブルジョワ的文化の組織的、根底的廃棄を容認するまでにはいたっていなかった。そして、そうしたブルジョワ的文化における優秀な、永遠的な部分を擁護するために、きわめてフランス的な一種の知識的貴族主義をもってしていた。それは、彼の相手たちを深く激昂させた。だが、それでいて彼らは、自分たちの判断を変改するとまではいかないにしても、少なくも所説の断定的態度だけはこれを緩和せずにはいられないようなことがあった。それに彼らは多少意識的に、こうした異端者を自分たちの仲間に有することに暗に満足感を味わっているらしかった。すなわちもともと根底的には自分たちと同じ社会理想に燃えていることのわかっている彼ではあるし、それに、自分たちの仲間に彼のいるということは、不可避かつ必然のものである革命の観念にたいし、自分たちがいまそれを打倒しようと思っている社会の承認をもかち得ていることのようにも思われたからのことだった。

個人的関係の場合——たとえば対談の場合、彼の個人的影響力は、まったく異なった大きさをしめした。最初、いささか疑惑の目をもって見られていた後で、——彼は——もちろんきわめて優秀な人人のうえに——明白な精神的影響力をしめしはじめた。そのつつましさ、その感情とものごしとの洗練さのかげに、彼らは人間的なあたたかみを見いだしていた。そして、そのあたたかみこそは、彼らの険しさを溶解させ、彼らの信頼をそそりたてていったのだった。彼らはジャックを遇するに、すべて彼ら相互とおなじように、すなわち仲間として取り扱ってはいなかった。ジャックとの関係において、彼らはそこに一種微妙な親しさと愛の感情とをもってしていた。彼らはジャックに、その逡巡や煩悶を打ちあけた。ある晩のごときは、誰にも深くかくしているもの、すなわち自分自身の利己心なり、欠陥なり、人としての弱さなりまで告白した。彼のそばにあるとき、彼らははっきり自分自身が認識できた。そして自分自身の力を鍛え直せた。彼自身、その内生活の設計において幾久しくいたるところに求めてやまなかった真理の把握がすでにできあがってでもいるかのように、彼らはジャックに忠言を求めた。その結果、彼らはジャックにたいし、そんなことは夢にも知らずに一種いかめしい束縛を課していた。すなわち、その人格なり言葉なりに、彼自身思いもよらぬ力を認める結果、彼をして、たえずみずからのうえに心をくばり、緘黙(かんもく)し、自分自身の失望なり、不安なり、落胆なりをかくしておかなければならないようにさせたのだった。こうして課せられた責任感は、彼の周囲に一種絶縁地帯を作りだし、その結果、なんの容赦もあらばこそ、孤独地獄に突き落とされてしまったのだった。こうした孤独に悩んだ彼は、ときおり、絶望をさえ感じていた。《身におぼえのないこうした威信、これはいったいどこから出てくるのだ?》彼はわれとわが心にたずねてみた。そのとき、アントワーヌの得意の言葉が思いだされた。《おれたちはチボー家の人間だ……おれたちの中には、何かしら人をおさえずにはおかないものがあるのだ……》だが彼は、たちまちこうした倨傲(きょごう)のわなからのがれ出ることができた。そうした一種のふしぎな力がわが身のなかから輝きだすと信じるためには、あまりにもはっきりわが身の弱さがわかっていたからだった。

五

《本部》——メネストレルの親しい同志たちは、一般にそれを《談話室》の名で呼んでいた——は、山手の中心部、古いバリエール町、会堂にそってこっそりと設けられていた。

外から見たところ、建物は、従前とはちがった用途に当てられているらしかった。それは、いまもなおきちんとしたこの町にいくつか残っているよぼよぼな建物のひとつだった。四階からなる建物の前面は、ひびが入り、白いしみができたばら色がかった荒塗り壁になっていて、それにいくつかの上げ下げ式の窓が開いていた。とはいえ、よろい戸もなく、窓ガラスもほこりまみれで、まるで無住の家そのままだった。家と往来とのあいだには狭い前庭があった。庭は土べいで取りまかれ、いろいろな砕片、鉄くず、建物のこわれたくずなどでいっぱいになっていて、そのなかに一本の大きなそくずの木がはえていた。入口の鉄門も、もうなくなっていた。二本の石の柱には、看板がわりの亜鉛の帯がゆわえつけられ、そこにはいまでも《鋳銅工場》の文字が読まれていた。鋳銅工場は、すでによほど以前に移転してしまっていたが、この家だけは、製品保管のためそのままになっていた。

《本部》は、こうした住む人もない建物のうしろにかくれていた。それは二階建ての独立家屋で、二番めの中庭のなか、町のほうからは見えないところにあった。そこへ行くには、かつての鋳銅工場をこちらからあちらに抜ける迫持(せりもち)形の天井を持った通路によるのだった。建物の階下の部分は、かつて車置き場に当てられていた。そこに、なんでも屋のモニエが住んでいた。二階には部屋が四つ並んでいて、暗い廊下に連絡されていた。一番奥の部屋——狭い一間——は、アルフレダの肝いりで、いわばパイロットの個人的事務室といったようなものになっていた。かなり広い残りの三部屋は会所に当てられていた。おのおの部屋の中には十二ばかりの椅子や、ベンチ、それにテーブルが数脚おいてあって、そこで新聞や雑誌が見られるようになっていた。というのは、《本部》には、単にヨーロッパの社会主義新聞のみならず、発行が間欠的なほとんどすべての革命的刊行物があるのだった。

間欠的というわけは、往々やつぎばやに宣伝用の数号を送りだすかと思うと、資金の欠乏なりあるいは編集者の投獄のため、半年ないし二カ年にわたって姿を見せないことがあるからだった。

迫持(せりも)ち天井の通路を抜けて奥庭にはいるやいなや、ジャックの耳には、あけ放った二階の窓から何か議論するらしいやかましい声が聞こえ、きょうは《本部》におおぜい来ているなということが感じられた。

階段の下のところで、三人の男が、スペイン語ともつかずイタリア語ともつかぬ言葉で何かいきりたって話していた。それは三人の熱心なエスペランティストだった。そのうちのひとり、ローザンヌで教授をしているシャルパンティエは、この日ジャノットの講演を聴きにきたのだったが、彼は革命党仲間にかなり読まれている『レマン・エスペランティスト』誌を主宰していた。この男は、あらゆる機会をのがさず、インターナショナルの世界が第一に必要とするもののひとつは共同言語であり、あらゆる国語の共通的補助言語としてのエスペラントの採択こそ、人々のあいだの精神的物質的交流を容易ならしめるものであることを説いていた。そして好んで、あのおごそかな、権威あるデカルト（十七世紀フランスの哲学者）を引用しておのが所説を裏づけることを忘れなかった。デカルトは、その私信の中で、ひとつの普遍的言語、《理解しやすく、発音しやすく、書きやすく、しかも最重要点として、判断をやすからしめる普遍的言語》への希望をきわめて明らかに述べていた。

ジャックは、三人と手を握り合った後、階段をあがっていった。

踊り場のところに四つんばいになって、モニエが『フォルエルツ』（ドイツ社会民主党機関紙）のひと山を整理していた。彼の本業は、カフェーのボーイだった。じつをいうと、彼はいついかなるときでもセルロイド製の胸当ての上に切れこみのついているチョッキを着ていたにかかわらず、その本業についているときはまれだった。彼は毎月、一軒のビヤホールで一週間だけ臨時雇いとして働いた。そして、遊んでいられるだけのものをかせぐと、あとの期間をもっぱら《革命のため》に奉仕しているのだった。家の中の仕事万端、使い歩き、謄写版印刷、雑誌類の分類、彼はあらゆる仕事にいつも変わらぬ熱心さで働いていた。

階段に向かった戸をすっかりあけ放った入口の部屋で、アルフレダとパタースンが、窓ぎわに立ってふたりきりで話していた。パタースンといっしょにいるとき——ジャックはこれまでにもすでにそのことに気がついていた——アルフレダは、いつもの無口なアシスタントとしての衣を好んで脱ぎすてていた。パタースンのそばにいるとき、彼女は、おそらくよそでは気の弱さからまったく隠しているかに見えるひとつの人柄を、すっかりとりもどしているとでもいうようだった。アルフレダは、わきの下にメネストレルの書類カバンをかかえていた。そして、手には一冊の小冊子を持って、その一節を低い声でパタースンに読んで聞かせていた。パタースンは、パイプをくわえながら、気のりのしないようすで耳を傾けていた。彼はじっと、うつむいた女の顔、黒い髪、頬の上にひいたまつげのかげ、つやのない顔の上に見られるふしぎな輝きを見まもっていた。そしておそらくこの女を描いてみたらとでも思いふけっているらしかった。ふたりがふたりとも、ジャックがその前を通ったのに気がつかなかった。

第二の部屋は、常連でいっぱいだった。戸口近くには、ボワソニが、便々たる腹をひざの上にのせながら腰かけていた。それを取り巻いて、ミトエルク、ゲラン、それに古本商のシャルコウスキーが立っていた。

ボワソニは、ジャックの手を握りながら、そのまま話しつづけた。

「しかし……しかし、だ！……いったいそれが何を意味すると思う？　答えはいつも同一だ、すなわち革命的熱意のふじゅうぶん……それはまたなぜか？　思想の不足だ！」こう言って、上体をのけぞらし、両ひざの上に手をおきながら微笑した。

毎日、彼は早くから出かけてくるもののひとりだった。彼は論争が大好きだった。フランス人で、以前ボルドー大学で自然科学の教授をしていたが、人類学の研究から、人類学的社会学のほうに足を踏み入れていた。あまりに大胆なその教授ぶりはついに大学当局のにらむところとなり、ここジュネーヴに来て落ちつくことになったのだ。彼は奇怪にも、とほうもなく大きな頭と、とても小さな顔を持っていた。はげあがったひろいひたい、ぼってりした頰、いくつも重なりあったあご、それが顔のまわりに贅肉地帯を作りあげていて、その中央、きわめて限られたところに、顔の造作がまとめられていた。いたずららしい、また人のよさそうなきらきらした両眼、小鼻のひらいた、かぎつけることのすきららしい、そして貪婪（どんらん）な短い鼻、絶えず微笑しかけるぼってりとした両唇。太っちょの彼の全生命は、まるでこの小さな、生きた仮面に集約されてでもいるかのようで、それはまさしく、貧血した脂肪の砂漠に忘れられたオアシスとでもいったようだった。

「わしはまえにも言った。も一度それをくり返そう」と、貪食らしく、舌なめずりしながらこう言った。「闘争、それはまず哲学方面に向けられなければならん！」

ミトエルクは、眼鏡のうしろに、承服できないといったような目をぎょろつかせた。彼は、髪さかだった頭をゆすった。

「行動と思想はつねに共にでなければならないんだ！」

「十九世紀のドイツでのありさまを見るがいい……」と、シャルコウスキーが言いかけた。

ボワソニおやじは、軽くひざをたたいていた。そして、

「それだからよ！」と、すでに勝ち誇ったような笑いを浮かべながら言った。「そうだ、ドイツ人の例を見るがいい……」

ジャックには、あらかじめ彼が何を言おうとしているかがわかっていた。ちがうところは、駁論なり立論なりの組み立て方にとどまっていて、それはちょうど碁盤の上の駒の配置に異ならなかった。部屋の中央には、ゼラウスキー、ペリネ、サフリヨ、スカダの四人が立ちはだかっていて、何かいきまいた四部合唱とでもいったようだった。ジャックは、彼のそばによっていった。

「資本主義組織の中では、すべてが連関し合い、巧みに相より相助けている」と、ゼラウスキーが言い放った。亜麻色の長いひげをしたロシア人だった。

「だからさ、待っていればそれでいいんだ」と、ユダヤ生まれのスカダが言った。そうした言葉は、一種執拗なおだやかさでその口をもれたのだった。「ブルジョワ世界の崩壊は、けっきょくひとりで

に行なわれるんだ……」

スカダは、五十かっこうの、小アジア生まれのユダヤ人だった。きわめて近眼の彼は、鉤形の、オリーヴがかった鼻の上に、望遠鏡の玉ほどもある厚いレンズの眼鏡をかけていた。顔だちはみにくかった。卵形の頭の上にぴったりはりついている縮れて短い髪の毛。とても大きなふたつの耳。だが、眼差しには、あたたかく、思い深げなものがあって、そこに無限のやさしさがこめられていた。彼は、隠者のような生活を送っていた。メネストレルは、スカダを呼んで《瞑想的アジア人》と言っていた。

「どうだい?」深いバスの声がこう言った。そして人足のそれを思わせるような大きな手が、ジャックの肩にばっさり落ちた。「ぬくぬくとな?」

キルーフがはいってきたのだ。彼はほうぼうの組を一巡しては、《どうだい!》を浴びせかけては手を握って歩いていた。彼は、それにたいして、しきたりによる《そっちはどうだい?》をぜったい期待してはいなかった。冬でも夏でも、自分のほうから《ぬくぬくとな?》と答えていた。(町中に雪でもあればとにかく、彼はこの言いまわしを変えようなどとは思わなかった。)

「崩壊はおそらくはるか先のことだろう。だがそれは、避くべからざることなのだ」と、スカダがくり返した。「われらのためには時がかせいでいてくれるのだ。それだからこそ、われら思い残すことなく死ねるんだ……」そう言って、そのだらりとしたまぶたを伏せた。そして、誰に向けるというでもなく、おのれが確信のかげとでもいうにすぎないひとつの微笑が、その切れ長な両唇をまるで二匹のへびとでもいったようにたがいにゆっくり波打たせたのだった。

ペリネは、思い決したようにいく度か小さくうなずきながら、それに賛意を表していた。

「そうだ、時がかせいでいてくれるんだ！　いたるところ！　そうだ、フランスでさえそうなんだ」

彼は、明るいちょうしで、声高に、早口に話していた。そして、心に浮かぶすべてのことをすなおなちょうしで言葉に出した。パリっ子らしいちょうしは、この呉越同舟の集まりにたいして一種おもしろい響きをもたらしていた。年のころ二十八歳ないし三十歳といったところか。パリ生粋の若い職人のタイプだった。利発な眼差し、ちょびひげ、気のきいた鼻、小ざっぱりした風采。彼はフォブール・サン・タントワーヌの、とある家具屋の息子だった。女のことから若いときに家を飛びだし、苦労の味を知り、アナーキストの群れに出入りしては、刑務所入りの経験もした。けんかざたからリヨン警察のお尋ねものになって、ついには国境も越えたのだった。ジャックはこの男が好きだった。外国から来た連中はいささかの距離をおいて対していた。それというのも、その気軽な笑い、その機知縦横にはぐらかされてのことだったが、とりわけ、その悪癖たる、みんなを呼ぶに、やれ《えげれすさん》、やれ《マカロニさん(イタリア人を指す)》、やれ《酢づけキャベツ(ドイツ人を指す)》、といったところが、気を悪くさせてのことなのだった。そういう当人、それを少しも失敬だなどとは思っていなかった。そういう自分でも《パリゴ(パリっ子)》と呼んでいるではないか！

彼は、証人になってもらおうとでもいうように、ジャックのほうをふり向いた。

「フランスでは、工業家や親方衆の社会でも、新しいジェネレーションはちゃんと風向きをかぎつけてるんだ。腹の底では、もうだめだって感じている。そういつまでも甘い汁の吸えないことをちゃんと感じてしまってるんだ。しばらくすれば、土地にしたって、鉱山にしたって、工場、大会社、輸送機関も、何から何まで、いやでもおうでも大衆のもの、労働大衆の手にもどるってことを感じてるんだ……若いやつらは知ってるんだ。なあ、チボー？」

ゼラウスキーとスカダとは、さも特別緊急な問題ででもあるかのように、目まぜで意向をたしかめようと、くるりとこちらをふり返った。ジャックはそれに微笑でこたえた。もちろんそれは、彼らにくらべて、こうした社会変革の兆候を軽んじているというためではなかった。彼らほどに、こうした会話に有用性がみとめられないからにほかならなかった。

「それはそうだ」と、彼は譲った。「フランスの若いブルジョワたちのなかでは、資本主義の将来への信念はひそかにぐらつきだしていると思うな。彼らはまだその制度を利用している。それが自分たちの生きているかぎりつづいていてくれればとさえ思っている。だが、もう《正しさの意識》は持てなくなっているんだ。……ただし、彼らの場合はそれだけだ。彼らがいつでも手をあげようと待ちかまえているなんて思ったら尚早だ。ぼくは反対に、彼らがあらゆる犠牲を払ってまでもその特権を護るにちがいないと思っている。彼らはまだきわめてがっちりしている！　まず第一には、なんとも腹のたつことだが、彼らは、その搾取している大衆から無言の支持をうけてるんだ！」

「それにいまでも」と、ペリネは言った。「あらゆる指導的立場は彼らによって握られてるんだ」

「それも単に事実握っているというだけのことではない」と、ジャックが言った。「目下のところ、彼らはそれを握るべき一種の権利さえも持ってるんだ……それというのは、いったいどこをさがしたら……」

「《無産者の思い出》！」と、とつぜんキルーフがほえたてた。彼は、部屋の奥のテーブルの前に立っていた。そこには、図書係を仰せつかった古本屋のシャルコウスキーが、新聞、雑誌、新刊書などを毎晩並べているのだった。こちらからは、ただそのうつ向いている首すじ、それに嘲笑しながらすくめて見せたがっちりした肩だけしか見えなかった。

ジャックは、言いかけていた言葉をつづけた。

「……いったいどこをさがしたら、きょうかあすに、彼らにとって代わるべき教養あり、専門的知識のあるじゅうぶんな人間を集めうるんだ？　ゼラウスキー、何を笑ってる？」

ゼラウスキーは、しばらくまえから、好意のこもった、茶化したような眼差しでジャックをながめていた。

「フランス人ていうやつは、その誰も彼もが」と、彼は首を振りふりこう言った。「自分のなかに、いつも片目をあけている懐疑主義者を持っているのさ……」

キルーフは、腰をひねってふりむいた。そしてひとわたりほうぼうのグループを見わたしたあとで、いま新しい仮綴本を打ちふり、つかつかとジャックめがけて歩みよった。

「エミール・プシャール著わすところの『一無産者の少年時代の思い出』……こいつをいったいなんだと思う？　え？」

彼は、目をむき、のんきものらしい鼻面を突きつけ、みんなを笑わせようとこっけいじみた憤慨のようすにさらにいささか誇張を見せて、かわるがわるみんなの顔をみつめて笑った。

「またひとり、なさけないお仲間が出てきやがったか？……問題あさりの大ばかやろうか？……それともプロレタリアを看板に文学よばわりの三文文士か？」

彼は、みんなから《扇動家》あるいは《靴屋さん》と呼ばれていた。プロヴァンス生まれ。長年のあいだ商船に乗りこみ、それから地中海の港という港でありとあらゆる渡世をやったあとで、ついにこのジュネーヴに落ちついたのだった。靴屋の店は、いつも仕事にあぶれた闘士たちでいっぱい。《本部》がしまっているときでも、ここへさえ来たら、冬は火の気があり、夏は冷たいココ（下等清涼飲料水）があり、しかも季節のいかんを問わず、タバコと演説とにありつけた。

南方生まれの、歌をうたっているようなその声には、一種特別な魅力があって、彼はそこから、本能的におどろくべき利益をひき出していた。会議の席上、二時間あまりも自分の席で退屈していた後、さてその会も終わり近くに急に演壇にとびあがったと思うと、べつに新味をつけ加えるというでもなく、他人の思想にただその乱暴な言葉の魔術をかぶせただけで、わずかいく言かしゃべっているうち、たちまち全会衆の心を引きつけ、いかにすぐれた演説家も、ぜったいに多数が得られなかった動議にたいし、みごと可決してのけさせるといううでまえを見せるのだった。さてそうなると、滔々（とうとう）たる饒舌をせきとめるのにひとほねだった。叙情味の奔逸、朗々たる声の響き、われとわが身内から生まれ、部屋全体にひろがっていく声の流れに聞き入りながら、そこに焼けつくような肉体的な愉悦を感じ、それに満ちたりるということをしらなかった。

書物のページをひるがえしながら、彼は各章の見出しに目を走らせた。そして、つづりを読みあげる子供のように、太い人さし指で行をたどっていった。

「家庭の喜び……《わが家の楽しみ》……ふん、いやなやろうさ……」

彼は、書物をとじた。そして、球ころがしのみごとな姿勢で、ひざをまげ、腕にちょうしをつけたと思うと、テーブルの上まで書物を飛ばした。

「なあ」と、彼はふたたびジャックのほうを向いて言った。「おれも、思い出の記というやつを書こうと思うよ。そうさ。このおれだって、家庭の喜びぐらい知っているんだ。少年時代の思い出もあるしさ！　知らねえやつに分けてやるほど持ってるんだ！」

他のグループの者たちまで、大きな声に引きつけられて彼のまわりにあつまってきた。この《雄弁家》の長広舌には、行きづまった討論の空気に、時あって一抹の清涼さを吹きこむだけの功徳があった。

彼は、目を細めながら一同の顔にながめいった。そして、きわめて巧みに、低い、しんみりした声で話しはじめた。

「マルセーユのエスタック区、みんなあそこを知ってるな！　そうだ、おれたちは、そのエスタック区の路地の奥に、六人家内で暮らしていた。部屋といったら二間きり、二間合わせてこの部屋の半分くらいもあったろうか。しかも、ひとつの部屋には窓さえあいていないのだった。おやじは、ろうそくの光をたよりに、まだ明けきらぬ寒いうちから床をはなれる。そして弟たちと寝ているおれのぼろぶとんをひっぱいじまう。自分ひとりが起きていて、おれたちを寝かしておきたくないんだ。夜は、とてもおそくなって、半分酔っぱらって帰ってくる。港の波止場で、樽をころがすんで疲れていたんだ。おふくろはいつも病身、乏しい銭勘定に余念がない。そして、おやじの前では、おれたち同様、いつもがたがたふるえていた。おふくろも、朝から晩までるすだった。よそさまの勝手働きなんかやっていたんだ……おれはというと、いちばん先に生まれたおかげで、三人の弟たちを引きうけていた。おれはいつでもよくなぐった。よく泣く、鼻汁をたらす、けんかをする。なんともがまんができなかった……一日一度も、煮込みひと皿さえもらえなかった！　パンがひときれ、玉ねぎがひとつ、オリーヴいくつかと、ときとして豚のあぶら身がほんのちょっぴり。これはと思うものは一度もない。やさしい言葉ひとつ、たのしみひとつ、ぜったいあたえられたためしがなかった。朝から晩まで町をうろつき、みぞの中に腐ったオレンジを見つけては、もうすぐけんかだ……町の屋台で、白ぶどう酒といっしょにうにを食ってるしあわせ者の、その貝のにおいをかぎにもいった……十三の年には、あき地の柵のうしろにいって、いたずら娘を追いかけた……思えば、なんてあさましい……おれの家庭の喜び、か！　寒さ、飢え、不正、羨望、反逆……鍛冶屋に奉公にやられたが、いつもしりっぺたをけられどおし。まっかな鉄で、両手はいつもやけどつづき、炉の火で顔はこがされどおし、ふいごを引くので腕はいつも折れそうだった！」彼は、言葉のちょうしを高めていた。その声は、快感と嘲罵にふるえていた。彼は、ひとわたり、並みいる面々を見わたした。「そうさ、このおれだって、いくらも少年の日の思い出があるんだ！」

ジャックは、おどけたようなゼラウスキーの目にいきあたった。ゼラウスキーは、その手をゆっくりキルーフのほうにあげてこうたずねた。

「どうして党にやってきたんだ?」

「ふるい話さ」と、キルーフが言った。「兵役は海兵のほうにまわされた。ところが運よく、おなじ部屋に、学問のある、そして宣伝をやってるやつがふたりいた。おれは本を読みだした。いろいろなことを教えてもらった。ほかのやつらもおなじだった。たがいに本の貸しくらをする、いろいろ議論を戦わす……つまり、得物をといでいたんだな……半年もすると、みんなはりっぱな同志だった……そして、娑婆(しゃば)へ出るなり、おれにははっきりわかったんだ、おれはりっぱな男になった、と……」

彼は口をつぐんだ。そして、じっと目の前を見すえていたが、

「みんな、りっぱな同志だった……鍛えのきいた連中だった……みんなどうしていることとか?あいう連中は、《思い出》なんか書きはしない!……よう、どうしたべっぴん?」彼は、歩みよってきたふたりの若い女性のほうを、意気な身ぶりでふり向きながら言った。「ぬくぬくと、か?」

取り巻いていた面々は、新しく顔を出したスイス生まれのふたりの同志アナイス・ジュリアン、エミリー・カルティエに席をゆずろうと輪をひろげた。ひとりは先生で、ひとりは赤十字の看護婦だった。ふたりいっしょに暮らしていて、たいていいつもいっしょに集まりにやってきた。女教員のアナイスは、数カ国語をあやつって、新聞に外国の革命的記事の翻訳を発表していた。

ふたりとも、風貌はまったくちがっていた。年下のエミリーは、小づくりで、髪は褐色、ふとって

いた。よくにあう、そしてほとんどいつも取ったことのない青いヴェールに包まれた顔が、イギリスの赤ん坊に見られるように、乳色がかったばら色を見せていた。いつも陽気で、いささかおきゃんでさえあった。潑剌とした身ぶり、当意即妙の応対のしかた、だがそこにはなんら人の気にさわるようなところがなかった。病人たちはとても彼女がすきだった。そして、キルーフも、彼はいつも、父親めいたじょうだん口で彼女を追いまわしていた。そして、きわめて大まじめなようすでこう説明した。「なにもべっぴんだからっていうわけじゃない。ただ、なんともいえずほどがいいのさ！」

いっぽうのアナイスは、おなじく褐色の髪をしていたが、顔色は赤みをおび、頰骨は目だち、何か馬を思わせるような、いささかがんこらしい顔だちをしていた。だが、このふたりからひとしく感じられるものは平均のとれているといった感じ、内なる力を持っているといった感じ、つまり自分の考え方と、自分のあり方ないし行為とのあいだに完全な一致を見いだしている人々にいつも見られるあの気高さの感じだった。

話は、ふたたびつづけられていた。

瞑想家のスカダが、正義について語っていた。

「……自分の身のまわりに常により多くの正義を打ち立てること」と、意味ありげな穏やかなちょうしで説いていた。「人々のあいだに和をもたらすため、いちばんたいせつなのはこのことなのさ」

「なるほどな！」と、キルーフがさけんだ。「きみのいう正義、それにはまったく同感だ！　そこにはなんら問題がない！　だがな、世界に平和を打ち立てるため、あまりたよりすぎてはいけないんだ。

正義を振りかざす手合いほど、議論ずき、けんかずきなやつはないんだからな！」

「愛なきところ、永続せず」おりからジャックのそばに立ちよったヴァンネードが、つぶやくようにこう言った。「平和、それは信念……と慈悲との産物さ……」彼は、しばらく立ちどまっていたあとで、唇のあたりになぞめいた微笑を浮かべて向こうのほうへ立ち去った。

ジャックには、低い声で話しつづけながら、部屋を横切って行くパタースンとアルフレダの姿が目にはいった。ふたりの足は、うわのそらで隣の部屋のほうへ向かっていた。そこにはメネストレルがいるはずだった。パタースンのそばにいると、アルフレダはとても小さく思われた。長身で、身のこなしの柔軟なパタースンは、パイプをくわえ、歩きながら彼女のほうへ身をかがめていた。洗練された顔だち、そったあとの美しい明るい顔、着古してはいても身につけた服の裁ちのよさ、それらはいつも、仲間の誰彼にくらべて格別の身だしなみを思わせた。通りすがりにアルフレダは、ジャックのほうにその深い眼差しを向けた。そこには往々、いまこのときと同じように、思いもかけぬ火花、目には見えぬ炎が見られるのだった。そしてそれこそは、彼女をして何か英雄的な宿命に向かわせてでもいるように思わせたのだった。

パタースンはジャックに向かって微笑した。生きいきとした幸福そうなそのようすが、ことさら彼を若く見せていた。

「リチャードレーがこっそりくれたんだぜ」だだっ子らしく言いながら、タバコの半包をジャックのほうへ出してみせた。「一本巻けよ！……なに、いやだ？　ばかだなあ……」そう言いながらひとすい吸うなり、それをいかにもつまらなそうに鼻から出した。「ほんとだぜ、実際タバコってうまいもんだなあ！……」

ジャックは、微笑しながら、ふたりの遠ざかるのを見送った。そして自分も、機械的に、ふたりの姿の見えなくなった戸口のほうへ歩きだした。だが、戸口のところで立ちどまった。そして、戸口のかまちにひじをもたせた。

メネストレルの声が、彼の耳まで聞こえてきた。そっけない、鋭い、言葉の終わりに刺すような皮肉のちょうしがこもっていた。

「そうだとも！　ぼくは《改良》ということに原則的には反対しない！　改良のための戦いは、国によっては、闘争のための踏み段になることもありうるのだ。プロレタリアによって獲得された生活の改善は、彼らの水準を高めることにより、ある程度彼らの革命的教養を増させることに役立ちもする。だが、《改良主義者》は、改良こそ目的達成の唯一の手段のように思っている。だが、それはたくさんあるなかのただひとつの手段にすぎないのだ！　改良主義者は、社会法則や経済的制覇は、生活改善と歩調をおなじゅうしてプロレタリアの躍動性をも必然的に増大させるものと思っている……それは問題だ！　彼らは単に改良だけで、プロレタリアがちょっと合図をしさえしたら、政治的権力が自動的にその手の中にころがりこむような時代が生まれてくると思っている。それは問題だ！……大なる苦しみなくして、なにひとつ生まれてなんぞくるものか！」

「激しい苦しみ、Wirbelsturm（ドイツ語。旋風）なくして革命はない！」と、ひとりの声が言った。（ジャックには、それがミトエルクのドイツなまりと聞きとれた。)

「改良主義者は大きな思いちがいをやっている」と、メネストレルは言葉をつづけた。「彼らは二重の思いちがいをやっている。第一、プロレタリアをかいかぶっている。第二、資本というものを過重評価している。プロレタリアは、なかなかもって彼が考えているほど、それほど成熟してはいないのだ。彼らはまだ、攻勢に移るため、権力を獲得するためじゅうぶんな団結力を持っていない。じゅうぶんな階級意識を持っていない。じゅうぶんな多くのものを欠いているのだ! いっぽう資本については、それが後退したかに見えるため、改良主義者は、改革につぐに改革をもってして、ついに資本は底の底まで崩壊するものと思っている。迷妄もまたはなはだしい! 資本の持つ反革命の意思、資本の持つ抵抗力は微動だもしていないのだ。その権謀術数は、たえず反撃を準備している。党の幹部連と彼らとを協調させる種々の改良、労働者間に差別を設け、労働階級に分裂をもたらす種々の改良、彼らはそれをなんの考えもなしに承認していると思うのか? その他すべてがこの式なのだ……もちろんぼくは、資本が内部的に深刻な分裂を見せていることも知っている! いろいろな外見にもかかわらず、資本同士の対立がますます深刻化していることも知っている! それだけさらに、資本はその解体に先だって、あらゆる手を打つだろうと考えるのだ。ありとあらゆる! そして、その是非かんは別として、資本がいちばんたよりにしているもののひとつこそは、じつに戦争にほかならない! 戦争、それこそは、社会的征服によって失わせられたすべての地歩を、一挙にとりもどさせてくれるのだ! 戦争、それは、プロレタリアを分裂させ、破滅にみちびくものなのだ!……第一、それはプロレタリアを分裂させる。なぜかといえば、プロレタリアは、まだ愛国的感情から一様に離脱しきっていないからだ。戦争は、国家主義的プロレタリアの多くの分子をインターナショナル遵奉の分子から対立させる……第二に、それはプロレタリアを破滅させよう。なぜかといえば、彼我戦線の双方において、労働者の大多数の部分が、戦場の露と消えるからだ。そして残りの部分は、敗戦国では退廃に見舞われ、戦勝国ではなんらの苦もなく麻痺させられ、眠らされてしまうにちがいないんだ……」

六

「あのキルーフのやつ！」と、セルゲイ・ゼラウスキーは、ジャックのそばへ来て言った。ジャックがグループから離れるのを見て、あとから追いかけてきたのだった。

「妙なもんだ、子供のころのことって、じつにいつまでも忘れられないんだ……なあ？」彼は平素にもまして心もそらのようすだった。「ところで、チボー」と、彼はたずねた。「きみはいったいどうして……」（そして《革命家》と言おうとした瞬間ためらった。）「どうしてぼくたちといっしょになることになったんだ？」

「ぼくか！」と、ジャックが言った。そして、軽い微笑を浮かべ、ちょっと上体をうしろに引いて質問をそらした。

「ぼくは」ゼラウスキーはすぐに言葉をつづけた。そこには、気の小さい男が、はじめて自分のことを話そうという誘惑に身をまかせ得たときのうれしい興奮が見られていた。「ぼくは、中学を逃げだして以来、どういう径路をたどってだんだんこうなったかということをおぼえてるんだ……ぼくは、あのころからちゃんとこうなる下地ができていた……最初の動機は、それよりずっとまえだった……ぼくの子供時代……」

彼は、うつむいて、その手をながめていた。話しながら、それを、組んだりほぐしたりしているのだった。心もちぽちゃっとした白いふたつの手、そして短い指は、先のほうへいって四角になっていた。そばでみると、顔の皮膚は、目の周囲、こめかみのくぼみのあたりで細かいしわをきざんでいた。小鼻の平たい、長い鼻。いわゆるかぎ鼻というやつで、その突端のいきおいは、まゆげの描く斜めの線、ひたいの抜けあがった横顔によってさらに強調されていた。並みはずれてりっぱなブロンドのひげは、絹のふさ、それとも糸ガラスとでもいおうか、なんとも名のしれぬ、重さのないものからできているかのようで、ショールのように軽やかに、また東洋のある種の魚の持つ煙のようなひげさながらのしなやかさで風吹くごとに揺れていた。

彼はジャックを、部屋の奥、雑誌を載せたテーブルのうしろへとそっとしずかに押していった。そこで彼らはふたりだけになれた。

「ぼく」と、彼はジャックのほうを見ないで言った。「ぼくのおやじは、ゴロドニアから六ヴェルスタのところ、家の地所に建てられた大きな工場を経営していた。何から何まで、じつにはっきりおぼえている……それでいて、いままでついぞ思いだしたりしなかった。なあ」そして、頭をあげ、ジャックのうえに、人なつこそうな眼差しをそそいだ。「それがどうして、きょうというきょう?……」

ジャックには、落ちついて、まじめに、つつましく人の話を聞くというところがあった。そのため、人からいつも打ちあけ話を聞かされた。ゼラウスキーは、さらに微笑をつづけた。

「おもしろいじゃないか? ぼくは、その大きな家や、植木屋のフォマや、それに林の入口の職工たちの小さな部落のことなどをおぼえているんだ……それにまた、母親といっしょのごく小さい時分のこと……たぶんおやじの誕生祝いのときだと思うが――毎年行なわれた式のこと、それをはっきり思いだすんだ。それは、工場の中庭でのことだった。おやじはひとりテーブルの前に立っている。そして、盆の上には、ルーブル(ロシア紙幣)が山と積まれていた。そして職工たちはひとりずつ、黙って、背をかがめて、おやじの前を通っていく。そしてそのひとりに、おやじは銭を一枚ずつやるのだ。職工たちは、ひとりひとり、おやじの手をとっては、それにキスするのだ……そうだ、あのころ、ロシアではそうすることになっていた。そして、どこかの地方では、そうだ、今日でも、一九一四年の今日でも、まだそうやっているにちがいない……おやじは、とても背が高く、それに肩幅がひろかった。いつもしゃんとまっすぐに立っていた。ぼくはおやじがこわかった。職工たちも、おそらくこわがっていたのだろう……ぼくはおぼえている、十時の食事のあと、工場に行こうと玄関に出たおやじは、毛皮のついた外套を着、帽子をかぶってから、いつも引き出しの中のピストルをとり出したものだった。それを、こうしてぐっとポケットの中に押しこんだ！　それに外へ出るとき、いつも欠かさずつえを、太い鉛のつえを持っていた。その重いこと、ぼくにはとても持てなかった。しかもおやじは、軽く口笛を吹きながら、それを二本の指でまわしていた……」これらのことを思いだして、自分でもおかしくなったものか、口辺に微笑を浮かべた。「おやじはとても強かった」ちょっとのまをおいて彼はつづけた。「それがぼくにはこわかった。だが、そのためおやじがすきでもあった。そして職工たちもぼくとおんなじ気持ちだった。みんなはおやじを恐れていた。それはおやじがとてもきびしく、がむしゃらで、必要とあらば残酷でさえもあったからだ。だが、みんなはおやじを愛していた。それはおやじが強かったからだ。それにおやじは、正しいことがすきだった。なさけ容赦は知らなかったが、きわめて正しい人だった！」

　おそまきながら、何か気がさすとでもいったように、またもや言葉がとぎれてしまった。だが、ジャックの注意しているのに安心してか、彼はふたたび話しつづけた。

「ところがある日、家の中はひっくりかえった。制服を着た人たちが出たりはいったりする。おやじは、食事どきになっても帰らなかった。母は、食卓につこうともしなかった。戸をあけたてする音が聞こえた。召使いたちが、廊下の中を走りまわる。母は、二階の窓を離れなかった……罷業、乱闘、警官の突撃……そんな言葉が耳にはいる……そこへとつぜん、下でわっとさけび声が聞こえた。ぼくは、階段の手すりのあいだから、首を突き出して見た。そうしてぼくの目には、泥と雪とにまみれた長いつり台が見えた。そして、その下に何を見たと思う？　外套は破れ、頭をむき出しにして、そこにおやじが横たわっていたのだ……急に小さくなり、まるくなって、片方の腕をたらしていた……ぼくはわっと泣きだした。ぼくは、頭からふろしきをかぶせられた。そして家の向こうがわ、奉公人の女たちのいるところにむりやりつれていかれた。女たちは、聖像の前に祈りをささげながら、何かがやがやしゃべりたてていた……やがて、ぼくにもわけがわかってきた……あの職工たち——おやじの前に行列をつくり、あんなに腰をかがめながらおやじの手にキスしていたおなじ職工たちが、そうだ、その日、もうキスしたり、銭をもらおうなどとしなかったんだ……そして、機械を打ちこわし、自分たちが強者になってしまったんだ！　そうだ、その職工たちが！　彼らは、おやじよりも強くなっちまったんだ！」

　彼には、もう微笑のかげも見られなかった。指先で長いひげの先をひねって、何か厳粛なようすでジャックを見おろしていた。

「その日以来、ぼくにとってすべてが変わってしまった。ぼくはもうおやじの味方ではなかった。ぼくは職工たちの味方だった……そうだ、その日から……ぼくははじめて、いままで背をかがめていた大衆がその背を伸ばすとき、それがどんなにりっぱなものか、どんなにすばらしいものかを理解したんだ！」

「お父さんは殺されたのか？」と、ジャックがたずねた。

　ゼラウスキーは、わんぱく小僧といったようにからからと笑い声をたてた。

「なあに、なあに……打たれた跡が青くはれあがったばかり、たいしたことはなかったんだ……だが、それから後、おやじはもう支配者ではなくなった。一度も工場へ足を向けたことはなかった。家にいて、ウォツカを相手に暮らしていた。そして母や、召使いたちや、百姓たちを困らせていた……ぼくはというと、町の中学校へ入れられた。ぼくはもう家へも帰らなかった……そして、二、三年後のある日、母から手紙がきて、悲しいことがおこったから祈らなければいけないと言ってきた。おやじが死んだのだ」彼はまた厳粛にかえった。そして、早口に、さも自分自身のためといったようにつけ加えた。「だが、ぼくは、もう祈るという習慣を捨てていた……そして、それからまもなく、ぼくは逃げだしてしまったんだ……」

ふたりは、しばらくのあいだ黙ったままだった。

ジャックは、目を伏せながら、とつぜんその少年時代のことを思いだしていた。彼は、ユニヴェルシテ町の住まいのことを思い浮かべていた。夕方学校から帰ってきたときの敷物や壁紙のにおい、父親の書斎の、あの特殊な生あたたかいにおいのことを思いだしていた……小きざみ足に廊下を歩いていたヴェーズ嬢、それにジゼール——丸顔の、おとなしやかな美しい目をしたおきゃんのジゼールのことも思いだされた……教室や、勉強や、遊び時間のことも思いだされた。ダニエルの友情、教師たちの疑い、マルセーユへの無謀な逃亡、アントワーヌとの帰宅、そして、控えの間のつりしょくだいの下に、フロックコートを着て、ふたりを待って立っていた父親のことなどが思いだされた……それにつづいては、あののろわれた日々のこと、少年園のこと、自分のはいっていた監禁室のこと、番人の監視下の毎日の散歩のこと……思わずも戦慄が背すじを走った。彼は、まぶたをあげ大きく息を吸うと、わが身のまわりを見まわした。

「おや」と、彼は言った。彼は、いままでふたりのいた片すみから身を動かして、さも水からあがった犬とでもいったように身をゆすった。「プレゼルだ！」

リュドヴィグ・プレゼルとその妹のコエシリアは、いましがた部屋にはいってきたところだった。ふたりは、土地なれぬ新米の客とでもいったように、どのグループにはいろうかと考えていた。ジャックの姿を見ると、ふたりは同時に手をあげて合図をした。そして、静かに歩みよってきた。

ふたりは背たけも同じで、ともに褐色の髪、ふしぎなほど似かよっていた。ずんぐりして、いささか重そうな首すじの上に、ふたりとも、じっと動かない、だがたくましい浮き彫りを見せた表情の、まるで古代人を思わせる顔を持っていた。様式化された顔、それは自然によって作られたというより、何か方式によって組み立てられたというほうがあたっていた。鼻梁は、ひたいの垂直な線をそのまま受けて、眼窩（がんか）のあたりでさえなんの屈折も見せていなかった。彫像のようなこの顔にあっては、眼差しさえもそこになんの生気をも点じていなかった。それでもリュドヴィグの目のほうが、妹のそれにくらべてはわずかに生彩に富んでいた。妹の目にはついぞ人間的感情がうかがわれたためしがなかった。

「ふたりともきのう帰ってきましたの」と、コエシリアが説明した。

「ミュンヘンから？」ジャックは、差しだされたふたりの手を握りながら言った。

「ミュンヘン、ハンブルク、それにベルリンから」

「それに、先月はイタリアのミラノにいたんだ」と、プレゼルが言った。

おりからそばを通りかかったつりあいのとれない肩をした褐色の髪の小男が、顔を輝かしながら立ちどまった。

「ミラノ？」彼は、馬のような美しい歯並みを見せてにやりと微笑した。「じゃあ『アヴァンティ』の同志たちにも会ったかい？」

「会ったとも……」

コエシリアはふり返った。

「あなたミラノのかた？」

男は、そうだというふうにうなずいたあとで、笑いながらいく度もおなじことをくり返した。

ジャックは紹介した。

「同志サフリヨ君」

サフリヨは、少なくも四十歳くらいに見受けられた。小柄で、ずんぐりしていて、ちょっとからだが奇形だった。ビロードのような、そしてきらきらしたふたつのすばらしい漆黒の目が、その顔を輝かせていた。

「ぼくは、一九一〇年以前のイタリアのきみの党のことを知っている」と、プレゼルが言いきった。

「言ってみれば、ずいぶんなさけない党のひとつだった。ところがいまはどうだ。ぼくたちは、赤色週間のストライキを見てきたんだ！　まったく信ずべからざるほどの進歩だ！」

「そうだ！　なんという力だ！　なんという勇気だ！」と、サフリヨがさけんだ。

「イタリアは」と、プレゼルはもったいぶったちょうしで言った。「たしかにドイツ社会民主党の組織方法から多くのものを学んでいると思う。だから、イタリアの労働階級は、今日ちゃんと集結し、しかもりっぱに組織化されさえしている。いつでも突撃できる体勢になってるんだ。とくに言いたいのは、農民無産階級が、ほかのどこの国においてよりも強力だということだ」

サフリヨは、うれしそうに笑っていた。

「議会では、五十五名の代議士がわが党だ！　それに、わが党の新聞ときたら！　あの『アヴァンティ』は！　毎号四万五千以上も刷ってるんだ！　いつごろあっちへいっていた？」

「四月、五月のふた月だ。アンコーヌ会議のためだったんだ」

「セラティやヴェラを知ってるか？」

「セラティ、ヴェラ、バッチ、モスカレグロ、マラテスタ……」

「偉大なテュラティはどうだった？」

「あれか！　あれは改良主義者さ！」

「ムッソリーニはどうだ？　彼は断じて改良主義者じゃない！　彼こそはほんものだ！　知ってるか！」

「うん」と、プレゼルはかんたんに答えた。見えるか見えないほど顔をしかめたのだが、サフリヨには気がつかなかった。

サフリヨは言葉をつづけた。

「ベニト（ムッソリーニの名）とぼくとは、ローザンヌでいっしょの家に住んでいた。彼は、大赦を待って、イタリアへ帰ろうと思っていたんだ……そして、彼はスイスに来るたびにぼくに会いにくる。この冬だって……」

「Ein Abenteurer（ドイツ語。山師の意）」と、コエシリアがつぶやいた。

「彼は、ぼくと同じようにロマーニュ生まれなんだ」サフリヨは、いささか得意の色のほの見える笑いを含んだ眼差しで一同を見まわした。「ロマーニュ生まれ、幼友だちのひとりで、まるで兄弟のような仲なんだ……やつの祖父は居酒屋の主人で、ぼくのところから六キロのところに住んでいた……よく知っていた……ロマーニュでの、最初のインターナショナル党員のひとりなんだ！ 店の中で、神がかりどもや愛国主義者たちを向こうにまわして食ってかかるところを見せたかったな！ それに、息子のじまんがたいへんだった！ いつもきまって言っていた。《ベニトとおれと、いったんこうと思いたったら、王党のやつらをひとりのこらず退治してみせるぞ！》そして、その目が輝いたっけ。まったくベニトとそっくりだった……ベニトといえば、あの目の力はいったいどうだ！ なあ？」

「Ja, aber er gibt ein wenig an.」コエシリアは、ジャックのほうを向いてつぶやいた。ジャックはこれを微笑で迎えた。

サフリヨの顔がちょっとくもった。

「ベニトのことをなんて言ってるんだ?」

「Er gibt an……ちょっとお芝居をやる、大向こうをねらう、といったところなんだ……」と、ジャックが説明した。

「ムッソリーニが?」と、サフリヨがさけんだ。そしてコエシリアのうえにおこったような眼差しをそそいだ。「ちがう! ムッソリーニはほんものだ。純粋だ! ずっとまえから、反王政主義者、反国家主義者、反宗教主義者なんだ。しかもさらに偉大なコンドティエーレ(イタリアにおける一種野武士的存在)だ!……真の革命的指導者だ!……しかもつねに、実証的、現実的たることを忘れない……行動が第一、議論は二の次だ! フォルリで罷業のあったとき、街頭において、会合において、いたるところで彼は悪鬼のようにふるまった。しかも彼の雄弁ときたら! 空疎な議論は少しもない! 《こうするんだ! ああするんだ!》汽車をとめようとみごとレールをはずしたときの彼の喜びようはどうだった! トリポリ遠征反対のもっとも激烈な運動は、まさに彼の新聞、彼自身によってなされたのだ! イタリアでは、彼はぼくたちの闘争精神そのものなのだ! 『アヴァンティ』紙上、大衆に向かって毎日革命的情熱を吹きこんでいるのもまさに彼だ! 王党政府は、彼以外に偉大な反対者を持っていない社会主義が、イタリアで一挙にしてあれほど強大になったというのも、おそらくそれは主として彼ベニトの力によるものといわなければなるまい! そうだ、今日の時代にはいってから、そのことははっきりと立証された……赤色週間! 彼はみごとに機会をつかんだ! ああ、もし人々が彼の新聞に耳を傾けさえしたのだったら! あと何日かで、イタリア全土は燃えあがるところだった! もし労働総同盟が気おくれさえしなかったら、そして罷業を打ち切りにさえしなかったら、それは国内戦に口火をつけ王政崩壊を見ることにまでなり得たのだ！……それはイタリア革命にまでなり得たのだ！……そうだ、チボー君、わがロマーニュでは、同志は一夕、共和政治の宣言さえもやったのだ！　そうなんだ！」彼は、それと意識しながらコエシリアとプレゼルに背を向けていた。そして、ただジャックだけを相手に話していた。彼はふたたび微笑を浮かべた。そして、その声に、一種なれなれしいきびしさをこめて、「チボー、人の言うことを何から何まで信用してはいけないぜ！」

そして、しずかに肩をそびやかして見せながら、ふたりのドイツ人にはなんのあいさつもしないで、向こうのほうへ歩いていった。

一瞬、短い沈黙があった。

アルフレダとパタースンとは、メネストレルの部屋の戸をあけ放しにしたままだった。メネストレルの姿は見えなかった。だが、いつもけっして高いちょうしで話すことのないにもかかわらず、ときどきその声が聞こえてきた。

「で、きみのほうでは」と、ゼラウスキーがプレゼルにたずねた。「万事うまくいってるのか？」

「ドイツのことか？　どんどんよくなっていきつつある！」

「ドイツでは」と、コエシリアが言った。「二十五年まえまでは、社会主義者はたった百万だったの。そして十年まえは二百万。それがいまでは四百万！」

彼女は、落ちついて、ほとんど唇も動かさず、いどみかかるような語調で話していた。そしてその重い眼差しを、ジャックとゼラウスキーのうえにかわるがわるそそいでいた。彼女を見ながら、ジャックはホーマー(古代ギリシャの詩人)に出てくるジュノンの姿、大きな目をしたヘラのことを考えつづけていた。

「それは疑いないところだな」と、彼は和協的なちょうしで言った。「社会民主党は、二十五年このかた、すばらしい建設的努力を実現してきた。指導者たちの見せた組織的手腕にはたしかに驚嘆すべきものがある……ただちょっと考えさせられるのは、革命的精神が――さ、なんというか――ドイツの連中の中で少しずつ薄らぎつつあるのではないかということだ……その努力がもっぱら組織に向かってそそがれているために……」

プレゼルが言葉をはさんだ。

「革命的精神が?……断じてしからず。その点安心してもらってさしつかえないんだ! まず第一に組織だ。それはひとつの力となるためなんだ!……ドイツでは、単にイデオロギーばかりじゃない。リアリズムがあるんだ、そしてそれこそ最高のものなんだ!……この数年、とくに一九一一年と一二年においてヨーロッパの平和が保証されてきたというのも、それはなんぴとの手によるものだと思う? 今日ヨーロッパでの大戦争が永久に避けられそうに思われているのも、それはいったい誰のおかげだ! ドイツ・プロレタリアートのおかげなんだ! これは衆人周知の事実なんだ。きみは、社会民主党の建設的努力という。それこそはきみの想像を絶するほどのものなのだ。それは巨大な構造だ。それはほんとに、国家内の国家にさえもなっているのだ。では、どういう方法によって! それはもっぱら、われらの議会的行動の力によるところが多いのだ。議会でのわれわれの勢力は、いまなお上昇に上昇をつづけている。もしあしたにも、汎ゲルマン主義者たちが、あのアガディール(一九一一年モロッコ事件で、ドイツがアガディールに巡洋艦を派遣したのに起因した事実)のときのような一撃をあえて試みようとでもしたが最後、これに抗議するものはもはやあのトレプトロー公園での二十万民衆の示威運動にとどまるまい。議会における社会党全代議士が立つだろう! そして、それと同時にドイツ全左翼分子が立ちあがるのだ!」

セルゲイ・ゼラウスキーは、注意ぶかく耳を傾けていた。

「だが、そういう諸君の代議士は新しい軍備法案に賛成したじゃないか!」

「ちがいますわ」と、言いながらコエシリアは人さし指を立てて見せた。

兄が、彼女の言葉をさえぎった。

「おお! ゼラウスキー君、きみは戦術というものをわかってくれなければいけない」彼は、昂然と微笑を浮かべながら言った。「そこにはぜんぜん異なったふたつのものがあるんだ。そのひとつは、die Militärvorlage, すなわち軍備法案、他のひとつは、Wehrsteuer, すなわちそうした軍備法を実現するために財源をあたえるところの法案だ。社会民主党はまず軍備法案に反対した。そして軍備法案が、彼らの意思に反して議会で可決されたとき、彼らは、財源法案に賛成した。ここのところがきわめて巧妙なかけ引きなんだ……なぜか? すなわち、この法案の中には、議会でだんぜん新しいもの、われらにとってもっとも重大なもの、すなわち大資産にたいする国家の直接税がかかっていたからのことなんだ! なにしろ、機会をとらえることが必要だった! なぜかといえば、これこそプロレタリアにとって真に新しい社会的勝利だったのだからだ!……どうだ、わかったかい? そして、わが党の議員たちがミリタリズムにたいして断固としてゆずらないでいる証拠は、彼らが首相の帝国主義的対外政策をたたきつけるあらゆる機会をのがさず、いつも一丸となって戦っていることでもわかるのだ」

「それはそうだ」と、ジャックは譲った。「だが……」

彼は、ちょっとためらった。

「だが？」と、ゼラウスキーが、興味を持って問いかえした。

「でも？」と、コエシリアが言った。

「うん……こうなんです……ぼくはベルリンにいたころ、お国の議会の社会主義議員たちに近づく機会を持ちました。そしてぼくは、ミリタリズムにたいする彼らの闘争が、だいたいかなりプラトニックなものであるという印象をうけたんです。もちろんぼくは、リープクネヒトのことを言っているんじゃない。ほかの連中のことなんです。大部分のものは、悪をその根源にさかのぼって突くということ、軍関係のことを前にしてドイツ一般大衆が服従的精神を持っているということをたたくだんになると、それを明らかに回避しているんですね……ぼくは——さあ、なんといったらいいかしら？——彼らが、なにをおいても恐ろしいほどドイツ人であるという印象をうけたんです……もちろんプロレタリアの歴史的使命は忘れていない。だが、とくに忘れていないのは、ドイツのプロレタリアの歴史的使命ということなんです！　そして、彼らのインターナショナリズムにしても、アンチ・ミリタリズムにしても、それをフランスに見られるようなものにまで押し進めるにはきわめて隔たりがあるのです」

「もちろんですわ」と、コエシリアが言った。そして一瞬、まぶたが彼女の眼差しをかくした。

「もちろん」と、プレゼルが、いどみかかるような高びしゃなちょうしでくり返した。

ゼラウスキーは、いそいで話に割ってはいった。

「お国のブルジョワ的民主主義者は」と、微笑を浮かべながら言った。「なるほど議会に社会主義者を受け入れている。だが、そういうのも、政府に席を持った社会主義者はもはや真の恐るべき社会主義者でないということを知りぬいているからのことなのさ……」

部屋の向こうのはずれではミトエルク、シャルコウスキー、ボワソニおやじが腰をあげていた。そして、こっちのほうへ歩みよってきた。

プレゼルとコエシリアは彼らと手を握りあった。

ゼラウスキーは、あいかわらず微笑しつづけながら、しずかに首をゆすっていた。

「ぼくの考えていることがわかるかね?」こんどはジャックのほうをふり返りながら言った。「大衆を奴隷化する点にかけては、そうだ、きみたちの民主主義制度や、共和制や、議会主義的君主制は、表面そんなようすも見せずに、実はわれらの恥ずべきツァーリズム(ロシアの専制君主主義)とおなじ程度に残酷なものであり、それ以上に陰険なものだと思うんだが……」

「それだからさ」それを聞きつけたミトエルクがあらあらしく言ってのけた。「このあいだの晩、《パイロット》の言った言葉が正しいのさ。すなわちいわく、民主主義との徹底的闘争、これこそ革命的活動の第一階程だ！」

「待てよ」と、ジャックが抗弁した。「《パイロット》はただロシアだけを、ロシアにおける革命だけを考えていたんだ。そして彼の言ったのは、ロシア革命は、ブルジョワ的民主主義によって始められてはならない、一気にプロレタリア的革命でなければならないという点にあるんだ……それに、行ぎ過ぎはいけない。民主主義国家の内部においても、有益な仕事をなしうるのだ……たとえば、ジョーレス（有名なフランス社会党の領袖。一九一四年第一次欧州大戦勃発の前夜暗殺された）のごときがそれだ……社会主義がフランスにおいてすでにかち得たもの、そしてさらに多くドイツにおいてかち得たもののすべては……」

「それはちがう」と、ミトエルクが言った。「革命と民主主義国家内における解放とは別個のものだ！　フランスでは、領袖どもはなかばブルジョワ化している。彼らはすでに、真に純粋な革命的意義を見失ってしまっていた！」

「あっちの話を聞きにいこうや」と、ボワソニおやじは、言葉をさえぎりながら、あけ放された戸口のほうに皮肉な目ばたきをして見せた。

「メネストレルはあそこにいるのか？」と、プレゼルがたずねた。

「聞こえないのか？」と、ミトエルクが言った。

みんなは、聞こうとして口をつぐんだ。メネストレルの声が、単調に、はっきりとひびいていた。

ゼラウスキーは、ジャックの腕の下に自分の腕をすべりこませた。

「聞きにいこうや……」

七

ジャックは、ヴァンネードのそばに来た。ヴァンネードは、両手を組み合わせ、目をなかば閉じたまま、モニエが古論文をつみ重ねておいたほこりだらけな書棚によりかかっていた。

「ぼくとしては」と、トラウテンバッハが言った。ドイツ人――濃いブロンドの、縮れた髪の毛をしたユダヤ人で、いつもベルリンに住んでいるのだが、たびたびジュネーヴにも出かけてきた。「ぼくとしては、合法的手段によってはぜったいりっぱな仕事はできないと思うな！　インテリ主義者の臆病すぎるやり方だ！」

彼は、賛成を求めるようにメネストレルのほうをふりかえった。だが、パイロットは、アルフレダのかたわら、みんなにとりまかれて、じっと遠くを見すえながら、椅子に腰かけたままからだをゆすっていた。

「それには区別の必要がある！」と、リチャードドレーが言った。黒い髪の毛を角刈りにした大柄な青年だった。（いまを去る三年まえ、この国際的集団は彼を中心として成り立ったのだった。そして、メネストレルがあらわれるまで、彼はそこにあって指導者の位置をしめていた。だが彼は、メネストレルの優越さを前にして、自分から進んで位置をゆずった。そして、爾来メネストレルのそばにあって、聡明に、献身的に、副指導者としての任をつくしているのだった。）「国々によって、回答はおのおのちがってくる……ある種の民主主義国家、たとえばフランスとかイギリスとかにあっては、革命運動が合法的手段で進められることを認めうる……暫定的に！」彼には、話しながらいつもあごをつき出す癖があった。とがった、意思的なあごだった。ひげをそった顔、白いひたいを漆黒の髪に縁どられたひたいは、かなり快い第一印象をあたえた。だが、その黒玉の色をしたひとみにはやさしみというものが欠けていた。薄い唇は、両端のところで何か切り口とでもいったような鋭い線で終わっており、声には、何かしら不快を催させるようなかさかさしたところがあった。

「問題は」と、シャルコウスキーが言った。「いかなる時期に、合法的行動から、暴力的、革命的行動に移るかという点にある」

スカダは、かぎ鼻を上にむけた。

「中の蒸気さえ強くなれば、サモワールのふたは自然にはねるわ！」

笑いが、狂暴な笑いが爆発した。ヴァンネードが名づけて《食人種の笑い》と呼んでいるところのものだった。

「名言！」と、キルーフがさけんだ。

「資本主義経済が権力を握っているかぎり」とボワソニが、桃色の唇を小さな舌でひとなめしながら言葉をはさんだ。「民衆による民主的自由の回復によって、真の革命を進展させることなど、ほとんど思いもよらないことさ……」

「当然！」メネストレルは、老教授のほうを一瞥もしないではき出した。

しばらくの沈黙。

ボワソニは、ふたたび言葉をつづけた。

「なにしろ歴史が語っている……たとえばあの……」

こんどは、リチャードドレーがそれをさえぎった。

「ふふん、歴史か！　歴史が革命の勃発を予言させ、そのときをまえもって決定するなんて信じられることだろうか？　じょうだんじゃない！　要するに、ときあってサモワールのふたがとぶだけなんだ……民衆勢力の動きは、あらゆる予断をゆるさないんだ」

「問題だ！」メネストレルは、抗弁をゆるさないようなちょうしで吐きだした。

彼は口をつぐんだ。だが、その流儀を心得ている一同には、彼がこれから何か話しだそうとしているのがのみこめた。

集まりの席上、彼はいつも黙って自分の考えをたどりつづけていた。そして、いざ討議に加わるときまで長いあいだそうしていた。そして相手の言葉を、なぞのような《問題だ！》とか、あいまいな、相手の気をぬくような《当然！》とかいった言葉で中断するにとどまった。そうした言葉が、もし彼以外の者の口から出たら、おそらくそれはこっけいな効果のみしか生まなかったにちがいない。だが、鋭い視線、強い語調、彼のなかにうかがわれる緊張した意思と反省、そこにはほとんど相手がたに微笑をゆるさないほどのものがあった。そして、その鋭さを快く思わないものにも、いやでも注意させずにはいかなかった。

「混同してはならない……」と、とつぜんはっきりと言いきった。「予言する！　革命を予言することができるだろうか？　それは何を意味している？」

みんなはいっせいに耳を傾けた。彼は、ぐあいの悪いほうの足を前に突き出した。そして、軽いせきをした。猛禽のつめを思わせるような手、さも目に見えぬ球を握っているかのように、指をしばしば握りしめている手があがった。そして、軽くひげに触れたと思うと、やがてそれは胸の上におかれた。

「革命と反乱とを混同してはいけない。革命と革命状態とを混同してはいけない……革命状態は必ずしもつねに革命を生み出すものとはかぎらない。たとい反乱を生み出すことはあってもだ……たとえば、一九〇五年のロシアの場合だ。最初、革命状態があった。つづいて反乱。だが、革命はこなかった」そう言ってしばらく考えこんだ。「リチャードレーは《予断》といった。それは何を意味している？　ひとつの状態が革命化する時期を明確に予見すること、それは困難だ。もっとも、無産者の行動が革命の先駆的状態にはたらきかけて、革命状態の進展を助長促進させることは考えうる。だが実際においてその状態を爆発させるもの、それはほとんどいつもそれと独立した外部的できごと、突発的な、ある程度予見できないできごとによるのだ。つまり、その時期については、あらかじめいつということができないのだ」

彼は、いっぽうの腕を、アルフレダのかけている椅子の背にあずけ、顔をその握りこぶしの上にのせていた。一瞬、明敏な幻想者といったような彼の目が、焼けつくように遠い一点にそそがれた。

「問題は、すべてをあるがままにながめることだ。現実面において。実行面において」（彼はこの《実行面》という言葉を口にするとき、いつもシンバルの一打といったような、彼独特のかん高いちょうしをひびかせた。）「たとえばロシアだ……つねに実例を、事実をふり返ってみることが必要だ！　それ以外、われらに教えてくれるものはあり得ない。われらは数学をやっているんじゃない。革命は、ちょうど医学とおなじだ。すなわちまず学理、つづいて臨床。しかも、そのうえさらに技術がいる……が、それはそれとして……」（彼は、話しつづけるに先だって、さも彼女だけがよく脱線する意味を味わいうるとでもいうかのように、アルフレダのほうに短い微笑をおくった。）「一九〇四年日露戦争まえのロシアには、革命の先駆的状態、それはたしかに革命状態をひきおこしうる、またひきおこすべきはずのものだった。だが、どうして革命がおこり得たか？　どうしてということが予見できたか？　いな。もちろんそこには、破裂せんばかりの膿瘡（のうそう）がいくつかあった。いわく、土地問題、いわく、ユダヤ人問題。いわく、フィンランド、ポーランド問題、いわく、東洋における日露の反目。だが、そのうちどれが革命の先駆的状態をして革命状態に一変させるその思いもかけぬ要素となったか、その推測は不可能だった……ところがとつぜん、その思いもかけぬことがおこったのだ。すなわち、大山師の一味徒党がツァー（ロシア皇帝）にはたらきかけ、外務省の知らないうちに、外務省の政策に反して、まんまと極東戦争をおこさせたのだ。いったい誰にそれが予見できたか？」

「だが、満州での日露の勢力争いが、必然的に紛争をひきおこすことだけは予見できた」と、しずかにゼラウスキーが言葉をはさんだ。

「だが、その紛争が、一九〇五年に勃発すると誰に言えたか？　しかもそれは満州問題でなく、朝鮮問題についてであると？……革命の先駆的状態を革命状態に一変させる新要素、その一例はまさにこれだ……ロシアにとっては、戦争が、敗戦ということが必要だった……このときはじめて、状態は革命的となり、それが反乱にまで到達したのだ……反乱——そうだ、それはまだ革命ではなかった！プロレタリア革命ではなかったのだ！　なぜか？　すなわち、革命的状態から反乱への移行が一段階、そして反乱から革命までは、さらに別個の一段階だ……なあ、アルフレダ？」彼は、低い声でつけ加えた。

話しながら、彼はいく度となく、アルフレダの顔をうかがうためにちらりと顔をかたむけた。いま、彼は誰の顔をも見ないで黙りこんだ。それは、いままで話したことを考えなおしているというより、たえず理論と現実、革命的理想と具体的状況とを見失うことなく、自分が好んでそのなかに行動している一群の理論体系を一種絶対境にまで押し進めて考えているかのように思われた。彼は、じっと目を見すえていた。その生命力、眼差しの暗い炎の中に全的に集中されてでもいるようだった。そして、人間味からきわめて遠いその眼差しは、たえずその中心に燃えさかり、その全身を燃焼させ、その全霊をかてとする見えざる炎のように思われた。

ボワソニおやじは、革命的理論に興味をおぼえているかのように、やおら沈黙からぬけ出した。

「そうだ！　賛成だな！　革命の先駆的状態から革命的状態への推移はたしかに予見がむずかしい……だが……そうした革命的状態があらわれるとき、革命の予見も可能になってくるんじゃないかな？」

「予見か！」と、メネストレルはいらだつようにさえぎった。「予見……予見は、それほど重要な問題ではあり得ない……重要なのは、革命的状態から革命への推移を準備すること、促進することに存している！　そうなったあかつき、ここにはじめてすべては主観的要素の問題に移ってくる。すなわち革命的階級の指導者たちの能力いかんの問題だ。そしてその能力、それこそわれらのすべて、前衛隊の面々が、あらゆる手段をつくして最高度にまで発揮しなければならないのだ。この能力が十二分なものとなったとき、ここにはじめて革命への推移を促しうる！　そのときはじめて、できごとを支配するようになれるのだ！　そうだ、そのときはじめて、予見が可能になってくるのだ！」

言葉の終わりは、声を落としてただひと息に言ってのけられた。しかも、きわめて早口に言われたので、外国人の多くのものには、はっきりその意味がつかめなかった。彼は口をつぐんだ。そして軽く首をあお向け、ちらりと微笑を見せてから両目を閉じた。

立ったままでいたジャックには、窓のそば、椅子がひとつあいているのが目にはいった。彼は、そこへいって腰をおろした。（彼は、こうして接触を保ちながら、押し合いへし合いから遠くはなれ、わきに自分をしっかりと握っているとき、いちばんよく共同の生活にはいれるのだった。そうした彼には、単に同志といった以上に、同胞の気持ちが感じられた。）椅子にきちんと腰をおろし、両腕を組み、頭を壁にもたせながら、彼は一瞬一座のうえを見わたした。みんなは、ちょっと気を抜いたが、ふたたびメネストレルのほうに向きなおっていた。みんなの態度はまちまちだったが、そこには熱情的な注意が見られた……ああ、どんなに彼らすべてを愛していたか！　これこそ革命の理想に全身をささげつくした人たちなのだ！　闘争の生活、追いつめられた生活、そのすみからすみまでよくわかっている人たちなのだ！　そのうちのあるものたちには、観念的には反対することもできた。ある種の無理解、ある種の粗暴さ、それは困りものだと思いもした。それでいてジャックは彼らを愛していた。それは、彼らすべてが《純粋》だからだ。そして、自分のほうでも、みんなから愛されていることがうれしかった。みんなも彼を、その相違点を問題とせずに愛していた。《純粋》さがはっきり感じられていたからだった……とつぜん、ひとつの感動が彼の眼差しをくもらせた。彼は、みんなを見るのをやめた。そのひとりひとりをはっきり区別してみるのをやめた。ヨーロッパのすみずみから集まった、この法律の外に立つ人々の集会が、一瞬、しいたげられた人類のすがた——みずからの奴隷状態に目ざめるとともに、いまや立ちあがり、全力をあげて新しい世界を打ち立てようとする、そうしたものに思われたのだ。

パイロットの声が、沈黙の中から聞こえてきた。

「も一度ロシアを例にとろう、あの偉大な経験を。つねにそれを思いださなければならないのだ……一九〇四年、東洋での敗戦のあとをうけて、いままでの革命の先駆的状態がその翌年革命的状態になるだろうと、いったい誰に予見できたか？　誰にも、だ！……そして一九〇五年、四囲の状態からそうした革命状態が生まれたあかつき、革命が、プロレタリア革命が生まれ出ようなどと、いったい誰に考えられたか？　誰にも、だ！　いわんやそれが成功するなんて……客観的要素は絶好であり、その特徴もあらわれていた。だが、主観的要素のほうはいまだしだった……事実について思うがいい。客観的条件は絶好だった！　軍事的敗北、政治上の危機、経済上の危機、すなわち食糧補給の危機と飢饉と……その他、等々……しかも、気温はきわめて急速な上昇をしめした。いわく総罷業、農民の暴動、軍の反乱、ポチョムキン事件（一九〇五年ロシア黒海艦隊所属の戦闘艦ポチョムキン乗組水兵の反乱事件）、モスコーでの十二月暴動……それでいて、なぜこうした革命的状態から、革命が生まれることにならなかったか？　つまりそこに主観的要素が欠けていたのだ。ボワソニ君！　そこには何ひとつ急所に触れるものがなかったからだ！　真の革命的意思がなかったからだ！　指導者たちの心の中に明確な指導の意思がなかったからだ！　彼らのあいだになんの連絡もなかったからだ！　命令系統もなければ、規律もなかった！　首脳者と大衆のあいだに、十二分な連絡がなかったからだ！　そして、とくに言わなければならないのは、勤労大衆とのあいだに一致がなかったことだった。農民に、なんら強力な革命用意がなかったことだ！」

「だが農民は……」と、ゼラウスキーが言葉をはさんだ。

「農民？　なるほど、農民はたしかにその村々にあっていくらかの動きを見せていた。貴族の土地になだれこんで、あちらこちらで貴族の館を焼き払った。もちろん！　だが、唯々諾々として労働者群に立ち向かったものを誰だったと思う？　農民だ！　モスコー市街で、革命的プロレタリアを機銃掃射でむざんになぎ倒した軍隊は、誰によって構成されていたと思う？　農民だ。それは農民以外の何ものでもなかった！……すなわち、主観的要素の欠乏なんだ！」彼は、厳然とくり返した。「一九〇五年十二月に何があったかを考えてみるがいい。社会民主党の内部でいかに空疎なときが理論闘争に費やされていたかを思うがいい。指導者たちのあいだには、目ざす目的についての打ち合わせができておらず、全体的戦闘計画についての検定さえもできていなかったことを思うがいい。その結果、ペテルスブルグのストは、おりもおり、モスコーの反乱がはじまりかけたときに、愚劣にもこれを停止してしまったのだ。郵便、鉄道のストは、十二月に終わっていた。しかもそれこそ、交通機関の停止によって政府を麻痺させ、反乱粉砕の役をつとめた軍隊輸送をみごとふせぎとめることのできたであろうときにおいてだ。こう考えるとき、一九〇五年のロシアにあって、革命は……」彼は、一瞬ためらって、アルフレダのほうをふりかえった。そして、きわめて早口につぶやくように言葉をつづけた。「……革命は、すでに事前に封じられていたことがわかるのだ！」

椅子にかけ、ひざの上にひじをつき、前かがみの姿勢でしきりに指をおもちゃにしていたリチャードレーが、このときおどろいたように目をあげた。

「事前に封じられていた？」

「もちろんだ！」と、メネストレルが言った。

沈黙がつづいた。

ジャックは、自分の席から口をはさんだ。

「それならそれで、何も事を極端にまで押し進めないで、むしろ……」

メネストレルは、アルフレダをながめていた。彼は、目をジャックのほうに向けることなく微笑した。スカダ、ボワソニ、トラウテンバッハ、ゼラウスキー、プレゼルも、賛意を示した。

ジャックは、なおも言葉をつづけた。

「ツァーが憲法を認めることになった以上、むしろ……」

「……いったんブルジョワ政党と歩調を合わせたほうが利口だったと思うな」ボワソニがジャックの言うところをはっきりさせた。

「……ロシア社会民主党の組織的な組み立てのため、むしろ利用したほうがよかったと思う」と、プレゼルも言葉を添えた。

「いや、ぼくはそう考えない」と、ゼラウスキーがおだやかに言った。「ロシアはドイツとちがっている。そしてぼくは、レーニンがやはり正しいと考える！」

「ちがう！」と、ジャックがさけんだ。「正しかったのはプレハーノフだ！　十月憲法が出た以上《戦闘に訴え》てはならなかった……運動をやめるべきであったのだ！　そして既得のものをしっかり固めなければならなかった！」

「彼らは、大衆をがっかりさせた」と、スカダが言った。「ただ無益な殺戮をさせたにとどまったのだ」

「そうだ」ジャックは、熱意をこめて言葉をつづけた。「多くの悲惨が避けられたはずだ……無益な流血が救われたはずだ！……」

「問題だ！」メネストレルが、ぶっきらぼうに言葉をはさんだ。

その顔には、微笑のかげが消えていた。

一同は注意しながら沈黙をまもった。

「事前に計画を封じられていた？」彼は、しばらく黙ったあとで言葉をつづけた。「そうだ！　そして、それはすでに十月以来のことなのだ！……だが、無益な流血？　それはだんぜんちがっている！……」

彼は、立ちあがっていた。話しだしながらそうすることは、彼にあっていままでほとんどないことだった。彼は窓のそばまでいき、見る気もなしにおもてをちょっとながめたあと、すぐにアルフレダのそばにもどってきた。

「十二月の反乱は、権力の征服とまではいかなかった。それはそうだ！　だが、たといそうだったからといって、あたかも征服が可能であるかのように行動してならないわけがどこにある？　断じてちがう！　まず第一に、革命の力の強さは、それをためしにかけたとき、革命をやってみたとき、はじめてそれとわかるのだ。プレハーノフは誤っている。十月以来、《戦闘に訴え》るべきであったのだ。血を流すべきであったのだ！……一九〇五年はひとつの時期だ。必然な、歴史的に必然なひとつの時期だ。コミューン（一八七一年、普仏戦争後、パリにおこった暴動）このかた、それよりもっと大がかりな意味において、帝国主義的戦争を社会革命にふりかえようとした、まさに二度めの試みだった。血を流したことはむだではなかった！　一九〇五年にいたるまで、ロシアの民衆――民衆、そしてプロレタリア――はツァーに信仰をささげていた。ツァーという名をとなえながら、胸に十字を切っていた。だが、ツァーが民衆に発砲させて以来、プロレタリアは、それに農民たちの多くのものさえ、もはや、ツァーからは、支配階級のものからと同様、なんら期待し得ないことをさとりはじめた。ああした神秘的な国、ああした知識のおくれた国では、流血は階級意識の発展になくてはかなわぬものだった……しかも、事はそれだけにとどまらない。別の観点、技術的、革命技術の観点から、この経験にはきわめて重要なものがあった。この経験から、指導者たちは、かつてなかったものを習得できた。あしたになれば、おそらくみんなにわかるだろう！」

彼は、立ちつづけていた。目を輝かし、その手をふりあげて一語一語を刻んでいた。手くびには、女にみられるようなしなやかさが見られた。そして、指をくねらせての、繊細な、へびのようなしぐさには、東洋を、またカンボジアの踊り子を、へびつかいのインド人を思わせるようなものがあった。

彼は、アルフレダの肩をなでて、腰をおろした。

「あしたになればわかるだろう」と、彼はくり返した。今日のヨーロッパは、一九〇五年のロシアと同じく、明確に革命の先駆的状態にある。資本主義社会の対立が、ヨーロッパ全土をかき立てている。繁栄といってもそれは幻のようなものにすぎないのだ……だが、いつ、いかにして、新しい事実が生まれてくるか？　それははたしてどんなものか？　経済的危機か？　政治上の危機か？　戦争か？　一国家内における革命か？……いつ、いかにして革命状態が生まれてくるか……予見できる者がいたらえらいものだ！……もっとも、そんなことはどうでもいい。なにしろそこには、必ず新しい因子が生まれてくるのだ！　そして、そのとき、その用意のできていることがかんじんだ！　一九〇五年のロシアにあっては、プロレタリアに用意がなかった！　だからすべてが失敗した。ヨーロッパのプロレタリアに、はたして用意がありやいなや？　指導者たちにも用意があるか？　いわく、いな！……インターナショナル各班のあいだにじゅうぶんな連帯ができているか！　これまた、いな！……プロレタリア指導者たちの団結は、十二分な効力を発揮するだけ強力であるか？　断じて、いな！　あらゆる国々の革命的勢力の厳密な集中なくして、革命の勝利が可能であるとでも思っているのか？　なるほど彼らは、インターナショナル事務局を設けもした。だが、それはいったい何か？　単に通報機関にすぎないのだ。プロレタリア中央執行委員会の、芽ばえだけさえ見られはしない。これがなければ、同時的、決定的ななんらの行動も不可能なのだ！……インターナショナル？　それは、プロレタリアの精神的団結のあらわれにすぎない。もちろん、それもないにはまさる……だが、現実の組織ができていない。すべては今後に残されているのだ！　その活動は何にしめされている？　会議だ！……ぼくはあえて会議をのろうものではない。八月二十三日、ぼくもウィーンに行くつもりだ……だが、事実、会議からはなんら期待できないのだ！　例をあげれば一九一二年のバーゼル会議だ。それは、もちろんバルカン戦役にたいするきわめて堂々たる示威だった！　だが、その結果として、はたして何が生み出されたか？　感激のうちに、すばらしい決議がされた。とくにすばらしいのは、問題をそらした彼ら自身の巧みさだった。決議の中の《ゼネスト》の文字もそうだといえよう！　あのときの討議を思いおこそう！　たとえばスト問題にしても、それははたして実際的の問題として、場合により、国により、いろいろ異なった取り扱いを受くべきものとして徹底的に究明されたであったろうか？　これこれの戦争突発に際し、これこれのプロレタリアのとるべき具体的態度いかんのことなど？……戦争？　それはひとつの実在だ。プロレタリア？　これもひとつの実在だ。このふたつの実在を前にして、わが指導者たちは、あたかも説教壇上の牧師さながら、弁論上の変化をつくしてみせたのだった。これが目下のありさまなのだ！　インターナショナルは、お祭りさわぎの感情の問題、そうした程度にとどまっている！　いっぽうには理論、いっぽうには大衆の意識、力、革命的情熱、そうしたふたつのものの融合にまだ手がつけられてさえいないのだ！」

彼はしばらく口をつぐんだ。

「何から何までこれからだ！」彼は考え深げにつぶやいた。「何から何まで。プロレタリアを作りあげるには、大きな、秩序ある勢力が必要だ。それがいままではわずかに見られた程度にすぎなかった。このことを、ぼくはウィーンで話そうと思っている。何から何までこれからだ」と、なおもきわめて低い声でくり返した。「アルフレダ、そうじゃないかね？」

彼は短く微笑したあとで聞き手の面々をひとわたり見わたし、それからひたいにしわをよせた。

「たとえて言えば、こうしたことだ。インターナショナルに、まだ日刊ないし週刊の新聞『ヨーロッパ通報』——あらゆる国語で書かれ、あらゆる国の労働組合に共通のもの——のないというのはどうしたことだ？　これも会議で話そうと思っている……これこそは指導者たちにとって、あらゆる国でほとんどおなじ質問をいだいている何百万ものプロレタリアに、同時に、一様の回答をあたえるための最善の方法なのだ。これこそあらゆる労働者にたいし、闘士たるといなとを問わず、全世界の政治的、経済的状態についての的確な情報をあたえるための最善の方法なのだ。それこそまさに、現在の状態において、労働者にたいし、国際的反射作用をさらにさらに発展させるために、最善の方法のひとつなのだ。モタラの冶金工、リヴァプールのドック工は、ハンブルク、サン・フランシスコ、チフリスのゼネストを、そこになんらの差別なく、あたかも自分自身の個人的事件ででもあるかのように感じることが必要なのだ。ひとりひとりの労働者、ひとりひとりの農民が、土曜の夕方仕事から帰ってきてテーブルの上に一枚の新聞を見いだし、それを手にし、しかもその新聞が、同じ時刻に、全世界のあらゆるプロレタリアの手にあるのだと考える事実。そこにはさまざまなニュース、統計、指令、日程が読まれ、しかもそれらが、おなじ時刻に、全世界の、自分と同様なおおぜいの権利を自覚している人々によって読まれているのだと考える事実——そうだ、たったそれだけのひとつの事実が、じつにはかり知るべからざる説得力を持つことになるのだ！　それだけではない、それが各国政府にあたえる効果は……」

最後の言葉は、とても早口に言われたので、はっきり意味がつかめなかった。おりから、友人たちにとりまかれてはいってきた講演者ジャノットの姿を見る《本部》の常連たちも、この晩、パイロットがこれ以上語らないであろうことを見てとった。

八

ジャックはジャノットを知らなかった。ジャノットは、アルフレダの語ったとおりの男だった。ずんぐりして、型の古い黒の洋服をいささか気どって着こなし、つまさき立って部屋を横ぎって歩いていった。そして、なかば身をかがめてのあいさつや寺の香部屋係めいたものごしは、紋じるしの獣に見られるような異様な白いたてがみをのせた荘重な顔にたいし、何かはなはだ不調和なものに思われた。

ジャックは椅子から立ちあがっていた。彼は、紹介のどさくさにまぎれて身を消して、メネストレルの来るのを待とうと奥の一室にはいりこんだ。

案のごとく、ほどなくメネストレルがあらわれた。いつものようにアルフレダもいっしょだった。話というのは短かった。メネストレルは、ギトベールとトブレールに関する書類の中から、手間ひまとらずに、非難の書かれた五、六通の書類をとりだしてそれをジャックにわたしした。そして、オスメールへのひとことをつけ加えた。それから、調査をはじめるための実際的方法について概括的な注意をあたえた。

それをすますと、椅子から立ちあがった。

「さあ、アルフレダ、晩飯にいこうぜ！」

アルフレダは、散らばった書類を手早くまとめ、それを書類カバンの中におさめた。

メネストレルは、ジャックのほうに歩みよって、一瞬、ジャックの顔をまじまじとながめた。そしてさっき話していたときとまったくちがった親しみのあるちょうしで、低い声でこうたずねた。

「今夜、何かぐあいのわるいことでもあるかね？」

ジャックは、ちょっと当惑しながら、びっくりしたような微笑を浮かべた。

「いや、ちっとも！」

「ウィーンに行くのがいやなんじゃないか？」

「とんでもない。なぜですか？」

「さっき、なんだか心配そうなようすをしていたからさ……」

「いいえ……」

「なんだか……わびしいといったような……」

ジャックはさらに微笑をつづけた。

「わびしい」ジャックはその言葉をくり返した。肩のあたりにぐったりとしたような軽い動き、そして微笑の影が顔から消えた。「日によって、なんということもなしに、なんだかとても……わびしいような気持ちになることがあるんです……わかってくれるでしょう」

メネストレルは、それに答えず、ふた足ばかり歩いて戸口に立った。そして、アルフレダのしたくのできるのをたしかめるため、くるりとうしろをふり返った。そして戸をあけて、アルフレダを出してやってから、

「もちろん」そのとき彼は早口に言った。そして、短い微笑をジャックに送った。「わかってる……わかってる……」

もう《本部》には誰もいなかった。モニエは椅子を並べ直し、そのへんを少しかたづけていた。(土曜日と日曜日には、集まりはたいてい夜の一時ごろまでもつづいた。だがきょう、大部分の者は、夕食後ジャノットの講演を聞くためにフェレル会館で落ちあうことになっていた。)

メネストレルは、アルフレダを少し先に立って歩かせていた。彼は、腕をジャックの腕の下にあずけていた。そして階段をおりるとき、軽くびっこを引いていた。

「誰でもみんなひとりぼっちだ……なんといってもそれは肯定しなければならないことだ」と、低く、早口に話しつづけた。そして、ちょっと言葉を切って、その眼差しをアルフレダのほうへちらりとうつして、さらに声を低めてくり返した。「いつもひとりだ」それは、いかにも客観的な認定といったちょうしで言われ、そこにはなんら悲愁、悔恨のかげが見られなかった。だがジャックには、今夜のメネストレルが何か個人的のことを考えているな、ということがしっかりと感じられた。

「ええ、ぼくにもよくわかっているんです」ジャックは、歩度をゆるめながら、しまいにはまった

く立ちどまって、ためいきをつくようにそう言った。まるで雑然とした思想の重荷を引きずっていて、そのため自由に歩けないとでもいうようだった。「それはバベルののろい（旧約聖書中にあるバベルの塔の物語。ノアの子孫が天に達せんとしてバベルの塔を築き、神の怒りにふれた話）なんです。おなじ年ごろの、おなじ生活の、おなじ確信を持った人間が、日がな一日ともに語り、きわめて自由に、きわめて誠実に語りくらしていながら、しかもほんの一分たりともたがいに理解しあうことができないんです。ただの一秒も触れあうことができないんです！……われわれはたがいに隣りあってくらしている。それでいて、たがいになんの交渉もない……湖水の岸の石のように、ただ積み重なっているだけなんです……そして、ぼくはときどき思うんですが、言葉のごときも、おたがい理解しあえるような夢だけを見させて、そのじつおたがいを近づけるかわりに、むしろ離れさせるものではないでしょうか？」

　彼は目をあげた。メネストレルもまた階段下に立ちどまって、黙って石の玄関の中にひびきわたるこの恐ろしい言葉を聞き入っていた。

「ああ！　ぼくはときどき、口をきくのがいやになってくることがあるんです！」ジャックは急に勢いづいてこう言った。「おしゃべりがいやになることがあるんです！　ああした……イデオロギーさわぎがいやになることがあるんです！」

　この最後の言葉を耳にすると、メネストレルははげしくその手を打ち振った。

「もちろんだ。話すということは行動の一部にしかすぎなかろう……だが、行動することができないでいるかぎり、話すだけでも何かになるのだ……」

そう言って、中庭のほうに目を投げた。そこにはパタースンとミトエルクのふたりが、さっきの《本部》での《おしゃべり》をなおもつづけているらしく、身ぶりをまじえて、歩きまわっていた。彼は、ジャックに鋭い眼差しをそそいだ。

「忍耐だ！……イデオロギー時代……それはほんの一時期にすぎない……だが、なくてかなわぬ準備的な時期だ！　理論のきびしさは、論争によって固められる。革命的理論なきところ、そこに革命運動は期し得ない。革命的理論なきところ、そこには前衛隊もあり得ない。指導者たちもあり得ない……われらの《イデオロギー》、それが気に食わないというんだな……そうだ、それはもちろん後継者たちから見たら笑うべき力の浪費とも見えるだろう……だが、それははたしてわれらのあやまちといえるだろうか？」と、きわめて早口につぶやいた。「行動の時はまだきていない」

じっと注意しているジャックの態度は、さも《その説明を》とでもいっているように思われた。

メネストレルは言葉をつづけた。

「資本主義経済はまだ厳然と立っている。その機構にはすでに衰退のきざしが見えているが、それでもどうやら動いている。プロレタリアは苦しんでいる。そして動揺が見えている。だが、けっきょくのところ、まだ飢え死にするまでにはいっていない。こうしたびっこの、息切れした、在来の力によって生きている世界にあって、行動の時を待つ先駆者たちは何をしたらいいというのだ？　だから彼らは語るのだ！　理論に酔うのだ！　彼らの活動の場面として、いま思想の世界だけが許されているのだ。われらはまだ、事を掌握するまでにはいっていない……」

「おお！」と、ジャックが言った。「事の掌握！」

「忍耐だ。すべてはほんのわずかのあいだ！　制度の矛盾は刻一刻と暴露され、国家間には競争が加わり、販路拡張のための競争角逐の激化が見られる。生きるか死ぬかの問題だ。彼らの制度は、たえず拡大しつづける販路を予想してできているのだ！　まるで販路が、無限に拡大するとでもいうようなのだ！……そして、行きついた先は転落だ！　いま、世界は真一文字に危機に向かい、避くべからざる破局に向かって進んでいる。そして、それはいずれ全世界的のものとなろう。も少し待つのだ！　世界の経済生活がすっかり破綻を見せるときを待つのだ……機械が、もっともっとサラリーマンの数をへらすであろうときを待つのだ……破産や、倒壊が引きつづき、いたるところしかたがなくなり、資本主義経済機構が、ちょうど被保険者全部が一日にして災害死した保険会社とおなじような状態に陥るであろうときを待つのだ……そのときこそ！……」

「そのとき？……」

「そのときこそ、われらはイデオロギーからおどり出すのだ！　そして、そでを高々とまくりあげる。すなわち行動のときがやってきたのだ。ついに事を掌握するときがきたのだ！」一抹の光が、彼の顔に輝いて、消えた。彼はくり返した。「忍耐だ……忍耐だ！」そして、ふり返ってアルフレダの姿を求めた。声が彼女に聞こえないほど遠く離れていたにもかかわらず、機械的にこうつぶやいた。

「アルフレダ、そうじゃないかね？」

アルフレダは、パタースンとミトエルクのそばによっていた。

「いっしょにカヴォーに行って、何かおあがりなさいよ」彼女は、パタースンのほうを見ないで、ミトエルクにすすめていた。「ねえ、あなた？」彼女は、メネストレルのほうに陽気に呼びかけた。(それは、パタースンとミトエルクにとって、明らかに、《メネストレルがみんなの分を払ってくれるわ……》ということを意味していた。)

メネストレルは、まぶたを伏せて承知の意味をあらわした。彼女はさらに言葉をつづけた。

「そのあとで、みんないっしょにフェレル会館に行きましょう」

「ぼくは失敬します」と、ジャックが言った。「ぼくは！」

カヴォーというのは、学校町の中心部、バスティヨン公園の裏手サン・トゥルス町の地下室にある小さな菜食主義のバーだった。出入りするものの多くは、とりわけ社会主義の学生たちだった。メネストレルとアルフレダは、カルージュの家へ仕事に帰らないとき、しばしばそこで夕飯をたべた。

メネストレルとジャックとは、先に立って歩いていった。アルフレダとふたりの青年とは、何メートルかを隔ててあとにつづいた。

メネストレルは、彼独特のぶっきらぼうなちょうしで言葉をつづけた。

「これからだって、そうしたイデオロギー時代はそうとう長くつづくはずだ。そしてわれらは、何か生まれんとする時代に生まれてきたのだ。きみは、同志にたいしてきびしすぎる！　ぼくは彼らにすべてのことをゆるしている。おしゃべりさえ。それは、彼らの生命力……彼らの若さを知っているからだ！」

いままでジャックの気のつかなかった一抹悲愁のかげがその面上をさっとかすめた。彼は、アルフレダがたしかに来るかどうかをたしかめようとくるりとうしろをふり返った。

ジャックは、すねて、強情にかぶりを振っていた。なるほど彼は、落胆のあまり、身のまわりの青年たちにきびしい批判をくだすようなことがあった。彼には、その多くのものの考え方があまりにも単純であり、狭くるしく、いい気になって人を非難し、人を憎むもののように考えられた。知識にしても、自分たちの考え方を固めるためにそれを秩序正しく応用するにとどまっていて、それによって自分たちの考えを押しひろげ、更新しようとは考えないもののように思われた。そして、彼らのなかの大多数が革命家というよりも反抗者に近く、人類よりむしろ反抗そのものを好んでいるように思われた。

だが、彼はメネストレルの前で、その同志たちを批判することだけはさしひかえた。そしてかんたんにこう言った。

「若さ、ですか？　だが、ぼくはむしろ、彼らが……じゅうぶん若くないことを不愉快に思っているんです！」

「じゅうぶん？」

「そうなんです！　とりわけ彼らのいだく憎しみのごとき、それは老人めいた反発です。その点ヴァンネードは正しいことを言っていました。すなわち、真の若さは憎しみではない。それは愛であるべきだ、と」

「夢だ！」追いついてきたミトエルクが太い声でこう言った。そして彼は、眼鏡の裏から、メネストレルを斜めにちらと一瞥した。「真に意欲するものは、憎まれなければならないんだ」彼は、ちょっとあいだをおいて、こんどはじっと自分の前、はるかのほうを見つめながらそう言った。そして、ほとんどすぐに、いどみかかるようなちょうしでつけ加えた。「同様に、勝たんがためにはつねに殺戮が必要だった。そうなんだ！」

「ちがう」ジャックははっきり答えて言った。「憎しみ無用、暴力も無用だ。そうだ、その点断じてくみしない！」

ミトエルクは仮借しない目つきで、じっとジャックをながめた。

ジャックは、軽く、メネストレルのほうに身を寄せていた。そして、話しつづけるに先だってしばらく待ってみた。だが、メネストレルが何も言いださないことがわかると、ほとんどぶっきらぼうにその決心を打ちあけた。

「憎まなければならない！　殺戮しなければならない！　何々しなければならない！……そんなことがどうしてわかる！　ひとりの偉大な革命家が、殺戮なしに――思想によって――みごと勝利をおさめたとき、きみの暴力革命観のごとき、たちまち一変してしまうだろう！」

ミトエルクは、すこし離れて、おもおもしい足どりで歩いていた。その顔つきはむずかしかった。そしてなんとも答えなかった。

「もしも歴史を通じ、あらゆる革命が多くの血を流させていたとしたら」ジャックは、ふたたびメネストレルのほうを見てから言葉をつづけた。「それはおそらく、革命にたずさわった人々に十二分の用意と考えとがたりなかったためだと思う。すべての革命は、われらのような党員――暴力をもって信条とする党員により、恐慌状態のうちに、多少いきあたりばったりに、思いついたままに行なわれた感がある。すなわち彼らは、革命のつもりで、じつは内乱に満足していたのだ……暴力にしても、それが当座の必要から出たものであることはぼくも認める。ところでぼくは、現代文明の段階において、そこに別種の革命を認めてなんらさしつかえないと考える。すなわちそれは緩慢な革命、ジョーレスのような人々により、忍耐づよく導かれるところの革命なのだ。すなわち、それは、ヒューマニズムの観念を身に帯し、十二分に信条を練り、漸進的な行動計画を打ちたてるだけの余裕をもった人々。組織だった一連の運動により、そして議会、市町村、組合、労働運動、ストライキなど、さまざまな方面に同時にはたらきかけ、こうして権力掌握を準備するところのよい意味においてのオポチュニストたち。さらにまた、革命家たると同時に政治家たる人々。すなわち、その計画の実行にあたり、これを大きな見とおしと大きな力により、また明澄な思想の生みだす静かな精力により、さらに協力するにじゅうぶんな時をもってし、つまりすべてを秩序の中におこなって、しかも継起する事件の掌握をかたときも忘れない人々。そうした人々に導かれるところの革命なのだ」

「事件の掌握！」ミトエルクはあらあらしい身ぶりでわめきたてた。「Dummkopf！（ドイツ語。たわけ野郎）新制度の建設、それはひとつの大激変の圧力の下、あらゆる熱情が狂奔する全体的・痙攣的 Krampf（ドイツ語。

発作）の時期をまってはじめて考えることがゆるされるんだ……」（彼は、かなり流暢にフランス語を話した。だがそこには、力のこもった、粗野なドイツ語のアクセントがみられていた。）「真に新しいものであるかぎり、憎悪によってあたえられるこの刺激なしには、得られないのだ。そして、建設せんがためには、そこにはまず、ひとつの旋風、ひとつのWirbelsturm（ドイツ語。旋風）があらゆるものを打ち倒し、その最後の残骸までも地ならしすることを必要とする！」彼は、頭を低くたれてこの言葉を口にした。そして、そこにみられる一種超脱といった気持ちが、これらの言葉に何かすごみをあたえていた。彼は首をあげた。「Tabula rasa! Tabula rasa!（ラテン語。《白紙の状態》）」そして、あらあらしい手つきで、じゃまものを粉砕し、自分の前をからにするようなしぐさをした。

　ジャックは、いく足かあるいたあとでこれに答えた。「そうだ」彼は、つとめて落ちつきながら、ためいきをつくようにこう言った。「きみは――そしてぼくたちすべてもそうなんだ――革命の観念は秩序の観念と相いれざるもの、という公理のうえに生きている。ぼくたちすべては、そうした英雄的な、血にかわいたロマンチスムに中毒させられているのだ……だが、いいかミトエルク？　ぼくはときどきそのことを考えてみる。すなわち、こうしてみんながみんな、暴力理論に賛成しているその真の理由はどこにあるかと。それははたして、行動の効果をあげるため、暴力が欠くべからざるものであるというただそれだけの理由によるのか？　そうではない……それは同時に、そうした理論が、もっともいやしいわれらの本能、もっとも古い、人間のなかに深く隠されているそうした本能に媚びるからだ！……鏡に顔をうつしてみよう……なんというあらあらしい目つき、なんという未開人らしい豪傑笑い、なんという狂暴な、そして野蛮な喜びをもって、われらすべてがそうした暴力をさも必然のものであるかのように受け入れていることか！　事実を言えば、もっと恥ずかしい動機、もっと個人的なひとつの動機がわれらにそれをえらばせているのだ。すなわちわれらは、復讐の気持ち、うらみを晴らすといった気持ちを心の底に持っているのだ……そしてこの復讐感を味わうため、そこになんの呵責を感じることなくこれを不可抗法則への服従だと説明することができたとしたら、これほどうまい話はなかろうじゃないか」

ミトエルクは、侮辱を感じてとつぜん頭をふり向け、

「おれは」と、反発した。「おれは……」

ジャックは、かまわず言葉をつづけた。

「待ってもらおう……ぼくは誰をも非難しない。ぼくは《われら》と言っているのだ。ぼくは事実を語っているのだ……破壊への要求は、建設への希望よりずっとはげしいのだ……われらのなかのいかに多くのものにとって、革命が、社会改造の業たるに先だち、混乱、一揆、内乱、暴力による権力の奪取、そうしたことにやさしい満足を見いだそうとする復讐の好機会でないと言えるだろうか？　血なまぐさい勝利により、われらが代わってわれらの圧制――われらの正義の圧制を課しうるということになった場合、復讐の歓喜ははたしてどんなだろう！……乱を好むもの、そうだミトエルク、ほかのあらゆるもののほかに、すべての革命家の底の底にはこうした気持ちがあるのだ！　否定はよせ……われらのうちのいく人が、こうしてのぼせあがった破壊熱のとりことならなかったと言えるだろ

う？　きわめてすぐれたもの、きわめて広量なもの、きわめて犠牲的精神に富んだもののなかにも、ぼくは、往々こうした酔いしれた夢魔のすがたを見るのだ……」

「そうだ！」メネストレルが、言葉をはさんだ。「だが、問題ははたしてそこにあるだろうか？」

ジャックは、彼の眼差しをとらえるため、くるりとそのほうをふり向いた。だめだった。メネストレルが微笑したかに思われたが、それもはっきりとはつかめなかった。ジャックもおなじく微笑した。だが、それは自身だけの理由によるのだった。それは、ついいましがたの自分の言葉を思いだしたためだった。《ぼくはおしゃべりがいやになることがあるんです》

ミトエルクは、眼鏡の上にまゆをそびえさせていた。そしてもうなんとも答えたくないらしかった。

みんな、ブール・デュ・フール広場にさしかかって、そこを黙って横切っていった。夕日の光は、古びた屋根がわらを染めていた。サン・レジェの狭い通りが、まるで陰の廊下といったように開いていた。うしろでは、パタースンとアルフレダが、何か声高に話していた。言葉ははっきりわからなかったが、笑い声だけが聞こえていた。メネストレルは肩越しに、いく度となくそちらのほうへ目をやった。

ジャックは、考えの連絡を説明しないで、つぶやくように言った。

「……それではまるで、個人はまずその価値を捨てないでは、団体に、集団的な力に参加できない、はいれないとでもいうようだな……」

「どういう価値だ……」と、ミトエルクがたずねた。そのようすから察するところ、たしかにまえの言葉とは連絡がつかないでいるらしかった。

ジャックはちょっとためらった。

「人間としての価値」彼はようやく、低いあいまいなちょうしでこれだけ言った。その問題をとりあげて、さらに議論になるのをおそれるとでもいうようだった。

短い沈黙。そのときとつぜん、メネストレルの声が鋭く響いた。

「人間の価値だって？」

何かふざけたようなその質問、それの底意ははかりかねた。そしてジャックは、そこに一抹の感動のかげをとらえ得たかのように思った。彼はいく度か、メネストレルの冷淡さのかげに、ある種の感じ――そうした冷淡さが後天的なものであり、そのかげに、いまや人間性についてありとあらゆることをさぐりつくし、しかもその幻滅をひそかにあきらめきれずにいるひとつの多感な心の悩みがよみとられるように思った。

ミトエルクには、パイロットの陽気さだけしか目にはいらなかった。彼は笑いだすと、親指のつめで歯並びを鳴らしてみせた。そして、

「チボー、きみには政治的センスというやつが欠けているのさ！」と、言った。それはさも、論争に結論をあたえるとでもいうようだった。

ジャックは、むっとせずにはいられなかった。

「だが、その政治的センスというやつが……」

こんどはメネストレルが口をはさんだ。

「ミトエルク君、政治的センスというのはいったいなんだね？　私生活においてわれらおのおのが不正直——ないし罪と思って排斥しているところのものの利用が、社会的闘争の場合には容認される……こうなんだね？」

言葉のはじめは、何か気まぐれのように口にされたが、終わりのほうは、真剣な、熱をたたえてしかもよくそれをおさえているといったちょうしだった。そしていま、彼は口を閉じ、鼻で細かく息をしながら、静かに笑っているのだった。

ジャックは、あわやメネストレルに答えようとした。だが、メネストレルには、いつも一種の威迫といったようなものが感じられていた。

彼は、ミトエルクに向かって言った。

「真の革命は……」

「真に真なる革命は」と、ミトエルクがどなった。「民衆解放のための革命、それはいかに狂暴なものであろうと、あえて人から容認される必要のないものなんだ！」

「そうか？　手段方法はどうでもいいのか？」

「そのとおり！」ミトエルクは言葉なかばにおっかぶせた。「行動と、きみの空想的な考え方とは同日に語ることができないんだ！　友よ、行動はきわめて直接的なものだ。そうだ、行動にあっては勝つということのほかにはない！……おれにとって、たといきみがどう思おうと、目的は復讐にあるのではない！　そうだ、目的は、人間解放にある。場合によっては、その当人の意思に反してまでもだ。必要とあらば銃火にうったえ、さらにギロチンにうったえてもだ！　川の中でおぼれかけているものを救うためには、救助作業を安全に行なうため、まずその頭をなぐりつけるだろう……真にいよいよという日がきたら、おれにとって目的はただひとつ、すなわち、資本主義的暴虐の駆逐と払拭だ。こうした巨大なゴリアテ（旧約に出てくる巨人の名）、民衆を圧伏するためのあらゆる手段を持っているこのゴリアテを倒すためには、方法をえらぶに四の五のいうほどおめでたくはないのだ。無知と悪との粉砕に役立つものならなんでもいい。それがたとい無知や悪であろうともだ！　もし、不正、狂暴が必要というなら、そうだ、おれは進んで不正にもなろう、狂暴にもなろう！　勝利を得るため自分に力をあたえるものなら、いかなる武器でも手にするつもりだ。そうだ、あえて言う、この戦いではどんなことでも許されるのだ！　どんなことでも、ぜったいにどんなことでも許されないのは敗北だけだ！」

「ちがう」と、ジャックははげしく言った。「ちがう！」

彼は、メネストレルの眼差しをもとめた。だが、メネストレルは両手を背に組み合わせ、肩をかがめ、身のまわりを見ようとせず、家並みにそって少し離れたところを歩いていた。

「ちがう」と、ジャックは言葉をつづけた。（彼はあやうく次のように言うところだった。《ぼくにはもうそんな革命には興味が持てない。そうした血なまぐさい狂暴をやってのけ、それを飾るに正義の名をもってすることのできる人間、そうした人間が勝利をしめた場合、彼は永久にその純粋さ、その品位、人間にたいする尊敬、公平への熱情、その精神の自由をとりもどすことができなかろう。ぼくが革命にあこがれるのは、そうした狂人に権力を握らせようためではないんだ……》だが彼は、単にこう言っただけだった。

「ちがう！　というのは、きみの振りまわすその暴力は、同時に精神面をもおびやかすであろうことがはっきりわかっているからなのだ」

「それはしかたがないさ！　われわれはインテリどもの文句にかかずらって中風状態に陥ってはならないからな。きみのいわゆる精神面なるものが没却されようと、精神的活動が五十年にわたって抑圧されようと、そんなことはしかたがない！　なるほどおれも、きみとおなじくざんねんには思う。だがあえて《しかたがない！》という。そして、もし真に闘士たるため盲目にならなければいけないというなら、そうだ、おれはあえて《目をえぐってくれ》と言うだろう」

ジャックは、反抗の気はいをしめした。

「そうだ、ちがうんだ！　しかたがないことはない……ミトエルク、ぼくの言葉をわかってくれ……」(彼はミトエルクに向かって話していた。だが、じつは、メネストレルのために自分自身の考えをたしかめようとしていたのだった。)「それは何も、最終目的にたいしてきみほど重要性を認めないということではない。ぼくの反抗も、じつにその目的自身のためなんだ！　不正、欺瞞、狂暴のうちに行なわれる革命、それは人類にとって単にいつわりの成功にすぎない。そうした革命、それは出発点においてすでに腐敗菌をもっているものと言えるだろう。そうした方法によって得られる革命、それには永続性がないにちがいない。おそかれ早かれ、こんどは自分がやられることになるのだ……暴力、それは圧迫者の武器だ！　それはぜったいに民衆にたいして真の解放をあたえるものではない。それは、単に新しい圧迫を生み出すにすぎないんだ……まあ待ってくれ！」とつぜん、ミトエルクが口を出そうとするのにいらいらしながらこうさけんだ。「きみたちがそうした理論的シニスムの中からとり出す力、ぼくもそれには気がついている。そして、もしぼくもその有効さが信じられるのだったら、個人的嫌悪なぞはふりすてて、ぼくもそうしたシニスムに賛同さえもしただろう。ところがぼくは、まさにそれを信じないんだ。ぼくは、真の進歩であるかぎり、けっしてけがれた方法によって実現されるものではないと確信する。正義と友愛の世界を打ち立てるため、暴力と憎悪を礼賛するのはそれはまったくナンセンスだ。それこそじつに、われらが世に布かんとする正義と友愛とを、その出発点において裏切るところのことなのだ……だめだ！　きみはきみですきなように考えるさ。だが、ぼくにとって、真の革命、全力をささげるに価する革命こそは、ぜったい、道徳価値否定によっては得られないのだ！」

ミトエルクはこれを反撃しようと身がまえた。

「なかなか強情だな！」と、メネストレルが言葉をはさんだ。それは、彼がおりおりつかっては、聞く者をしていつもはっと思わせる例の裏声で言われたのだ。

彼は、傍観者としてこの論争に立ちあっていた。このふたりの性格の衝突を、彼はいつもおもしろいものに思っていた。精神と物質、それ自身としての暴力と暴力否定との主張の相違、それは彼にとって、ばかばかしい、空疎なものに思われた。それは、あやまった問題、出し方のわるい質問の好典型のように思われた。だが、いまさらそれを言いだしたところでなんになろう？

ジャックとミトエルクは、あわてて口をつぐんでしまった。

ミトエルクは、メネストレルのほうをふり向いた。そして一瞬、そのなぞのような顔をじっと見入った。こぼれかけた妥協的な微笑が、唇の上に凍りついた。そして表情がさっとくもった。彼には、この論争におけるジャックのあり方が不満だった。そしてジャックにたいし、メネストレルにたいし、また自分自身にたいして腹をたてていた。

しばらく黙って歩きつづけた後、彼はわざと歩度をゆるめ、ふたりとのあいだに間隔をつくって、パタースン、アルフレダといっしょになった。

メネストレルは、ミトエルクのいなくなったのをさいわい、ジャックのそばに身をよせた。

「きみの希望は、まえもって、それがまだできあがらないうちに革命を浄化しようというんだな。尚早だよ！　それは、革命の生まれるのをさまたげることになるだろう」

彼はちょっと言葉を切った。そして自分のいまの言葉がどれだけジャックの感情を刺激したかを察したとでもいうかのように、鋭い一瞥とともにすぐに言いそえた。

「だが……ぼくにはきみがよくわかってるんだ」

ふたりは、黙って町をくだりつづけていった。

ジャックは静かに、われとわが身を反省しようと努めていた。彼は、自分自身の受けた教育のことを思っていた。《学校教育……ブルジョワ的にひととなり……それは知識にたいして消えることのない型をあたえるものだ。自分は長いあいだ、作家に生まれついたものと信じていた。そして、そのことを考えなくなってからまだいくらにもならない。それほど自分には、物を判断し、それに結論をくだしたりするより、物を見、記録することの傾向のほうがいつも強かった……革命家にとって、たしかにこれはひとつの短所だ！》彼は、一脈の不安とともにそんなことを考えた。彼はほとんど、自分をごまかすといったようなことがなかった。少なくとも意識しては。彼は自分を、同志たちにくらべてまさっているとも劣っているとも思わなかった。彼は自分が、別のものであると思っていた。そして、けっきょくのところ、彼らにくらべて《革命の具》としてまさっていないと思っていた。彼らのように、個人的な意識をすっかり捨て去り、思想なり意思なりを、ひとつの党派の抽象的な主義、その共同の行動の中に溶かしきるなどということができるだろうか？

彼はとつぜん、低い声でこう言った。

「精神の独立を保つこと、それを守ること、これは共同の行動にぜったいに不適当ということになるでしょうか？　ほかにどうしようがあるというんです？」

メネストレルの耳には、それが聞こえなかったようだった。だが、しばらくすると、つぶやくようにこう言った。

「個人的価値……人間的価値……きみはふたつの言葉がおなじ意味だと思うかね？」

ジャックは、じっと彼のほうを向いていた。問いかけるような沈黙が、メネストレルにさらに説明を求めているかのようだった。

メネストレルは、気のすすまないようすで言葉をつづけた。

「われわれとともに立ちあがろうとしている人類は、いまや驚くべき建て直しをはじめている。それは、今後数世紀にわたり、単に人間対人間の状態だけでなく、同時に、そしてまだはっきりとわからない人間自身を——彼みずから本能と思っているようなものまでをも変更させるところのものなのだ！」

こう言ってから彼はふたたび口をつぐんだ。そして、深く考えこんでいるようだった。

九

何メートルかおくれて、ミトエルクは、パタースンとアルフレダのそばを歩いていた。だが、ふたりの話には加わらなかった。

アルフレダは、小きざみ足にパタースンのそばを歩いていた。足の長いパタースンが一歩するあいだに、彼女はふたあし歩くのだった。彼女は、らくな気持ちでおしゃべりをしていた。そして、相手のそばにあまり近くよっているため、パタースンの腕はたえず彼女の肩にさわっていた。

「あたしはじめてあの人に会ったのは」と、彼女が言った。「それはストのあったときだったわ。あたし、チューリッヒの友だちにつれられて、ある会合の席に出かけたの。そのときあの人が演説した。あたしたちは前のほうの席にいたの。あたし、じっとあの人をながめていた。あの人の目、あの人の手……会合の終わりは乱闘になった。あたし、お友だちをおきざりにして、あの人のそばへ駆けてって身をかくしたの……」（彼女は、そうした思い出をよびおこしながら、われとわが身に驚いているようだった。）「それからというもの、あたしあの人から離れなかったの。ただの一日も。ほんの二時間ぐらいだって……」

パタースンは、ミトエルクのほうをちらとながめた。そして一瞬ためらった後、妙なちょうしで、声を低めてこう言った。

「きみはあの人のマスコットさ……」

彼女は笑った。

「あの人、あなたよりはやさしいわ……あの人、マスコットなんて言いやしない。《守りの天使》って言ってるのよ」

ミトエルクは、うわのそらで聞いていた。彼は心に、ジャックとの論争のことを思っていた。たしかに自分のほうが正しかった。彼は、同志としてのジャックを認めていた。友だちになろうとさえもしたのだった。だが、党員にたいする彼の批判はきびしかった。いま彼は、ジャックにたいしてひそかな憎悪に燃えていた。《あいつのつらに、おれの思っていることを率直にたたきつけてやればよかった！……しかもパイロットの目の前で！》彼もまた、ジャックとメネストレルとの親しさをきわめて不愉快に思っているもののひとりだった。それは何も、しみったれた嫉妬からではなかった。彼にとって、そうしたことは不正同様にきらいだった。彼はさっき、メネストレルから暗黙の同意が得られるとばかり思っていた。それにたいしてメネストレルのあいまいな沈黙、それがはげしくしゃくにさわった。彼は機を見て、事をはっきりさせたかった。そうした彼の気持ちの中には、はげしい復讐の念が動いていた。

先に立っていたメネストレルとジャックとは、バスティヨン公園の入口のところに立っていた。

(公園をぬけると、サン・トゥルス町までまっすぐだった。)

日が沈みかけていた。鉄柵の向こうには、しばふの花壇の上にまだ金いろの水蒸気がただよっていた。きょう、夏の日曜の夕暮れどき、ここジュネーヴ大学の《リュクサンブール(パリにある公園)》ともいうべき庭の中には、歩いている人が多かった。どこのベンチもふさがっていて、学生の群れは三々五々、高い茂みによってすこしの涼の得られる直線形の小道の中をあるいていた。

アルフレダとパタースンをあとにのこして、足を早めたミトエルクは、ふたたび前のふたりに追いついた。

「……それにしても、人生についてちょっと乱暴な見方ですね」と、ジャックの口からもれていた。

「物質的繁栄の夢ですね!」

ミトエルクは、穴のあくほどジャックをみつめた。そして、決然として、なんの話かわけも知らずに、とつぜん横から買ってでた。

「こんどはなんの話だい？　ははあ、また革命家の《物質的欲望》の非難だな！」何か悪意のこもった軽い冷笑を浮かべてこうつぶやいた。

ジャックは、おどろいて、親愛の心をこめて彼をながめた。気の変わりやすいミトエルクにたいして、彼はいつも寛容だった。彼はミトエルクを、ずいぶん苦労したことのある、あまり感情を外にあらわさない、だが、友情にかけてはきわめて誠実な男と思っていた。その粗暴さにしても、少年時代不幸だったから、またその裏に心の葛藤なり弱みなりのうたがわれる多感な尊大さから出てきていることがわかっていた。（ジャックの見る目に狂いはなかった。感傷的なミトエルクには、胸にひとつの悩みがあった。すなわち、彼は自分のみにくいことを知っていた。そして、このみにくさを病的にまで誇張して考えていた。そしてある日のごときは、あらゆることに絶望さえしたほどだった。）

ジャックは、快く説明してやった。

「じつはパイロットに、われわれのうちの多くのものが、まだ明らかに資本主義的な考え方、感じ方、幸福のねらい方を持っているって言ってたところさ……そう思わないかね？　革命家たること、それはまず何より先に、個人としての態度、心のうちの態度をおいてないのじゃないか？　すなわち、何より先に、自分自身の革命をなしとげ、精神から、古い秩序による習慣を下剤でおろしてしまう以外にないのじゃないか？」

メネストレルは、彼のほうへすばやい一瞥を投げた。《下剤か》と、彼はおもしろく思った。《おもしろいことを言う……すっかりブルジョワばなれがしてきている……習慣を下剤でおろしてのけた精神……そうだ！……だが、そこにはきわめてブルジョワ的なものが残っている！　すなわち、精神自身をあらゆるものの基礎におくという習慣だ！》

ジャックは話しつづけていた。

「ところが、ぼくはしばしば、大多数のものがあいかわらず物質的なものに重要性をおいている事実、それに無意識な尊重をおいている事実を見せつけられているのだ……」

ミトエルクは、がんとしてその言葉をさえぎった。

「なるほど、飢え死にしかけている人間、まず食わんがために反抗している人間を前にして、マテリアリズム攻撃をやるなんて、なるほどなんでもないことだろうさ！」

「そうだ」と、メネストレルが言葉をはさんだ。

ジャックはすぐに自説をゆずった。

「ミトエルク、そうした反抗はたしかに正しい……だが、われらの中の多くのものは、革命は、資本主義が召しあげられ、プロレタリアがこれにとってかわるときにできるものだと思っている……だが、従来の権益者を追っ払ってそのあとに他の権益者をすえること、それでは資本主義をほろぼすことにならない。それはただ、資本主義の位置を変えるというにすぎないんだ。そして革命は、ひとつの階級——たとい、それがいちばん多数をしめ、いちばん搾取されつづけていた階級であろうと——ひとつの階級の勝利とは別個のものでなければならない。ぼくは、一般的な勝利をのぞんでいるのだ……ひろく人間的な階級の。すなわちそこでは、みんながなんの区別もなしに……」

「そうだ」と、メネストレルが言った。

ミトエルクは、不服らしい声をたてた。

「悪は利潤にある！……だが、それは今日、あらゆる人間活動のたったひとつの原動力だ！　世の中から、これを引っこぬいてしまわないかぎり！……」

「ぼくもそのことを言いたかったんだ」と、ジャックが言った。「引っこぬく……それはわけのないことだと思うかね？　われわれでさえ、そうした観念を自分たちから根こぎにできないでいることを思うとね。われわれ革命家たちでさえ！……」

ミトエルクも、たしかにおなじように考えていたのだった。だが、彼にはそれに賛同するだけの善意の持ちあわせがなかった。相手をやっつけてやろうという誘惑に、もうこれ以上たえることができなかった。彼は冷笑を浮かべながら、くるりと問題の向きを変えた。

「われわれ革命家？　だって、きみはいつだって革命家ではなかったじゃないか！」

ジャックは、この個人的な攻撃に虚をつかれたかたちで、機械的にメネストレルのほうをふり向いた。だが、パイロットは、ただ微笑しているばかりだった。そして、ジャックは、その微笑の中に、期待しているささえをなんら見いだすことができなかった。

「何が気にさわったんだ？」と、ジャックはつぶやいた。

「革命家は」と、ミトエルクは、いまは皮肉を隠そうともしないで言った。「それは信じる者でなければならない！　それなんだ！　ところがきみは、きょうはこれ、あすはあれと、ただ考えてばかりいる……きみは、いつも意見を持っている人間だ。信念を持った人間ではない！……信念、それはひとつの天恵だ！　同志よ、それはきみのためのものではない。きみはそれを持っていない。きみにはぜったい持てないんだ……そうなんだ、おれにはきみがよくわかっている！　きみの好きなのはきょうはこっち、あすはあっちとからだをゆすっていることなのだ……ソファの上でパイプをくゆらし、いい手わるい手と屈託なしに打っているブルジョワどもと変わりがない！　打つ手のさえに得意になって、ソファにからだをゆすっているんだ！　同志よ、きみもまったくそのとおりだ！　考えたり、疑ったり、理屈をこねたり、朝から晩までいろいろ異議をでっちあげては、右に左に当たっている！そして、打つ手のさえに大いに得意になってるんだ！……信念なんかみじんもない！……」と、彼はさけんだ。そして、メネストレルのほうに近づくと「そうじゃないですか、パイロット？　だから、《われわれ革命家》だなんて言ってもらいたくない！」

メネストレルは、ふたたび、短い、不可解な微笑をうかべた。

「なんだって？　このぼくのどこが悪いっていうんだ、ミトエルク？」ジャックは、ますますとほうにくれたかたちで、思いきってこう言った。「熱狂的な信者でないのがいけないっていうのか？まっぴらだ」（当惑の気持ちは、少しずつ怒りの気持ちに変わっていっていた。そしてこの変化につれて、彼には何か愉快な気持ちがわいてきた。）彼は、ぶっきらぼうにこうつけ加えた。「きのどくだがね。ぼくはいま、その点についてパイロットに話したところだ。率直に言おう、蒸し返しはごめんこうむる」

「ディレッタント、なあ同志、これがきみの正体なんだ！」と、ミトエルクは力をこめて言った。（いつも激情に駆られるときのように、ときならぬ唾液のあふれが彼の口をどもらせた。）「合理主義的ディレッタント！　つまり一個のプロテスタントだ！　まったく一個のプロテスタントだ！　自由な検討の精神、自由な意志判断、等々々……きみはただ、感情によってわれらとともにある。そうだ、だが、われらとともに唯一の目的を目ざしているんではぜったいにない！　そしておれはこう思う。党は、きみみたいな人間によって毒されてるんだと！　いつもしりごみし、主義のためのよき兵士となるかわりに、主義の批判者になろうとしているやつらによって！　きみみたいな連中をいっしょに引きつれていっていること、それはおそらくまちがいなんだ！　あらゆることを理屈で論議する悪い癖、それは病気のように伝染する。やがてみんなは、疑うようになる。真一文字に革命めざして進むかわりに、右や左に動くようになる！　なるほどときみたちは、ときあって個人として英雄的行動をなしうるだろう、だが、個人的行動がいったいなんだ？　そんなものはなんでもないのだ！　真の革命家は、自分が英雄でないことを認めなければならないんだ。共同体の中に没入した者たることを認めなければならないんだ。自分がなんでもないということを認めなければならないんだ！　忍苦して、すべてのものにあたえられる合図を待つのだ。そして、そのときはじめて、立ちあがって、みんなとともに前進するのだ……Ach！（ドイツ語。《ああ》）きみのような哲学者は、そうした服従なんて、自分たちのような頭のあるものには軽蔑すべきものと思うだろう。だが、おれは言いたい、そうした服従のためには、合理的ディレッタントになるためより、ずっとたくましい、そうだ、ずっと誠実な、ずっと高邁な心を必要とするのだ！　そして、こうした力こそただ信念だけがあたえてくれる！　そして真の革命家にはこの力がある。彼には信念があり、彼の全身文句なしに信念だらけだ！……そうだ同志！　パイロットを見るがいい。彼は何も口に出さない。だが、ぼくには、彼がぼくと同意見だということがわかっているのだ……」

ちょうどこのとき、パタースンが、ミトエルクとジャックとのあいだを矢のように走り抜けた。

「や、何かどなってる」

「なんだろう？」メネストレルは、アルフレダのほうをかえりみてこう言った。

みんなは公園を抜けて、カンドル町に出るところだった。新聞売り子が三人、こちらのほうへ向かって来ながら、けたたましい声をたてて、人道から人道へと稲妻形にわたっていた。

「たいへんだ！　たいへんだ！　《オーストリアの政治的暗殺事件》！」

ミトエルクは、はっと飛びあがった。

「オーストリアの？」

パタースンはあわただしく、いちばん手近の売り子に飛びかかった。だが、彼はくるりとふりかえると、手を力なくポケットの中につっこんで帰ってきた。

「金が少したりなかった……」彼は、なさけなさそうな声を出した。そして、自分でもこのとりつくろった言いまわしに気がついてにやりと微笑した。

そのあいだにミトエルクは新聞を買った。そして、いそいでその目を走らせた。みんなは、彼のまわりに集まった。

「Unglaublich!（ドイツ語。《信じられない》）」彼は、ぼうぜんとしてつぶやいた。

彼は、新聞をパイロットのほうへ差し出した。

メネストレルは、それを手にすると、なんら感情をしめさない早口で、まずその見出しを読みあげた。

「《最近オーストリアに合併されたボスニアの首府サラエヴォにおいて、けさオーストリア＝ハンガリーの皇太子フランツ・フェルディナント大公夫妻は、公式式典中、ボスニアの一革命青年により拳銃狙撃を受けて絶命された……》」

「Unglaublich……」と、ミトエルクがくり返した。

十

それから二週間の後、ジャックは、ベームと呼ばれるオーストリア人とともに、昼間の急行でウィーンからの帰路にあった。

その前日オスメールからこっそり知らされた重大な、危険なニュースが、彼をして調査を打ち切り、メネストレルに報告のため、いそいでスイスに帰らせることになったのだった。

七月十二日、日曜日、ミトエルクは、同志たちから何か尋ねられることを警戒したジャックのたのみで、夕方の六時ごろ《本部》に出かけた。彼は、勢いよく階段をあがり、友人たちのあいさつにかんたんな微笑で答えた。そしてとっつきの二室をうずめている連中のあいだをすり抜けながら、すぐにパイロットのいることのわかっている第三室へはいっていた。

その推測はたがわなかった。メネストレルは、アルフレダのそば、いつもの席に腰をおろし、一心に聞き入っている十二人ばかりの人々を前に話していた。とくに、第一列に立っているプレゼルを相手にしているように思われた。

「反宗教主義か？」と、彼は言った。「拙劣な戦術さ！　ビスマルク（近世ドイツの大政治家。ドイツ統一の完成者）の例のKulturkampf（ドイツ語。《文化運動》）を見るがいい。彼の弾圧は、ドイツ宗教運動をさらに旺盛ならしめる以外役立たなかった」

ミトエルクは、心配そうな面持ちで、熱心にアルフレダの視線を求めていた。そして、ようやくのことで彼女に合図ができると、一同から離れて、窓ぎわのところまですさっていった。

プレゼルは何か抗議を述べていた。だが、それはミトエルクには聞こえなかった。おおぜいの口から、それをさえぎる声がおこった。個々の論争の結果は、一同の居場所に狂いができた。アルフレダは、それをいい機会に立ちあがって、ミトエルクのそばへやってきた。

冷ややかなメネストレルの声がふたたび聞こえはじめた。

「ぼくの考えでは、大衆を宗教の桎梏(しっこく)から解き放つもの、それは十九世紀の自由思想的ブルジョワジーの好んで唱えたああした愚劣な反宗教主義ではないと思う。この場合においても、問題は社会的なものだと思う。宗教の基礎は社会的なものなんだ。あらゆる時代を通じ、宗教はその主たる力を圧迫された人間苦悩の中からくみとっている。宗教はつねに困苦を利用した。宗教にしてこの手がかりを失うとき、あらゆる宗教はその生命を失うのだ。現在よりも幸福な人類を前にしては、今日の宗教はもはやなんの力をも持たなくなろう……」

「どうしたの、ミトエルク?」と、アルフレダが言った。

「チボーが帰ってきたんだ……そしてパイロットに会いたがってる」

「じゃ、なぜ自分でこなかったの?」

「あっちで何かおもしろくないことがおこりかかっているらしい」と、ミトエルクは、問いには答えようとしないでこう言った。

「おもしろくないこと?」

彼女は、ミトエルクの顔をしげしげとながめていた。そして、ウィーンに行ったジャックの使命のことを考えていた。

ミトエルクは、腕をひろげて、自分にはなんら的確なことがわからないということをしめした。そしてしばらくのあいだ、眼鏡の裏にまゆをそびやかせ、目をまるくして見せながら、上体をさも若い態といったようにゆすっていた。

「チボーはベームといっしょなんだ。おれと同国の者でね。あしたまたパリへ向けて出発するといっている。なんとしても、パイロットに、今晩ふたりを会わせたいんだ」

「今晩？……」アルフレダは考えていた。「じゃあ、家にいらっしゃい。それがいいわ」

「よし……リチャードドレーも呼んどきたまえ」

「それにパタースンも」彼女は、あわただしげにそう言った。

パタースンを好まないミトエルクは、あやうく《なぜパタースンも？》と言いかけた。だが彼は、まぶたをしばだたいて賛意を表した。

「九時に？」

「九時に」

アルフレダは、静かに自分の席へもどっていった。

メネストレルは、いま抗弁をゆるさぬ例の《もちろんだ！》で、プレゼルの言葉をさえぎった。

「変化は一日では成らないだろう。一世紀をかけても。だが、新しき人間の宗教的欲求はひとつの誘導法を見いだすことだろう。すなわち社会的誘導だ。職業的宗教の神秘にたいして、社会的神秘がとってかわるだろう。問題は、社会的性質を持ったものなんだ」

ミトエルクはも一度アルフレダの視線をとらえたあとで出ていった。

それから三時間の後、ジャックは、ベーム、ミトエルクのふたりとカルージュ行きの電車をおり、メネストレルの住まいに出かけた。

もうほとんど夜になっていた。そして、小さな階段の中は暗かった。

アルフレダが迎えに出た。

メネストレルのシルエットが、光に照らされた部屋の戸口に、まるで中国の影絵のようにふちどられていた。彼は元気よくジャックのそばへ歩みよった。そして、低い声でたずねた。

「何か変わったことが?」

「ええ」

「うわさはやはりほんとだったか?」

「ほんとでした」と、ジャックがつぶやいた。「とくにトブレール関係のやつが……だが、その説明はあとにしましょう……いま、ひじょうに重大なできごとがおころうとしているのです……」彼は、つれてきたオーストリア人のほうをふり返って紹介した。「同志ベーム」

メネストレルは手を差しのべた。

「で、同志」と、彼はその声に一抹懐疑の色をみせながら言った。「何か変わった知らせを持ってこられたのですか?」

ベームは、落ちついて彼を見まもった。

「そうです」

彼はチロルの生まれだった。山国そだちの小柄な男で、精力的な顔だちをしていた。三十歳。頭には鳥打帽子をかぶり、暑さにもかかわらず、ずんぐりした肩の上に古い黄いろいレインコートをはおっていた。

「どうか」メネストレルは、一同を招じ入れながらこう言った。家の奥には、パタースンとリチャードドレーが待っていた。

メネストレルはふたりをベームに紹介した。ベームは、自分がまだ帽子をかぶっていたことに気がついた。そしてちょっとあわててからそれをぬいだ。彼は、くぎをうった大きな編上靴をはいていた。それが蠟びきの床の上をつるつるすべった。

アルフレダは、パタースンにてつだってもらって、台所に椅子をとりにいった。彼女はそれを、ベッドのまわりにまるく並べた。そして自分は、ブロック・ノートと鉛筆とをスカートのくぼみにおとなしくそろえて、そのベッドの上に腰をかけた。

パタースンは、彼女のそばに席をしめた。まくらにひじをついてなかば身を横たえた彼は、アルフレダのほうに身をかがめて、

「なんの話だか知ってるかね?」と、言った。

アルフレダは、あいまいな身ぶりをした。彼女はいままでの経験から、陰謀家らしい態度を見せることをつつしんでいた。それは、こうして不活発さを余儀なくされている行動人にとって、いままでいく度となく失敗しながらいずれは目に物見せてくれるぞという、牢固たる希望をしめすものである

場合が多かった。

「少し詰めてくれないか」リチャードレーが、アルフレダのそばに掛けにきて親しげに言った。その眼差しの中には、いつもうれしげな、ほとんどきびきびした光が輝いていた。だが、そうした落ちつきの中には、何かしら技巧的なもの、原則上、健康上、何をおいてもいつも強く、いつも満ちたりた気持ちでいようという、計画的な意思のようなものがうかがわれた。

ジャックは、ポケットから、封をした大小二通の封筒をとり出して、それをメネストレルにわたした。

「これが資料のコピー。こちらがオスメールからの手紙です」

メネストレルは、たったひとつのテーブルの上におかれて部屋の中を弱く照らし出しているランプのそばに身をよせた。彼は、手紙の封を切って読みくだし、機械的に目でアルフレダを求めた。ついで、ジャックを鋭く問いかけるように注視しながら、二枚の封筒をテーブルの上においた。そして、まず自分が例をしめすといったように椅子の上に腰をおろした。

七人がすべて掛けおわったとき、メネストレルはジャックのほうを向いた。

「で？」

ジャックはベームをながめた。そして、手荒く髪をかきあげると、パイロットに向かって話しはじめた。

「オスメールの手紙をお読みでしたね……サラエヴォ、大公の暗殺……それはちょうど二週間まえのことでした……ところでこの二週間来、ヨーロッパ、とくにオーストリアでは、隠れたできごとがつぎつぎにおこりました……それがきわめて重大なできごとだったので、オスメールは、至急これを全ヨーロッパの社会主義本部に知らせなければならないと思いました。彼は、同志たちを、ペテルスブルグやローマに走らせました……ブールマンはベルリンへ向けて出発しました……モレルリは、プレハーノフに……同時にレーニンに会いに出かけました……」

「レーニンは派がちがう」と、リチャードレーがつぶやいた。

「ベームはあしたパリに行くことになっています」と、ジャックは、それには答えず言葉をつづけた。「水曜にはブリュッセル、金曜にはロンドンに行くことになっています。そしてぼくはあなたへの報告をたのまれました。……なにしろ、事は急速に発展するらしいようすです……オスメールは、別れしなに、一字一句そのまま、こんなことを言いました。《みんなに説明してもらいたい。もしこのままにしておけば、二、三カ月たたないうちにおそらく全ヨーロッパは戦争になる……》」

「大公ひとりの暗殺ぐらいでか？」と、またリチャードレーが言葉をはさんだ。

「その大公が、セルビア人に——スラヴ人に殺されたからだ……」と、ジャックはそのほうをふり返りながら言った。「じつは、このぼくもきみとおなじように思っていた。まったく気がつかないでいたのだった……ところが、あそこに行って、ぼくたちにはわかった……少なくも、問題の真相をうかがうことができたんだ……問題は、おそろしいほど複雑だ」

彼は、口をつぐんでひとわたりあたりを見まわした後、メネストレルのうえに目をそそいだ。そして、ちょっとためらってからこうたずねた。

「オスメールが話したとおり、はじめからお話ししますか?」

「そうだ」

ジャックはすぐに話しはじめた。

「新しいバルカン連盟をつくるためのオーストリアの努力のことはごぞんじですね?……どうしたんだ?」彼は椅子の上に身を動かしているベームを見ながら言った。

「ぼくは」と、ベームが言った。「事実をその原因からよく説明をするため、いちばんいい方法はもっとさかのぼることにあると思うんだが……」

《方法》という言葉を聞いて、ジャックは微笑した。彼は目まぜでパイロットの意見を求めた。

「今夜はひと晩あいてるよ」メネストレルはこう言いながら、ちょっと微笑をもらして不自由なほうの足を前にのばした。

「じゃあ」と、ジャックがベームに言った。「きみ、やれよ……歴史的な説明は、きみのほうがたしかにうまいにちがいないから」

「よし」と、ベームが、まじめに言った。(それを聞いたアルフレダの目の中には、いたずらめいたほのめきが走った。)

彼は、肩にはおっていたレインコートをずり落とすと、ていねいに帽子を並べて下におき、椅子のはしまで身を乗り出しながら、両ひざを合わせ、上体をこわばらせて身がまえた。短く刈った髪の毛のおかげで、顔がまんまるに見えていた。

「失礼します」と、彼は言った。「まず最初に、帝国主義的イデオロギーの見地をとりあげなければなりません。それが、わがオーストリア政界の裏面にあるものをよく説明することになるからです……第一に」と、しばらく頭の中で準備しながら言葉をつづけた。「南方スラヴ族がいったい何を欲しているかを知らなければなりません……」

「南スラヴ族」と、ミトエルクが言葉をはさんだ。「つまり、セルビア、モンテネグロ、ボスニア＝ヘルツェゴヴィナだな。それに、ハンガリーのスラヴ族もはいってくる」

きわめて注意ぶかく聞き入っていたメネストレルは、同意の旨をあらわした。

ベームは言葉をつづけた。

「そうした南方のスラヴ族は、半世紀まえから、わが国を敵として団結しようとしていました。その中心をなすものはセルビアを中心として、ひとつの自治体国家、ユーゴスラヴ国家を作ろうとしていました。そして、そのためにロシアの援助をうけていました。一八七八年以後、すなわちベルリン会議以来、ロシアの汎スラヴ主義とオーストリア＝ハンガリーとのあいだにはひとつの怨恨が結ばれ、血みどろな格闘が行なわれていました。そして、この汎スラヴ主義はロシアの指導者たちのあいだに、ぜったいの勢力を持っているのです。だが、やがておこってくるであろう紛糾にあたってのロシアの底意、またその責任といったようなことについては、あまり詳しく知りません。したがってお話しする気にもなれません。わたくしはただ、わたくしの国についてのことだけお話ししましょう。さてオーストリアにとって——ここでもわたくしは、帝国主義的政府の見地にたってお話しします——南方スラヴ族の連合は、まさに大きな死活問題だということができましょう。もしユーゴスラヴ民族国家がわが国の国境近くにできたとしたら、オーストリアは、今日その帝国に属しているきわめて多数のスラヴ族にたいして支配権を失うことになるでしょう」

「そうだ」と、メネストレルは機械的につぶやいた。

彼は、この心にもない口だしを後悔したらしかった。そして軽くせきをした。

「一九〇三年まで」と、ベームはつづけた。「セルビアはオーストリアの支配下にありました。だが、一九〇三年セルビアは国家主義的革命をやって、カラゲオルゲヴィッチ一門を、王位にすえ、その独立を回復しました。オーストリアは、ひそかに復讐の機会をねらっていました。ところが一九〇八年、オーストリアは、ロシアが日本にたたかれたのを好機として、かねてわが国の統治に委されていた一州、ボスニア＝ヘルツェゴウィナをとつぜん併合してしまったのでした。ドイツ、イタリアは是認的態度に出ました。セルビアは憤激しました。だが当時のヨーロッパは、あえて紛争のおこるのを喜ばないといった情勢にありました。つまりオーストリアは、大胆さによって成功をおさめたのでした……さてオーストリアは、一九一二年第一次バルカン戦争の際にも、またその大胆さをくり返しました。そして、このときも大胆さによって成功しました。オーストリアは、セルビアがアドリア海に海港を持とうとするのをさまたげたのでした。すなわち、セルビアと海とのあいだに、アルバニアという自治領をおき、セルビアからアドリア海への通路をふさいでしまいました。セルビアは、まえにもまして憤激しました……そこへおこったのが第二次バルカン戦争。昨年のことでした。おぼえておいでになりますか？　セルビアは、マケドニアに新しい領土を獲得しました。オーストリアは、これに反対しようと思いました。すでに二度までも大胆さによって成功しました。ところがこんどは、イタリアとドイツが賛意を見せない。そして、セルビアはみごと反対を押し切って、獲得したところのものを守りおおせました……ただしオーストリアは、これによって大いに屈辱を感じました。そして、復讐の機会をねらっていました。わが国では、国家的自負心というやつがきわめて旺盛です。参謀本部はこの復讐のために計画しています。外交もまたそのために動いています……さっきチボーは、こんどできたバルカン連盟のことをお話ししました。これこそわが国にとっての今年度の大きな政治計画です。つまりオーストリア、ブルガリア、ルーマニアのあいだで同盟を計画し、新しいバルカン連盟をつくる。そしてこの連盟は対スラヴ民族をもって目的とする。単にわが国の南方スラヴ民族だけのことではない、あらゆるスラヴ民族にたいしてです……。おわかりですか？　それは同時に、対ロシアをも意味しています！」

彼は何か、主要な点を言い落としはしなかったかと、しばらくのあいだ考えていた。つづいて、たずねかけるようにジャックのほうをのぞきこんだ。

アルフレダは、パタースンの肩に背をもたせながら、あくびをおし殺そうと下を向いた。彼女にはベームが大いに良心的であり、この歴史談義がきわめて気の抜けたものに思われたのだ。

「もちろん」と、ジャックは言葉を添えた。「オーストリアのことを考えるにあたっては、いつも独壊ブロックを見のがしてはならない……ドイツとその《海上における将来》それはドイツをしてイギリスに対させるところのものなのだ。商業的に包囲されて、新しい発展先を求めているドイツ……Drang nach Osten（ドイツ語。《東方進出》）のドイツ……ドイツとそのトルコ対策……ロシアにたいする海峡路遮断……バグダッド鉄道、ペルシャ湾、イギリス石油、インド交通路、等々……これらすべては、たがいに関連しあっているんだ……その背後には、すべてのうえを立ち越えて、たがいにしのぎをけずりあっている二大資本主義国家群をみとめなければならない！……」

「そうだ！」と、メネストレルが言った。

ベームも、頭で賛意を表した。

沈黙があった。

ベームはメネストレルのほうを向いて、まじめなちょうしで問いかけた。

「おわかりでしょうか？」

「きわめて明確！」メネストレルは、きっぱりした声で言い放った。

彼がほめるということは珍しかった。そこで、ベームをのぞくすべてのものはおどろいた。アルフレダはとつぜんいままでの意見を変えた。そしていっそう注意をもってベームをながめた。

「ではこれから」と、メネストレルは、ジャックのほうをみて、そして少しうしろにからだをのけぞらしながら言葉をつづけた。「オスメールの言葉、それから新事態のなんであるかをとりあげてみよう」

「新事態？」と、ジャックははじめた。「じつをいうと、それはちがうのです……それはまだなのです……ほんのけはいといったところです……」

彼は、とつぜんぐっと上体をおこした。そのため彼のひたいは陰にかくれた。黄いろいランプの光は、顔の下の部分、突き出したあご、憂わしげなしわをきざんだ大きな口のあたりを照らしていた。

「重大なけはいです。それはおそらく、きわめて最近に新しい事態をしめすことになるでしょう――かいつまんで言いましょう。セルビア側では、その国家的意向にたいする再三再四の暴圧にたいして、深刻な、民衆的な憤慨がわきあがっています……ロシア側では、スラヴ民族の権利回復を支持しようという明白な傾向がしめされています。事実とすると、大公暗殺事件がおこるやいなや、参謀本部と国家主義一派の勢力にすっかりおさえられているロシア政府は、その大使たちの口を通じて、ロシア政府はだんぜんセルビアを庇護するつもりだと言わせたそうです。オスメールは、それをロンドンから情報で知ったのです……オーストリア側では、さきの失敗の結果、政府方面にはげしく憤慨があり、将来にたいする深刻な不安がある。オスメールが言ったように、つまりこうした憎悪、怨恨、欲望の爆弾を持って、われらはいま、知られざる世界にすべりこみつつあるのです……知られざる世界。それは六月二十八日の急変によってはじまりました。サラエヴォの暗殺……ボスニアの都市サラエヴォ……サラエヴォ。そこでは、六カ年にわたるオーストリアへの併合のあとをうけて、人民はいまなおセルビアに忠誠を誓っています……オスメールも、セルビア官辺筋の指導者が多少とも直接に暗殺準備を助けていたものと考えこんでいるようでした。だが、その立証は困難です……オーストリア政府は、ヨーロッパ世論の憤激を買ったこの暗殺事件を、まさに思いもかけない好機会だと思いました。セルビアの失策をひっとらえてやるんだ！　これを最後に思い知らせてやるんだ！　オーストリアの面目を回復すると同時に、時を移さず、中部ヨーロッパにおけるオーストリアの覇権を確保するところの新バルカン連盟を完成するのだ！　これこそ、政治家にとってかなり魅力あるものたることを認めなければなりますまい。そういうわけで、ウィーンでは、指導者たちは一刻も躊躇しませんでした。たちまちに行動計画が立てられました。

第一は、セルビアと暗殺事件とのあいだに謀犯関係を打ち立てることにありました。ウィーン政府は、すぐにベルグラードおよびセルビア全土に公式調査を命じました。ぜひとも証拠が必要です。だが、きょうまでのところ、この第一項はぜんぜん失敗だったようです。わずかに、ボスニアでの反墺運動に関係した五、六名のセルビア士官の名が発見されたにすぎませんでした。火のつくような命令にもかかわらず、調査員たちはセルビア政府の罪状を結論するところまでゆきませんでした。もちろん彼らの報告は秘密にされていました。入念に新聞記者たちにも隠されていました。ところがオスメールは、その結論を手に入れることに成功したのでした。すなわちこれです」彼は、テーブルの上におかれた、そしてランプの光に赤い封蠍の照らし出されている大きな封筒に手をおきながら言った。

夢みるようなメネストレルの目は、一瞬封筒の上にとどまった。それからジャックのうえにもどっていった。ジャックはふたたび言葉をつづけた。

「では、オーストリア政府は何をしたか？　やりすぎるほどやったのです。このことは、オーストリアがひとつの秘密目的を追求していることを証明するにじゅうぶんでしょう。オーストリア政府は、セルビアの共謀は確定的な事実であると信じさせ、印刷させていたのでした。官辺筋の新聞は、かんでふくめるようにたえず人民の意見にはたらきかけていきました。それに、暗殺事件にはきわめて大きな利用価値がありました。というわけは、ミトエルク、ベームの両君にきいてごらんになってもわかりますが、向こうでは、皇太子の人柄は、民衆にとって神聖視されていたのでした。目下の場合、オーストリア人なりハンガリー人にして、サラエヴォの暗殺事件がセルビア政府によって、またおそらくはボスニア併合に反対のロシア政府によってそそのかされた陰謀の結果であると思っていないものはひとりもありません。屈辱を感じ、なんとかして復讐してやろうと思っていないものはひとりもありません。上層指導部のねらいもまさにそこにあったのでした。暗殺事件がおこるや、ときを移さず、人々はこうした国民的自負心をあおりたてるためにあらゆる手段をとったのでした！」

「人々というと？」と、メネストレルがたずねた。

「要路の人々です。とくに外務大臣ベルヒトルト」

ベームが口をはさんだ。

「ベルヒトルト！」彼は、意味ありげに顔をしかめてみせた。「この間の事情を理解するには、われわれ同様この野心家を知られることが必要です！　考えていただきたい。彼はセルビアを粉砕することによって、Österreich（ドイツ語。《オーストリア帝国》）のビスマルクにもなれるのです。すでに二回まで彼は成功したと思いました。だが二回が二回とも、機会は彼の手中からのがれ去ったのでした。こんどというこんど、彼は絶好の機会が到来したと思いました。こんどこそのがしてなるものか！」

「といっても、ベルヒトルトすなわちオーストリアというわけでもないでしょう」と、リチャードレーが反対した。

彼は、ベームのほうにそのとがり鼻をさし向けて微笑していた。ちょっとした言葉のふしぶしにも、そこにはがっしりしたひとつの主義、ひとつの確信を握った若い人々に見られる、あの全的な、心のなかの安心感といったようなものが感じられていた。

「Ach!」と、ベームが言葉をかえした。「彼は全オーストリアを自分の手中におさめています！第一には参謀本部、それはまた皇帝までも……」

リチャードレーは首を振った。

「フランツ・ヨーゼフのことですか？　そいつはどうも考えられないな……いったい皇帝はいくつです？」

「八十四歳」と、ベームが言った。

「八十何歳の老人！　しかもいままでに不幸な戦争を二度まで背負わされている？　それが、治世の終わりに近く、進んで……」

「だが」と、ミトエルクがさけんだ。「彼は、帝国が九死に一生の立場に立ってることをよく知ってるんだ！　皇帝は、すでに老齢であるにもかかわらず、棺おけに足を踏み入れるまで王冠をいただいていられるかどうか、ぜんぜん確信を持っていない！」

ジャックは立ちあがった。

「リチャードレー、オーストリアは、国内的にどえらい難局にもがいている……これを忘れてはならない……これは、八ないし九のばらばらな、たがいに敵視し合った民族からできている国家なのだ。しかも中央権力は日に日に薄れていっている。解体は、もうほとんど避けがたい。セルビア人、ルーマニア人、イタリア人、これらのただ積み重なっているにすぎないお荷物、そしてむりやりオーストリアに合併されていたものが、いまや沸騰状態にある。束縛から脱しようと、絶好な機会をねらっているのだ！……ぼくはそこから帰ってきたのだが、政界では右党も左党もともに解体を避けるにはただひとつの方法、すなわち戦争以外にないということを言いふらしている。これがベルヒトルトの、また彼の仲間の意見なのだ。もちろんこれは将軍連の意見でもある！」

「八年まえから」と、ベームが言った。「参謀本部長にはコンラッド・フォン・ヘッツェンドルフがすわっています……軍閥の首魁(しゅかい)ですな……スラヴ民族を目のかたきにしている男です……八年このかた、公然と戦争を目ざしていた男です！」

リチャードレーは、どうも承服できないようすだった。両腕を組み、目を輝かし——それはあまりに輝きすぎてさえいたのだった——彼はあいかわらずの洞察と思いあがった不信なようすで、話している人をつぎからつぎとながめていた。

ジャックは、彼に向かって語るのをやめた。そして、メネストレルのほうを向きながら腰をおろした。

「で」と、彼は言葉をつづけた。「あの国の指導者たちにとっては、一種、予防的戦争をひきおこすことによって帝国を救いうるというわけです。各党の分裂もなくなろう！　まちまちな民族の争いもおわるだろう！　戦争は、オーストリアにたいして経済的繁栄をもたらすだろう。それによって、スラヴ民族が手に入れようとあせっているバルカン市場を確保できよう……しかも、わずか二、三週間でセルビアを軍事的に降伏させうるという自信がある以上、そこになんの危険がありうるか？」

「問題だな！」と、メネストレルが言葉をはさんだ。

すべての人々の目が彼のほうに向けられた。彼は、何か放心したような荘重なようすで、アルフレダのほう、そこにばくとした一点をみつめていた。

「ちょっと！」と、ジャックが言った。

「ロシアがあるぜ！」と、リチャードドレーがさえぎった。「それにドイツもある！　かりにオーストリアがセルビアを攻撃すると考えてみよう。そして、かりに——このことは確実ではない、だが、ありうることと思われる——ロシアが干渉したとする。ロシアの動員は、たちまちドイツの動員だ。そして、これにつづいては自動的にフランスの動員だ。彼らのみごとな同盟関係が、自然にその作用をはたしていこう……このことから言えることは、オーストリア・セルビア間の戦争が、全面的戦争をひきおこしうるだろうということなのだ」彼は、ジャックを見ながら微笑した。「だが、このことは、ドイツのほうがわれわれ以上によく知っているのだ。とすると、ドイツはオーストリア政府のなすにまかせて、ヨーロッパ戦争をひきおこす危険をおかすだろうか？　いな！　考えてみるがいい……危険は大きい。ドイツはオーストリアの行動をゆるすまい」

　ジャックの表情に緊張が見えた。

「ちょっと！」と、ジャックがくり返した。「オスメールの警告もそこにあるんだ。ドイツがすでにオーストリアをしり押ししていると信じられる確たる推定が成り立ってるんだ」

　メネストレルは身をふるわせた。彼はジャックから目を放さなかった。

「つまり」と、ジャックが言葉をつづけた。「オスメールによれば、事はこうした経路をとったらしい……最初ウィーンでは、暗殺につづく何回かの会議で、ベルヒトルトはふたつの反対に出あったらしい。ひとつはハンガリー首相チッツァによるもの。これは慎重な男で、強行主義には反対なのだ。さらにひとつは皇帝によるもの。そうだ、フランツ・ヨーゼフは、その承諾をためらっていたらしい。彼はまず、ウィルヘルム二世がどう考えているか、それを知りたいと思っていた。おりからカイゼルは、巡洋艦に乗って出かけようとしていた。カイゼルをつかまえるには、一瞬の猶予もゆるされなかった。そこでベルヒトルトは、七月四日から七日のあいだに、カイゼルとドイツ首相とに談合し、ドイツの承諾を得たものらしい」

「推測だな……」と、リチャードドレーが念を押した。

「もちろん」と、ジャックが答えた。「だが、この推測を裏書きするものは、この二週間来のウィーンでの事の推移だ。先週は、ベルヒトルトの周囲でさえまだ決心がつかなかったらしかった。皇帝も——またベルヒトルト自身さえ——ドイツの明確な反対をおそれていることを隠さなかった。ところががぜん、事態は七日にいたって一変した。その日（それは先週の火曜日だ）、重大閣議、真の軍事会議があわただしく召集された。まるでとつぜん行動の自由がゆるされたとでもいうようだった……会議の席でのことについては、四十八時間の沈黙が守られた。だが、すでにおとといから、公然いろいろなことが語られはじめた。会議の終わりのさまざまな指令にもとづき、あまりに多くの人たちに秘密の内容がもたらされたのだ。それにオスメールは、ウィーンで実にすばらしい情報網を持っている。どんなことでも聞き出さないではいられないんだ！……この会議の席上、ベルヒトルトはまったく新しい態度に出た。まさにドイツが、セルビア膺懲を徹底的に支援するという公約を手に入れたとでもいうようだった。そして、彼は閣僚たちにたいし、冷然として宛然一個の戦争計画をしめした。チッツァだけが反対した。ベルヒトルトの計画が、軍事計画だった証拠には、チッツァは、閣僚たちに説いて、セルビアの陳謝をもって満足させようとしたのだった。そうした輝かしい外交上の勝利だけでも、すでにみごとなものと考えていた。ところが、全閣僚が反対した。そして最後に、彼もゆずらざるを得なくなって、全体の意見に従うことになった……さらに、こんなことさえある。オスメールによれば、その朝、全閣僚は、破廉恥にも、即時動員をなすべきではないかを検討したとさえいうことなのだ。そして、その挙に出なかったのは、それはもっぱら他の列強にたいし、最後までほおかむりしていたほうが得策であるとの理由によるのだ……たしかなことは、ベルヒトルトと参謀本部の計画が採択されたということだ……その計画の細目はもちろんちょっとはわからない……だが、すでにいくつかのことがわかっている。たとえば、あまり人目をひかない程度でのあらゆる軍事的準備開始の命令が発せられている。オーストリア、セルビアの国境には、援護部隊が待機している。何か口実ができさえしたら、それはたちまち数時間のうちにベルグラード（セルビアの首府）を占領する！」彼は、手早く髪をかきあげた。「そして、最後に一言、参謀総長幕僚のひとり、有名なヘッツェンドルフがこうした言葉を述べたらしい。もちろん、それは軍人一流のえらがりだが。しかし、それはオーストリア指導者たちの考え方を語りつくしているものなんだ。親しいものだけの集まりの席で、彼はこんな言葉をはいたというんだ。《ヨーロッパは近く既成の事実の前に目ざめるだろうよ》」

十一

ジャックは口をつぐんだ。そして、一同の眼差しはときを移さずパイロットのうえにそそがれた。彼は、腕を組み、目を輝かし、じっと一点を見すえながら動かなかった。長く思われた一瞬のあいだ、一同は黙りこんでいた。おなじ不安、とりわけおなじ混迷の気持ちが、彼らの表情を変えさせていた。

やがてのことに、ミトエルクの声があらあらしく沈黙を破った。

「Unglaublidh！（ドイツ語。《信じられない》）」

また新しい沈黙があった。

やがてリチャードドレーがつぶやいた。

「もし裏にドイツがついているというのがほんとだったら……」

パイロットが、彼のほうに鋭い一瞥を向けた。だが、それは何かをながめているというようではなかった。その唇が動いたと思うと、そこから何か聞きとりにくい言葉がもれた。ただ、彼からその目を放さなかったアルフレダは、それを、

「《尚早！》」

と読んだ。

彼女は身をふるわした。そして、本能的にパタースンの肩にもたれた。

パタースンは、ちらりとアルフレダのほうを一瞥した。だが彼女は頭を伏せて、あらゆる質問を避けていた。

事実パタースンからその身ぶるいの意味を問われたら、彼女はずいぶん当惑させられたにちがいない。明らかに今夜はじめて、戦争はひとつの抽象観念たることをやめて、じつに生きいきと、その血なまぐさい現実さをもって彼女の想像に浮かびあがってきたのだった。だが、彼女が身をおののかせたのは、ジャックによって知らされた事実によるのではなく、それはメネストレルの《尚早》の一語によるものだった。なぜか？　何もいまさらそうした考えにおどろくはずもなかった。彼女には、メネストレルの決心がよくわかっていた。《革命は、ただはげしい危機からのみ生まれる。現在ヨーロ

ッパの状態からいって、戦争はかかる危機のためのきわめて可能性ある一機会である。だが、いざというとき、プロレタリアは、まだじゅうぶんの準備を持たず、帝国主義戦争を革命に転換させるだけの能力を持っていない》こうした考え、すなわち、社会主義がまだじゅうぶん用意されていない場合、戦争が単に一個の無益な殺戮におわるだろうという考え、それがまさに彼女の心を動転させたのだというのだろうか？　それとも《尚早》という言葉の口にされた、その言葉のちょうしによるのだろうか？　だが、そうした言葉のちょうしからいったい何をつかんだというのだろう？　彼女は、ずっとまえから、メネストレルの不感無覚なちょうしにはすっかり慣れていたのではなかったか？（かつて彼女は、われにもあらず驚いてこうしたことを彼に向かって言ったことがある。——《あなたは、戦争を前にして、まるで死を前にしたキリスト教徒っていったようね。あの人たちは、あとに来るものに目をそそいで、臨終のおそろしさを忘れてしまっているんだわ》すると、彼は笑ってこう言った。——《医者にとって、産みの苦しみはすべての既定の事実なのさ》彼女は——彼女自身ときにはそれに悩まされながらも——この強い意力による超脱の態度、自分には他のなんぴとにもましてきわめて人間的な弱点のわかっているこの人の、つらい、不断の努力によってかち得られたこの超脱の態度に感心さえしていたのだった。それはたしかに、彼に加えるひとつの強みともいうべきだった。そして、こうしたたくましい《人間超脱》の態度が、けっきょくのところきわめて人間的な動機によるものであることを考えていつも感心していたのだった。すなわちそれは、よりよく人類に奉仕せんがためなのだった。よりよき世界の建設のため、現在の社会の破壊により有効にはたらきかけんがためなのだった……それでは何におびえたのか？　彼女にも、それがなんであるか言えなかった……彼女は、その長いまつげをあげた。そして、その眼差しは、パタースンのうえを越えて、信頼の表情をこめてメネストレルのうえにそそがれた。《待つんだ》と、彼女は思った。《あの人はまだ何も言わなかった。これから話し出すにちがいない。そして、またすべては明らかにされ、正しく、まちがいのないものとなるだろう！》

「オーストリアとドイツのMilitalismus（ドイツ語。《軍国主義》）が戦争を望んでいること、それはおれもそう思う」と、ミトエルクが、髪の毛のさかだった頭を振りふり言葉をつづけた。「そして、そのミリタリスムスに、ドイツの多くの指導者たち、また大工業、そしてクリップ会社の面々、それにDrang nach Osten（ドイツ語。《東方進出主義者》）たちが賛同していることも信じられる。だが、持てる階級の連中はどうだろう？　ぜったいしからず、と思う！　彼らは恐れるにちがいない！　そして彼らの勢力は大きいのだ。おそらくなすがままにはさせとくまい。彼らは政府に言うだろう、《とまれ！　ばかをするな！　もし爆薬に火をつけたら、きみらもいっしょにけし飛んじまうぞ！》と」

「だが、ミトエルク」と、ジャックが言った。「もし指導者階級と軍部とがほんとに共謀しているのだったら、持てる階級の反対なんかなんになろう？　ところでその共謀いかんについては、すでにオスメールの情報が……」

「誰もその情報を疑ったりはしないさ」と、リチャードドレーがさえぎった。「だが、いまの場合、ただひとつ言いうることは、戦争の危険があるということなんだ。けっきょくそれだけのことなんだ……

…そこで、この危険のかげに現実的な何があるんだろう？　明白な戦争への意思か？　それとも、ドイツ官辺筋の何か新しい駆けひきか？」

「ぼくは、戦争がありうるとは思わない」と、パタースンが冷静に言った。「諸君は、わが老いたるイギリス帝国のことを忘れている！　イギリスは、ぜったいに三国同盟（独・墺・伊の対仏同盟）にヨーロッパの覇権を握らせることを望んでいないんだ……」彼は、こう言いながら微笑した。「わが老いたるイギリス帝国は沈黙を守っている。そこで、みんなは彼を閑却している。だがイギリスはじっと見ている。聞き耳をたてている。監視している。もし形勢われに不利と見るやいなや、イギリスはたちまち立ちあがるのだ！……まだ眼力だけはのこっているんだ！　老いたるイギリスは、毎朝灌水浴を忘れないんだ……」

ジャックは、じりじりしてからだを動かしていた。

「問題はそこにある！　戦争の意思か威嚇の意思か、そのいずれたるとを問わず、ヨーロッパは、あすが日にも戦争の脅威に身をさらそうとしているんだ！　そこでわれわれは何をなすべきか？　ぼくはオスメールと同意見だ。この攻勢を前にして、われらは陣地につかなければならない。われらは至急、反撃の準備をしなければならないのだ！」

「そうだ、それには賛成だ！」と、ミトエルクがさけんだ。

ジャックは、メネストレルのほうを向いた。だが、その眼差しをとらえることができなかった。こんどはその目でリチャードドレーに問いかけた。そして、賛成の意味の回答を得た。

「賛成！」

リチャードレーとしては、戦争の危険があるとは信じられなかった。だが、このとつぜんの脅威によってヨーロッパが深刻にかき乱されるであろうことは異議がなかった。そして、この混乱に乗じ反対勢力を統合し、革命思想を発展させるため、インターナショナルがいかなる手を打つべきかをすぐに考えた。

ジャックは言葉をつづけた。

「ぼくは、オスメールの言葉をくり返そう。ヨーロッパ紛争の脅威は、われらの前にひとつの新しい、明確な目当てを提出している。そこでわれらの任務は、二年まえ、バルカン戦争の際に立てた計画をさらに強化してとりあげるということにある……まず、ウィーン会議の時期をくりあげる方法がないかどうかを考えてみる……つづいて、そして即刻、いたるところで、同時に、公式な、有力な、一般カンパ《行動》をはじめるのだ！ ライヒスターク（ドイツ議会）へ、シャンブル（フランス議会）へ、そしてドゥーマ（ロシア議会）へのはたらきかけだ！……各国外務大臣への、時を同じゅうしての圧迫だ！……新聞政策だ！一般大衆への呼びかけだ！……集団的デモンストレーションだ！……」

「そして、各国政府の目の前に、ゼネストの幻影を突きつけてやるんだ！」と、リチャードレーが言った。

「……軍需工場のサボタージュだ！」と、ミトエルクがさけんだ。「機関車を打ちこわし、そして、イタリアでやったように、鉄道網を切断するんだ！」

電撃されたような目と目がたがいに見かわされた。いよいよ行動の時がやってきたのか？
ジャックは、ふたたびメネストレルのほうをふり向いた。かすかな、かがやいた、だが冷たい微笑（ジャックはそれを賛成の意味に解した）が、メネストレルの顔の上を、サーチライトの光のように走ったかと思うと消えてしまった。ジャックは、たちまちそれにはげまされて火をはくように言葉をつづけた。

「ゼネスト、そうだ！　全般的に、そして同時にやるんだ！　われらの最上の武器なんだ！……オスメールは、ウィーン会議で問題があいかわらず主義の程度に終始しやしないかをおそれている。全的に、まったく新しくとりあげるんだ！　理論からおどり出すんだ！　これこれの事態がおこった場合、各国でとるべき態度をはっきりさせておくんだ！　バーゼル会議の轍をふんではならない！　具体的、実践的な決定に到達するんだ！　パイロット、いかがです？……オスメールは、できることなら会議まえ、指導者たちに準備会合を持たせたいと言っています。あらかじめ、障害物をとり除いておこうと思ってなんです。そして、即刻、各国政府にたいして、こんどこそはプロレタリアが、彼らの抑圧政策にたいして一団となって立ちあがるぞということを見せてやろうというんです！」

ミトエルクは、皮肉なちょうしでこう言った。

「Ach!（ドイツ語。《ははあ！》）指導者たちか！　指導者たちがなんになるんだ？　いったい、何年まえからゼネストのことを言ってるんだ？　それを、わずかいく日かのウィーン会議で、こんどこそ事を定めるだろうと思ってるのか？」

「新しい事実が発生したんだ！」と、ジャックが言った。「ヨーロッパ全土が大動乱の危険にあるんだ！」

「だめだ、指導者たちはぜったいだめだ！　きみの演説もまったくだめだ！　大衆の行動、そうだ、同志！　大衆行動以外あり得ないんだ！」

「大衆行動はもちろんだ！」と、ジャックはさけんだ。「だが、その行動のためにも、指導者連がまず明らかに、明確に、態度の表明をしておくほうが焦眉の問題とは思わないか？　ミトエルク、考えてみるがいい、大衆のため、それがどれほど元気をつけるか！……ああ、パイロット、この際、一元的な、インターナショナル的な新聞があったらどんなによかったことでしょう！」

「Träumerei！（ドイツ語。《夢だ！》）」と、ミトエルクがさけんだ。「おれはこう言いたい。指導者たちなんかほっといて、大衆に向かって呼びかけるんだ！　たとえばドイツの指導者たちがストを承知するだろうと思ってるのか？　断じてしからず。やつらはバーゼル会議のときとおなじ言葉をくり返すのさ。《ロシアがいるから不可能だ》と」

「それは重大だ」と、リチャードドレーが言った。「きわめて重大だ……けっきょくすべてはドイツいかんにかかってるんだ。ドイツ社会民主……」

「なにしろ」と、ジャックが言った。「彼らは二年まえ、事にあたっては戦争反対の態度に出るということを証明した！　もしも彼らがいなかったら、バルカン事件はヨーロッパ全土を火中に追いやるところだった！」

「《彼らがいなかったら》はよしてもらおう」と、ミトエルクがどなった。「《大衆というものがいなかったら》だ！……彼らはいったい何をした？　単に大衆のあとにつづいただけだ！」

「だが、大衆のデモンストレーションはいったい誰が組織したんだ？　指導者たちだ！」と、ジャックがむくいた。

ベームは首を振っていた。

「ロシアに、二百万のプロレタリアだけでなく、そのほかに何百万、何千万の農民がいるかぎり、ロシアのプロレタリアはその政府に反対するほど強力ではない。そして、帝政ロシアのミリタリスムスは、ドイツにとってたしかに現実的な危険だ。そして、社会民主党もゼネストなんか約束できるものではない！……そして、その点ミトエルク君の言葉は正しい。ウィーン会議でも、おそらくはバーゼル会議のときと同様、単に主義のうえから承認するのが落ちだろう！」

「Ach！会議の話はやめにしようや！」と、いらだたしげにミトエルクがさけんだ。「おれは言いたい。こんどというこんども、大衆行動がすべてをやってのけたんだ！　指導者たちは、あとからのこのこついていくのだ……オーストリアであろうと、ドイツであろうと、フランスであろうと、いたるところ指導者たちの号令を待たずにプロレタリアを立たせるんだ。優秀なやつらをその部署部署で糾合する。そしていたるところで、鉄道で、軍需工場で、兵器廠で、いろいろな事件をおこさせるんだ！いたるところでだ！　そして、指導者たちを、組合を、いやおうなしに引きずってゆく！　そして同時に、全ヨーロッパの革命機関に火をつけなければならないんだ！　パイロットにしても、これに異存はないはずだ！ いたるところでやっつけるんだ！ オーストリアではいちばんたやすい！ Nicht wahr, Boehm?（ドイツ語。《そうじゃないか。ベーム君？》）あらゆる陰謀民族をけしかける。マジャール人、ポーランド人、チェコ人！ それにハンガリー人だ！ ルーマニア人だ！……そして、いたるところ同様にやるんだ！……イタリアのストも再燃させてやれるだろう！ ロシア人にしても同様だ……そして、いたるところ、いったん大衆にして立ったとなったら、指導者たちはそこではじめて動き出すんだ！」彼は、メネストレルのほうをふり返った。「パイロット、ちがいますかね？」

呼びかけられて、メネストレルは顔をあげた。鋭い眼差しは、はじめミトエルクにそそがれ、ついでジャックの上に移されたが、やがてアルフレダが、リチャードドレー、パタースンにはさまれて腰かけているベッドのほうに流れていった。

「おお、パイロット」と、ジャックがさけんだ。「こんどうまくいったら、インターナショナルはなんとすばらしい勢力になるでしょう！」

「そうだ！」と、メネストレルが言った。

ちらりと光った皮肉、それをとらえるにはアルフレダの炯眼（けいがん）を必要としたほどかすかな皮肉がその唇のはしをかすめた。

オスメールの情報を聞いたとき、ドイツがオーストリアのねらいを支持するらしいと察しられる十二分な推定を耳にしたとき、彼はすぐさまこう思った。《いよいよ彼らの戦争がきたんだ！ 七割まではだいじょうぶだ……だが、われらの準備はいまだしだ……ヨーロッパのいかなる国でも、権力をつかむことはむずかしい。それではどうする？》たちまち彼の決心はきまった。《とるべき戦術、それにはなんの躊躇もない。すなわち、全的に、大衆の平和思想に呼びかけるのだ。目下の場合、それこそわれらの大衆をつかむための最善の方法だ。戦争になったらなったときだ！　戦争勃発となったときには最大多数の兵士たちが出かけていこう。そしてその胸には、戦争が、プロレタリアの意思に反し、その利益に反して資本家によってひきおこされ、われらすべて、悪業のため、兄弟あいはむ闘争の中にわれらの意思に反して投げこまれたという確信を持つ。この種子こそは、たといどうしたことになろうと、断じて空にはおわるまい……これこそ帝国主義打倒の萌芽を植え込むきわめて絶好な戦術なのだ！　同時にそれは指導者たちをはっきり見きわめ、いやおうなしに深入りさせ、すっかり官憲の目にさらさせるこれまた絶好の機会なのだ……よし、やるがいい！　みんなこぞって平和主義を吹き鳴らせ！……それをやろうと待っていたきみらだ。今日自由にやるべきのみだ……》彼は、心のなかに微笑を浮かべた。彼は早くも、平和主義者と、あらゆる種類の社会主義者との大団結を心に描いた。その耳には、演壇にさけぶ次中音のふるえ声が聞こえるような気持ちがした……《ところでわれらは……》と、彼は思った。《ところで自分は……》彼はまだ、その考えを突きとめなかった。またそれに立ちもどろうともしなかった。

彼は、低い声でつぶやいた。

「問題だ」

その目は、じっと自分を見守るアルフレダの目にいきあった。そして、一同が自分のほうを向いて黙りこみ、何か言うのを待っているのに気がついた。彼は機械的に、まえより高くくり返した。

「問題だ」

彼は神経質らしく、足を椅子の下にひっこめてせきをした。

「ぼくとしてはこれ以上言うことがない……ぼくはオスメールとおなじ意見だ……ぼくは、チボーや、ミトエルクや、きみたちすべてとおなじ意見だ……」

彼はその手をじっとりとしたひたいの上にあてた。そして、思いもかけず立ちあがった。

ぎっしり椅子を並べた部屋の中にあって、彼はいつもより背たけが高くなったように思われた。彼は、テーブル、ベッド、人々の足のあいだにのこされたわずかなあき地を、なんのあてなしに円を描いていく足か歩いた。人々の目といきあうその目も、とりとめて誰を見るでもないらしかった。

黙ったまま、しばらく歩きまわっていたすえに、彼はとつぜん立ちどまった。考えが、はるか遠くから立ちもどってきたとでもいうようだった。一同は、彼がふたたび椅子に腰をおろし、何か行動計画を説明し、いつも聞きなれたあの命令的な、いささか神託めいた言葉を発するものと思っていた。

だが彼は、ふたたびおなじ言葉をくり返したにすぎなかった。

「問題だ……」そして、目を伏せ、微笑を浮かべて、きわめて早口につけ加えた。「だが、なにしろすべては目的に近づいていくのだ」

それから彼は、テーブルのうしろを通って窓ぎわに立った。そしてとつぜん、やみに向かって二枚のよろい戸を押しひらいた。彼は軽く頭をかしげた。そして声のちょうしを変えながら肩越しに言った。

「アルフレダ、何かみんなにつめたいものをくれないかね？」

アルフレダは、言われるままに、台所のほうに姿を消した。

何か気づまりな一瞬があった。

パタースンとリチャードドレーは、ベッドの上に腰かけたまま、低い声で話していた。部屋の中央、天井灯の下のあたりで、ミトエルクとベームとは、立ったまま彼らの国の言葉で何か議論をかわしていた。ベームは、ポケットから半分のこった葉巻をとり出してそれに火をつけた。下唇の、とがって、赤みがかって、しめりを見せているところが、その偏平な顔のうえに、人のよさそうな、だがいささかいやしげな肉感をただよわせて、それが他の人々とちがった印象をあたえていた。

メネストレルは、立ったまま、テーブルの上に両手をついて、ランプの下、わが前にオスメールの手紙をおいて読みなおしていた。かさの上からもれる光が、彼をあからさまに照らしていた。短いひげはいつもよりずっと黒く、顔色はいつもよりも白く見えた。ひたいにはしわがきざまれていた。まぶたは、ほとんどひとみをかくしていた。

ジャックは彼のひじにさわった。

「《事の把握》のときがいよいよやってきましたね、あなたが考えておられたよりもずっと早く！」

メネストレルはうなずいた。彼はジャックのほうを見ようともせず、あいかわらず不感無覚な態度をくずさずに、つやのない、なんら抑揚のないちょうしでこう言った。

「そうだ」

そして、口をつぐんで、ふたたび手紙を読みつづけた。

ひとつの悩ましい考えがジャックの心をつらぬいた。彼には、今晩、何か変わったもののあるのが感じられた。それはただパイロットの表情のなかだけではない。パイロットにたいする自分の態度のなかにもそれのあるのが感じられた。

いとまを告げるきっかけはベームによってつくられた。彼は翌日、早朝の汽車で出発しなければならなかった。みんなも、何かほっとした気持ちで彼のあとに従った。

門をあけてやるために、メネストレルも、みんなと下までおりていった。

十二

アルフレダは、手すりに身をかがめて、みんなの声のはっきり聞こえなくなるのを待った。それから彼女は部屋にもどって、すこしそのへんをかたづけようとした。だが、彼女の心は重かった……彼女は、暗い台所に引きこもって、窓にひじをついた。そして、やみの中に大きく大きく目をあけながらじっと動かなかった。

「考えごとかね？」

燃えるような、そしてあらい手ざわりのメネストレルの手がその肩をなでた。彼女は、はっと身をふるわせた。そして、ほっと吐く息のなかに子供のような声をひびかせて、とつぜんこうたずねた。

「あなた、ほんとに戦争がおこると思っている？」

メネストレルは笑った。彼女は、すべての希望がゆらいだように感じた。

「でも、あたしたち……」

「あたしたち？　ぼくたちまだその準備ができていないんだ！」

「準備？」彼女は、思いちがいをした。それというのは、彼女には、今夜、戦争反対のことしか頭になかったからだった。

「あなた、ほんとに、やめさせる方法がないと思う？……」

メネストレルはきっぱりさえぎった。

「ない！　そうなんだ！」彼にとって、現代のプロレタリアが戦争の力に抗することなど、まるで夢のように思われた。

彼女は暗がりのなかで、微笑と目のひらめきとを感じた。そして、ふたたびはっと身ぶるいした。

ふたりはしばらく物も言わずに、たがいにからだをよせあっていた。

「でも」と、彼女は言った。「パタースンの言ったことはあたってるわね？　もしあたしたちに何もできなかったら、イギリスが……」

「イギリスにせいぜいできることは、いくらか時をおくらせることくらいだ——それも、確実なことは言えないんだ！」

パイロットは、彼女に、いつもとちがった抵抗を見てとったとでもいうのだろうか？　彼は、荒いちょうしをさらに強めた。

「それに、問題はそこにはない！　だいじなことは、戦争をやめさせることではないんだ！」

「じゃ、なぜみんなにそう言ってやらなかったの？」

「それはね、目下のところ、そんなことは誰にも関係ないからなんだ！　それに、きょうのところ、実際的には、さもそうあるようにするがいいんだ！」

アルフレダは口をつぐんだ。今夜彼女は、いままでかつてなかったほど、胸の底まで傷つけられた感じだった。そして、なぜとも知らず彼に反抗をさえ感じていた。彼女は、ふたりの交渉の最初のころ、彼が肩をゆすりながら早口に言った言葉を思いだした。《恋愛か？　われらにとってそんなものはなんでもないんだ！》

《この人にとって何がだいじなんだろう？》と、心の中に思ってみた。《なんにも！　そうだ、なんにも——ただ革命があるだけなんだ！》そして、はじめてこう考えてみた。《……革命、それがこの人の固定観念なんだ……この人は、ほかのすべてのものを軽蔑している！……このわたしでさえ！わたしというひとりの女の命さえ！……この人にとって、なんにもたいせつなものはないんだ！　いまある自分の身でさえたいせつじゃないんだ。人間以外の何ものも！……》そして、はじめて、《人間よりもより以上の、よりよき……》のかわりに《人間以外の何ものも》と思った。

メネストレルは、あざ笑うように言葉をつづけた。

「アルフレダ、戦争になったらなったときだ！　示威運動、反乱、ゼネスト、なんでもかってにやるがいいんだ！　音楽を奏して前進だ！　ラッパを鳴らして前進だ！　できることなら、ジェリコの壁（旧約聖書にあり。パレスタインの町、高き城壁にて閉ざされたり。ジョシュエ、神の命により軍を率いてこの町を囲み、包囲七日の後、一軍大喚声をあぐれば、城壁ゆらぐと見えて一瞬にしてくずれ去りぬ）を揺り動かすんだ！」

彼はとつぜん、彼女のそばから身をひいた。そして、かかとの上でくるりと身をまわすとつぶやくようにこう言った。

「だがアルフレダ、城壁は、彼らのラッパでは地に落ちない。われらの爆弾が必要なのだ！」

そして、軽いびっこをひきながら部屋へもどってゆく彼を見ながら、アルフレダはいつも心をひやりとさせられる、あの息切れのした小さい笑いのかげをみとめた。

アルフレダは、長いあいだ、ひじをつき、身動きもせず、じっと目をやみの中にそそいだ。人けのない河岸(かし)にそって、アルヴの流れが、岸にあたってかすかなひびきを立てていた。河岸の家家の残りの灯火(ともしび)も、ひとつひとつと消えていった。

彼女はじっと動かなかった。何を考えているのだろう？——《何も》と、彼女は答えたろう。まぶたのふちに生まれた二滴の涙が、まつげのあいだにかかっていた。

十三

運転手は、アンヴァリード広場を横切ってから、ユニヴェルシテ町に出た。自動車は音もなく走っていた。だが、この照りつける日曜の午後、町にはまったく人影がなく、市はぐっすり寝入ってでもいるかのようで、かわいたアスファルトの上にたてるしなやかな車輪のきしみ、町かどでたてる臆病らしい警笛の音も、なにかしら不謹慎、無作法とでもいったような感じだった。

車がバック町を出はずれるやいなや、アンヌ・ドゥ・バタンクールは、腰掛けの上にまるくなって寝ていたブロンドのペキノワ(犬の一種)を引きよせた。そして身をかがめながら、日がさのさきで、白いちりよけ外套にくるまりながら、座席の上に泰然とかまえている運転手の背中をつついた。

「ジョー、とめて……あたし、歩いてくから」

車は歩道のふちによせられて、ジョーがドアをあけた。帽子のひさしの下、エナメルを塗ったその皮よりもつやつやしたひとみが、まるで動くようにこしらえた人形の目のように、右に左に動いた。

アンヌはちょっとためらった。こんな人通りのないところで、あとからだいじょうぶタクシーが拾えるかしら？　それというのもアントワーヌが、父親の死んだのち、自分の忠告をきいて、どこかボワの近所に家をかまえることにしなかったのがいけないのだ！……アンヌは、犬を小わきにいだきながら、ひらりと車からおり立った。自由になりたいという思いで、いまは心もそらだった。

「きょうはもうこれでいいことよ……家へお帰り……」

日かげにいてさえ、地面は靴底に熱く感じられた。空にはそよとの風もない。家々の屋根の上には、じっと動かぬ熱気のもやが空をかくしていた。照り返しに目を細くしながら、アンヌは死んだような建物の正面や、刑務所の門の前にそって歩いていった。フェローは、だるそうなようすで、そのあとからついてきた。人っ子ひとり通らない。よく晴れた日曜日、うっとうしい町の歩道の上でひとりさみしくとびはねている少女たち、それを見るたびに、いつも三週間ばかり自分があずかってドーヴィル（有名な海水浴場）あたりへつれてゆき、ヒリオシュ（パン菓子の一種）や大気をいやというほどつめこんでやりたいという気持ちをふとおこさせられた少女たち、髪をおさげに編み、はぎのあたりのひわひわした、そうした少女たちも、きょうはひとりとして姿を見せない。人っ子ひとり見えないのだ。小屋の中に眠りこんだ番犬とでもいったようなほうぼうの家の家番（コンシエルジュ）たちは、いずれ夕すずを待って戸口に出した椅子にまたがり、すこし風を入れようと、ただその時刻のくるのを待っていた。きょう、七月十九日日曜日、パリの人々は、一週間にわたる共和国のお祭りさわぎにつかれはて、市民こぞってパリを退去したとでもいった感じだった。

　チボー家の建物は、ずっと遠くから見えていた。屋根の上にはまだ足場がかかっていた。鉛白でつぎ合わせたところがしまになった古い建物の正面は、さらにしっくいでひとはけやってもらうことによってたちまち若返ろうとでもしているようだった。色とりどりなビラをはりつけた板囲いが一階の部分をすっかり隠しており、そこのところだけ歩道をせばめていた。

アンヌは薄絹の着物のたれを高くかかげ、それをしっかり身に引きよせ、犬をうしろに従えながら、入口をふさいでいる、セメントの袋だとか、厚板だとか、建物のとりこわしくずの山などのあいだを縫ってはいっていった。アーチの下にはいると、そこには穴倉のにおいと、塗り立てのしっくいのじっとりした空気がただよっていて、まるで冷たい海綿にさわられたとでもいったように襟もとをつかんだ。フェローは、小さい黒い鼻づらをあげた。そして、このかぎつけないにおいをかごうとするように立ちどまった。アンヌは微笑して、このほのぬくい小さな絹のようなかたまりをだきあげると、それを胸に押しあてた。

ガラスのはまった玄関のドアを越えると、なかの工事は、もうほとんど終わっているらしかった。このまえ来たときにはまだ敷いてなかった一条の赤い敷物が、ずっとエレヴェーターのところまでつづいていた。

アンヌは、三階の踊り場のところで立ちどまった。そして、アントワーヌのいないのを知りつつ、いつものくせで、ベルを鳴らすまえに、ひとはけパフで顔をはたいた。

ドアがゆっくりあけられた。しま模様のチョッキだけという簡略な姿なので、レオンはちょっと出てくるのをためらったのだった。ひなのうぶ毛ほどの髪の毛をのせた、面長な、のっぺりした顔の上には、——半月形のまゆ、だらりとした厚い下唇、押しかぶさるようなまぶた、そのうえにたれさがった鼻——そこにはまが抜けていると同時にずるそうな、あの無性格らしいようすが見えて、彼にとって、それが一種反射的な防御態勢をなしていた。彼はアンヌの上、その花を飾った帽子の上、モーヴ色をしたきものの上に、まるで網をうちかけるといったような、斜めに走らせたすばやい眼差しを送った。そうしておいてから、身をすさらせてアンヌを通した。

「先生はまだお帰りになりませんが……」

「知っててよ」犬を下におろしてやりながらアンヌが言った。

「お客さまとまだ下にいらっしゃると思いますが……」

アンヌは唇をかんだ。火曜日、自分がベルクへ出発するのを停車場まで送りにきてくれながら、アントワーヌは、毎日曜日の午後は、パリ以外の往診に行くためずっとるすだと言っていた。ふたりの交渉がはじまってからここ六カ月、アンヌはおりにふれ事にふれ、こうしたちょっとした隠しだてを見つけだした。これはアントワーヌの身のまわりに、何か越えがたい防御地帯のようなものを作りあげているのだった。

「かまわないでおいてちょうだい」アンヌは日がさを差し出しながらこう言った。「ちょっと手紙を書きにきたの。それを先生におわたししていただきたいの」

こう言って召使いの前を通りぬけると、彼女は、かつてチボー氏の住まいだったところの床に敷かれていた、ふっくらとした、ねずみひと色のじゅうたんを踏んでいった。犬は、なんの臆するところもなく、さきに立ってアントワーヌの書斎の前へ行って待っていた。アンヌは、書斎にはいると、犬を通してやってからドアをしめた。よろい戸はおろされており、窓はしめられたままだった。そこには、古い、しつっこいペンキのにおいとともに、新しい敷物のにおい、塗りたてのニスのにおいがただよっていた。勢いよく机に近づいていった彼女は、立ったまま、椅子の背に両手をのせ、けわしい目つきで、何かかぎだそうとでもいったような鼻をして急にみにくい顔つきにかわりながら、自分と離れているときのなんともふに落ちぬアントワーヌの生活について、何か手がかりでもつかもうというかのように、何ひとつ見のがさないうさんくさい目つきで部屋の中を見まわした。

だが、この豪華な、そしてあからさまな部屋、それは何にもまして無表情きわまるものだった。アントワーヌは、ぜったいここでは仕事をしないで、ただ診察日につかうだけにしていた。四方の壁は、中ぐらいのところまで本箱でかくされ、中国の絹を張ったガラスのうしろには、からの棚がうかがわれた。部屋の中央には、どっしりとした装飾用の机がすえられ、素通しガラスをのせた無愛想な机の上には、モロッコ皮の文房具一式——頭文字のついている書類ばさみ、便箋、吸取紙のたぐいがおかれていた。書類らしいもの、手紙らしいものはひとつもなく、書物といったら電話帳が一冊見られるばかり。インキのはいっていない切り子のインキつぼのそばには、まるで美術品とでもいったようにエボナイトの聴診器が立ててあり、それがわずかにこの家の主人の職業を語っているにすぎなかった。しかも、そうした小道具さえ、アントワーヌ自身診察のためそこにおいたというより、むしろ誰か装飾家の手によって、部屋のふぜいのためそこにおかれているとでもいったほうがあたっていた。

フェローは、部屋にはいるやいなや足をひろげてそこに寝そべり、そのブロンドの毛並みとゆかの敷物の色とが見わけがつかなくなっていた。アンヌは、うわのそらの眼差しでちらりと犬のほうをながめてから、一週に三回、アントワーヌがここへ来て、患者へのご託宣を述べる回転式安楽椅子のひじかけの上に馬乗りになった。彼女は一瞬、自分がアントワーヌになったような気持ちがした。それがアンヌを、なんとも微妙なうれしい気持ちにさせた。それは、アントワーヌのため、自分の生活面においてなめさせられている何か肩身のせまいような気持ちにたいして、一種の復讐のようにも思われた。

アンヌは紙ばさみの中から、いつもアントワーヌが処方を書くときにつかう、上のほうに刷りこみのある便箋をとり出した。そして、ハンドバッグの中から万年筆を出すと、

大すきなトニー、あなたなしで暮らした五日間、それがあたしには精いっぱいのことなんですの。けさ一番の汽車に乗りました。いまちょうど四時。これからふたりの家へ行って、あなたの一日のお仕事のすむのを待ちますわ。いらしってちょうだい。愛するトニー、すぐ来てね。

A

それにわたし、外へ行かずにすむように、軽いお食事のために何か持ってっておきますわ。

封筒を手にして、ベルを押した。

レオンが姿をあらわした。もうちゃんと制服を身につけていた。そして、犬をなでてやったあとでアンヌのほうに近づいた。

椅子の腕木にまたがったまま、アンヌは片足をゆすりながら封筒の糊をしめしていた。切れ長な口、厚い、だが敏捷な舌。そして、着物につけた香水のにおいが部屋の中にただよっていた。アンヌは、召使いの目のちらりと光ったのを見のがさないで、黙ってにやりと微笑を浮かべた。

「これ」アンヌは、机の上に手紙をほうった。身ぶりにつれて、手くびのところの鎖が鳴った。「帰って見えたら、これをあげてね」

アントワーヌのるすのとき、アンヌはときどきレオンに向かってきわめて打ちとけた呼び方をした。それがいかにも自然に出るので、レオンのほうでもおどろかなかった。以心伝心の了解が、ふたりのあいだに成り立っていた。晩食をたべに行こうと迎えにきた彼女がアントワーヌに待たされているとき、アンヌは好んでレオン相手におしゃべりをした。レオンが自分の前にいるとき、何か故郷のにおいがした。もっとも、レオンは、こうした親しさにも図に乗るようなようすはなかった。ふたりきりでいる場合、ただ改まったよそゆきの物言いをしないというだけにとどまっていた。そして、女の手から心付けをもらいながら、ちょっと目までで感謝をしめし、不愉快な身分ちがいをなんら感じないですむことをありがたいことに思っていた。

アンヌは足をのばし、スカートの下に手を入れて靴下を引きあげてから、安楽椅子を飛びおりた。

「あたし、いくわ。かさはどこにおいてくだすったの？」

タクシーをつかまえるには、サン・ペール町をブールヴァールまでのぼっていくのがいちばん確かだった。町にはほとんど人通りがなかった。彼女はひとりの青年とすれちがった。ふたりはべつに気にもかけず、ちらりと顔を見かわしたばかり。ふたりとも、すでにある思い出ふかい日に一度出あったことなど、気がつきさえもしなかった。どうしてわかるはずがあろう？　四年という月日のあいだに、ジャックはすっかり面変わりしていた。いまのジャックは、ずんぐりして、顔だちも憂わしげで、かつてシモン・ドゥ・バタンクールとアンヌの結婚式に列するためトゥーレーヌへ出かけたころの、あの青年らしいものごしや風貌も見られなかった。いっぽうジャックのほうでも、あのときの奇怪な結婚式のあいだ、ものめずらしげに、じっと花嫁をみつめていたにもかかわらず、なるほどその顔はなかばかさで隠されていたにはちがいないが、この化粧したパリ婦人の顔の中に、友人シモンと結婚した、あの何か気にかかる未亡人の風貌をどうして見わけることができただろう？

「ヴァグラム通りへ」と、アンヌは運転手に言いつけた。

ヴァグラム通り、そこにふたりの家があった。それは、ふたりの交渉のはじめのころ、アントワーヌが借りうけ、ひとり暮らしのできるようにととのえておいた階下の住まいで、大通りと袋小路とのかどにあたっていた。そして袋小路に向かって特別な入口がついていて、家番の目にとまることなく自由に出入りができるのだった。ボワ・ドゥ・ブーローニュのそば、スポンティニ町にあったアンヌの住まいへは、アントワーヌはいまのいままで一度も来てくれようとしなかった。しかもアンヌは、数カ月まえから、そこにひとりぼっちで、気ままに暮らしていたのだった。(アントワーヌのすすめにしたがい、娘のユゲットにギブスをはめさせ、海岸へつれてゆくことになったとき、アンヌはベルクに家を借り、そして、娘がなおるまで、夫といっしょにそこで暮らすことになっていた。だがアンヌは、こうした勇ましい決心にはそういつまでもがまんすることができなかった。その結果、どうもパリが好きになれないシモンだけが、養女とイギリス人の家庭教師とを相手にそこに腰をすえることになったのだった。そして、写真にこったり、少し絵筆をとってみたり、音楽を少しやったり、夜長のつれづれには、昔勉強した神学のことを思いだして、プロテスタンチスムに関する書物などを読んだりしていた。いっぽうアンヌは、いつも何かと口実を作っては、つとめてパリにいるようにした。そして、ベルクに行くのは、月にわずか四、五日程度にとどまった。アンヌには、いままでかつて、母親らしい感情のおこったためしがなかった。つい先ごろまでは、十四にもなるというこの大きな娘を毎日見ていなければならないことを思って、何か首かせでもはめられたようないらいらした気持ちだった。それがいまでは、そうした隠れた憎しみの感じに、ミス・メリーが、砂丘の砂の上を日光浴散歩をさせている片輪娘の車を見ると、何か屈辱といったような感情さえもまじり出していた。アンヌはおりおり、萎黄病の少女たちでももらって世話をしてやろうかなどという空想を描いてみた。それでいながら、自分の娘をほったらかしておくことについては、べつになんのふしぎも感じなかった。)

自動車がヴァグラム通りにさしかかったとき、アンヌは《軽い食事》のことを思いだした。店という店はしまっていた。彼女は、テルヌ町に一軒、日曜でもあけている食料品店のあるのを知っていた。彼女は車をそこまで行かせて、乗りすてた。

買い物のおもしろさ！　彼女はペキノワを小わきにかかえながら、うまそうなものの並んでいる前を行ったり来たり歩きまわった。最初に、アントワーヌのすきそうな物を買った。裸麦のパン、塩けのきいたバター、燻製のがちょうの胸肉、いちごひとかご、フェローのためにはもちろん、アントワーヌもたべるだろうし、さらにドゥーブル・クレームをひとびん買った。

「それから、それもひときれいただくわ！」こう言いながら、いじきたなそうなようすで、手袋をはめた人さし指で、なんの奇もないパテ・ドゥ・フォワの鉢をさした。それ、それはまさにアンヌ自身のためだった。それは旅行のおり、たまたま停車場の食堂とか田舎の宿屋とかでないかぎり、ついぞ彼女の口にははいらなかった。桃色をして、あぶらぎっていて、まわりを豚のあぶらでかため、ちょうじとにくずくのかおりをきかせた安いパテ・ドゥ・フォワ。それをできたての薄切りにしたパンの上にのせてたべるとき、彼女にはかつて勤めをしていたころの思い出がすっかり口によみがえってくるのだった……アヴニュ・ド・ロペラで売り子をしていたころ、まわりに鳩やすずめの群れ遊ぶテュイルリー公園のベンチの上で、たったひとりで冷えた昼食をたべたときのこと。飲み物といっては何もなく、薬味のからさをまぎらすためには、道ばたで買ったひとつかみのビガロー（さくらんぼの一種）をたべるのだった。そして最後に、店にかえる時間が近づくと、彼女はブリキと靴墨のにおいのする、甘い、舌を焼くような、ミルクぬきのコーヒーのスモールカップを飲みにいった。アンヌはそれを、ひとりぼっちで、サン・ロック町の一軒の喫茶酒場のスタンドにもたれて、立ったまま飲むのをつねとした。

アンヌは、店員が買い物を包み、会計をしてくれるのをうわのそらの気持ちでながめていた。

ひとりぼっち……すでにそのころから、彼女は正しい本能にみちびかれて、自分にいつか出世するような日がくるとしたら、そのためには、いつも人と距離をおいて対していなければならないこと、自分を人に知らせないようにしておくこと、友だちを作らず、習慣にこだわらず、いつわが身に急な変化がおこってきてもさしつかえないようにしておかなければならないことを知っていた。ああ！ あのころ、かごとガラガラを手にし、テュイルリー公園の中を歩きまわって、プレジール(菓子の一種)やココを売りあるいていたうらないの老婆に、どうして彼女が他日大分限者の妻グピヨ夫人になろうなどと予言することができただろう？……しかも、そのことがまさに実現したのだ。しかも、今日、遠く時をへだてて ながめるとき、それはほとんどなんでもないことのようにさえ思われた……

「では」店員が、ひもをつけた包みをさし出していた。

アンヌは、胸のあたりに店員の視線を感じた。彼女はいま、男たちの欲情に触れられることがだんだんすきになっていた。いま自分の前にいる店員は、ただほんの小僧っ子というにすぎなかった。頬にはうぶ毛がはえており、唇はひわれ、大きな口もともぶかっこうで、それにはなはだ生まじめそうなようすだった。アンヌは指をひもにとおしてからひたいをあげ、顔を心もちうつ向きかげんにしながら、お礼ごころに、そのねずみ色のひとみから、ちょっとからかうような眼差しを青年に送った。

包みはたいして重くもなかった。まだ時間がある。いまやっと五時になったばかりだ。アンヌは犬を下におろすと、ヴァグラム通りに向かって歩きだした。

「フェローちゃん、もう少しのしんぼうよ……」上体はしなやかに、首から上にちょっと見識らしいものをみせながら、彼女は大またに歩いていった。それというのも、いままでの生涯をふり返るとき、彼女はちょっと得意らしい気持ちにならざるを得なかったからだった。アンヌには、自分の運命というものもたえず自分の意思によって支配されるもの、いまの出世もまさに自分自身の作り出したものにほかならないというような意識があった。

遠くはなれて考えるとき、自分が子供のときから、あれほど一心に社会の下積み生活からのがれるためにつとめてきたこと、彼女にはそれが、まるで他人のことででもあるかのように、一種驚きの気持ちをもって賛嘆された。それはちょうど水泳をするものが、いったん水の中にもぐりながら反射的にふたたび水面に浮かびあがろうとするときの、あの一種の本能とでもいったようなものだった。より高く浮かびあがろうとするためにこそ、アンヌはその純潔な娘時代、母を失った父と兄とのあいだにあって、堅く身をまもりつづけてきたのだった。日曜というと、鉛管工だった父親がいつも城壁(パリ周辺の城壁)のほうへ玉ころがしに出かけたあいだ、アンヌと兄とは、男の友だちといっしょにヴァンセンヌの森のほうをぶらつきにいったものだった。ある晩のこと、散歩からの帰りみち、兄の友だちの若い電気職工が、アンヌをつかまえてキスしようとした。そのときアンヌは十七歳。その青年のことはかねて憎からず思っていた。それにもかかわらずアンヌはいきなり平手打ちをくわした。そして、自分ひとり、家までの道を逃げてかえった。それからというもの、アンヌは二度とふたたび兄と出かけようとしなかった。日曜日にはいつも家で裁縫をした。アンヌは、布や小切れの類を手にすることがすきだった。おりから近所の小間物屋のおかみさんで、アンヌの母親を知っていたという女が、彼女を自分の店の売り子にたのむことにした。だが、貧しい客しか出入りしない町の小間物屋は、なんともわびしいかぎりだった……おりよくアンヌは《二十世紀勧工場》が新しくヴァンセンヌのエプリーズ広場に支店を開くのをさいわい、そこの売り子に使ってもらうことができた。ビロードやタフタを手にし、出入りの人たちとふれあいながら、ほかの男の店員や持ち場の主任たちの誘いにたいしては、ほんの同僚としてだけのかるい微笑を返してやる。そして夕方になると、おとなしく家に帰って家の人たちの晩飯のしたく……これが前後二カ年にわたっての生活だった。思えばいかにもたのしい生活だった。だが、父親に死なれると、アンヌはさっそく郊外の町を逃げだした。そしてパリの中心、オペラ通りのその店の本店、当時先代のグピヨ自身がまだいくぶんか采配をふるっていた本店の中に、あっというほどの口を見つけた。それから結婚にいたるまでのあいだ、彼女は水ももらさずやってのけなければならなかった……《水ももらさず！》アンヌにとって、それこそたしかにそのモットーともいうべきところのものだった……それはいまでも……。はじめてアントワーヌに出あったとき、たちまち彼にねらいをつけ、その抵抗を押し切って、根気よくこれを征服したのも、それは彼女ではなかったか？　男のほうではまったくそれに気がつかなかった。手練な彼女は巧みに男の自負心をあやつり、さも自分のほうからしかけたように錯覚させてやったのだった。それにしても、巧者な彼女は、自分の力をひけらかすという見かけのうえの楽しみよりは、表面弱気を武器としながらひそかに相手をつかむという、きわめておうような満足をえらんだ……

考えつづけているうちに、いつか家にたどりついた。歩いたので、彼女は汗ばんでいた。しめてあった部屋の静けさ、ひんやりした部屋の空気も快かった。部屋のまんなかに立ちはだかり、彼女はいそいで身につけたもののすべてをかなぐり捨てた。そして、化粧室に駆けこむなり、浴槽の栓をひとひねりした。

こうして鏡にかこまれ、そこからさしこむ鈍い光によって自分の肉体の輝きが一だんとますように思われるつや消しガラスの中に立ちながら、彼女は自分の裸身をたのもしく思った。たぎった湯の落ちて来る水栓の上にかがみこみながら、彼女は何かぼけたような気持ちになって、いつも変わらずほっそりした褐色の腰のあたり、重くたれた乳房のあたりを手のひらでなでてみた。そして、湯がいっぱいになるのを待たず、浴槽のふちをまたいだ。まだ生ぬるいといった程度だった。彼女は、快感におののきながら、いきなりその中に身をひたした。

彼女はすぐ目の前の壁にかかっている青しま模様の白地の湯上がりを見ると、思わず微笑をさそわれた。いつかの晩、アントワーヌはその湯上がりをはおったままのぶかっこうなすがたをして、食事の椅子についたのだった。彼女はとつぜん、その晩ふたりのあいだにおこったことを思いだした。青年時代の生活のこと、ラシェルとの関係のことについてアンヌがいろいろ問いかけたのにたいして、アントワーヌは、いささかむっとしたちょうしでこう答えた。「何から何まで話したとおりさ。ぼくはね、自分の過去について何ひとつだって隠しだてなんかしていないんだ！」

そうだ。アンヌのほうでは、自分のことについてほんのわずかしか話して聞かせていなかった。ふたりの関係の最初のころ、ある晩アントワーヌは彼女の目のうえをのぞきこんで《……運命の女の目つき！》と言った。アンヌにとって、それは何よりもうれしかった。彼女はそれをぜったいに忘れていなかった。こうした強みをさらに確保しようと思った彼女は、それから後も、つとめて自分の過去を秘密につつんだ。あるいはそれがまずかったのかもしれなかった。運命の女といった言葉のかげに、アントワーヌは、売り子だった自分の前身をかぎつけ、ほくそ笑んでいないと誰が知ろう？　アンヌは考えてみようと決心した。だが、それにたいする応急処置にはなんの手間ひまもいらなかった。かつての生活において豊富な体験の所有者だった彼女は、べつに作りごとをしたり嘘をついたりする必要もなく、わけなくそれを見いだし得た。すなわち、若いころの一時期に、センチメンタルな気持ちから売り子になったというような思い出ばなし……

アントワーヌ……彼のことを考えるとき、彼女にはいつも欲情がともなっていた。アンヌは、彼をあるがままの姿において愛していた。すなわち、彼の自信の点において、力の点において――もっとも、彼自身その力を少し意識しすぎているきらいはあったが……それに、いささか粗暴なところがあり、いささかやさしさに欠けると思われる欲情の激しさの点から言っても、アンヌは彼がすきだった……そしておそらく一時間もすれば、そうした彼があらわれるのだ……

アンヌは、両足をのばし、頭をあおむけにしながら目をとじた。けだるい感じが、まるでほこりのように湯の中に溶けていった。動物的な気持ちのよさが、からだをぐったりさせていった。上のほうでは、人けのない大きな建物がしんと静まりかえっている。耳にはいるものは、ひんやりとしたタイルの上に寝ころんでいる犬のいびき、近所のコートのアスファルトの上に聞こえるローラー・スケートのはるかなきしみ、それに、よく響く音を立てて、あいだをおいて水栓からしたたり落ちる水滴の音。

十四

ジャックは、ユニヴェルシテ町のかどに立ちどまって、自分の生まれた家をながめていた。すっかり足場がかかっているので、すぐにそれとは見わけがつかなかった。《そうだった》と、彼は思った。《兄きはなかなかの計画家だった……》

父の死後、ジャックは二度パリに来た。だが、昔住んでいたこの町を訪れたこともなかったし、自分のパリに来たことを兄に知らせもしなかった。冬のあいだに、兄はいく度か愛情をこめた手紙をくれた。だがジャックのほうでは、親しみを見せた、かんたんな葉書を出しただけにすぎなかった。相続問題に関する長い手紙をうけとったときも、返事はいつもと同様だった。五行ばかりの短い言葉で、べつに理由を示すことなく、自分が相続財産の分けまえにだんぜんあずかりたくないということ、今後二度とふたたびその《問題》に触れてもらいたくないということを書いて送った。

ジャックは、先週の火曜日からフランスに帰っていた。(ベームとの会合のあった翌日、メネストレルはジャックに向かってこう言った。《パリに急行してもらおう。近日中に、パリにいてもらわなければならないことがおこりそうなんだ。目下の場合、何ひとつはっきりしたことはつかめていない。これを機会にひとつ風向きをさぐってもらおうと思うんだ。どんなことがおこってくるか、身近にあって見ていてほしい。フランス左翼の面々がどんな反撃を見せるだろうか。とりわけジョーレス一派、『ユマニテ』の連中が……日曜か月曜までになんの指令もいかなかったら、そのままもどってきてよろしい。ただし、向こうにいることが何か役だちそうに思われなかったかぎりにおいてだ》)その数日のあいだ、彼にはアントワーヌに会いにくるだけの暇——といおうか、勇気がなかった。だが、事態は日に日に重大化の一途をたどっているように思われた。その結果、彼はパリを離れるに先だち、ぜひアントワーヌに会っておこうと思いたった。

新しいよろい戸の並んでいる二階のほうへ目をそそぎながら、彼は《自分の》窓、自分の子供時代の部屋の窓を求めていた。……このまま帰ろうと思えばいまでもけっしておそくはなかった。彼はためらった。そのあげく、ついに往来を向こうへわたると、アーチのかげに足を入れた。

いま何ひとつ見おぼえがない。階段のところでは、化粧しっくいの壁や、鋳鉄の手すりや、大きな焼絵ガラスの窓が、かつてのゆりの花のついたくすんだ壁紙や、くり物細工の手すりや、中世ふうな絵ガラスにとってかわっていた。変わっていないものはただエレヴェーターだけだった。いつも同じようなあの歯切れのいい制動機、つづいて、動き出すまえの鎖のすれあう音、油ぎった鳴動。ジャックは、いつもここへ帰ってくるたびに、肩身のせまい思いをさせられていたのだった。少年期でのいちばん悲痛だった瞬間、すなわち家出の後、父の家につれもどされたときの思い出がよみがえるとともに、胸せまる思いなしにはその音が聞けなかった——そうだった、あの狭いエレヴェーターの箱の中にアントワーヌの手で押しこまれたとき、彼ははじめて自分がおさえられたこと、つかまえられたこと、いまはまったく無力であることを感じた……そして、父、つづいては少年園……いまはといえばジュネーヴ、そしてインターナショナル……そしておそらくは戦争……

「よう、レオン、えらい変わり方だな！……兄さんはおいでかね？」

レオンは、何も答えようとはせず、驚きの表情を浮かべたまま、ただまじまじとこの亡霊をながめていた。やがて、レオンはまばたきをしながらこう言った。

「先生ですか？　いいえ……なに、いらっしゃいます……あなたさまがおいでということでしたら！……だが、下においでになります、実験室のほうに……一階おおりになっていただきます……ドアはあいております。そのままどうかおはいりになって」

二階の踊り場のところ、真鍮の板の上には《A・オスカール・チボー実験室》の名が読みとられた。《じゃあ、この家全部を使ってるんだな？……》と、ジャックは思った。《しかもオスカールという名まえまでも！……》

ニッケルのハンドルをまわすと、ドアは外から開くようになっていた。玄関にはいると、そこにはおなじような三つのドアが並んでいた。そのひとつのドアのうしろに人声が聞こえた。日曜の午後だというのに、兄きは患者を見ているのかしら？　ジャックは、ちょっと当惑しながら、ふたあし三あしそのほうへ歩みよった。

「生物測定による実験報告……学校集団における調査事項……」

話しているのはアントワーヌではなかった。だが、たちまち兄の声が耳にはいった。

「第一、テストの収集……テストの整理……一カ月をまたずして、あらゆる神経学の専門医、小児病理学の専門医、のみならず、あらゆる教育者をして、ここ、われらの研究室において、われらの統計の中に……」

そうだ、てきぱきした、ちょっと得意をにおわした、そして終わり方がちょっと人を小ばかにしたようなあの話し方、それはアントワーヌにちがいなかった。《もう少ししたら、たしかに彼のおやじの声そっくりになる》と、ジャックは思った。

彼は一瞬身動きもせず、聞くのをやめ、ゆかに敷かれた新しいリノリュームの上に目を落としていた。このまま帰ろうという誘惑が、ふたたび彼の心をかすめた。だが、もうレオンにも会ったことだし……それに、せっかくここまで来ているのだし……彼はぐっと肩をおこした。そして、子供の遊びを平気でじゃまするおとなのように、ドアに歩みよると、こつこつたたいた。

話の途中をさまたげられて、アントワーヌは席を立った。そして、むっとした顔つきでドアを細めにあけた。

「なんだね？……や、きみか！」彼は、たちまち笑顔に変わってこうさけんだ。

ジャックもまた、例のばくとした兄弟の情とでもいったようなもののこみあげてくるままに微笑を見せた。アントワーヌに直面するごとに、そしてその精力的な顔、四角な顔、その口もとなどを見るごとに、あらゆることとは別として、そうした情愛に動かされずにはいないのだった。

「はいれよ」と、アントワーヌが言った。そして、じっと弟の顔をながめつづけた。ジャックが来たのだ！濃い栗色の髪、敏捷な眼差し、幼顔を思わせる軽い微笑をうかべながら、ジャックがそこに立っていた……

汗ばんだ顔、カラーもつけず、ボタンをはずした白いブルーズ姿の三人の男が、大きなテーブルを前にして掛けていた。テーブルの上には、コップ、レモン、氷を入れたおけなどが、書類や、ひろげた図表などのあいだに並んでいた。

「弟だ」アントワーヌが、たのしそうに笑いながらこう言った。そして、立ちあがった三人をジャックに紹介した。「イザーク・ステュドレル君……ルネ・ジュスラン君……マニュエル・ロワ君……」

「おじゃまをしたんじゃないかしら？」と、口ごもるようにジャックがたずねた。

「もちろんだね！」と、アントワーヌが答えた。そして、仲間のほうを上きげんなようすでながめながら、「なあ、じゃまをされたにちがいないな。だが、それもいい！不可抗力さ……まあ掛けろ」

ジャックは、それにはなんとも答えずに、大きな部屋の中をながめまわした。部屋にはすっかり棚ができていて、その上には、番号のついた真新しい書類ばさみがずらりと並んでいた。

「いったいここはどこなんだ、とでも思ってるらしいな?」びっくりしたような弟を愉快そうにながめながら、アントワーヌが言った。「なあに、ここは要するに文献室なんだ……ときに、つめたいものはどうだ? ウィスキー? いやか?……ロワ君に、シトロン水でもつくってもらおう」三人のうちのいちばん若いひとりに向かって、申しわたすようにこう言った。パリの学生らしい利口そうな顔、それが善良な生徒らしい柔和な目つきで輝いていた。

ロワが、砕いた氷の上にレモン汁をしぼりかけている間に、アントワーヌはステュドレルのほうを向き直った。

「来週の日曜またやり直すことにしよう……」

ステュドレルは、ほかの連中より明らかに年長であり、アントワーヌよりもさらに年長にさえ見えていた。イザークとは、その横顔、トルコの大官らしいあごひげ、東洋の僧侶らしい燃えるような目にとって、ぴったり合った名まえだった。ジャックは、兄といっしょに暮らしていた時分、すでに一度会ったことがあるらしい印象をうけた。

「ジュスラン君には書類をかたづけてもらおう……」と、アントワーヌはさらにつづけた。「八月一日、病院の夏休みまでは何ひとつ系統だった仕事はできないだろうな……」

ジャックは耳を澄ましていた。八月……夏休み……そのときのジャックの面上には、たしかにちょっとした驚きの表情があらわれていたにちがいない。彼をながめていたアントワーヌは、何か説明せずにはいられないような気持ちになった。

「そうなんだ、われわれ四人、今年は夏休みをとるまいと相談したんだ……なにしろ状態が状態だし……」

「わかります」ジャックは何か重々しいようすで肯定した。

「家のほうの工事が終わってからまだ三週間にもなっていない。新しい診療の仕事も少しも手がつけられずにいるんだ。それに病院と患者とかけもちときている。それ以前にはとても仕事は進められまい。だが、さいわい新学年はじめまで、二カ月のあいだ落ちつける……」

ジャックは、驚いたようすで兄をみつめた。そう話している兄は、こうした世界の脈搏の中に身をおきながら、自分自身の仕事の安全さ、またそのあすへの信頼を揺り動かすようなできごとの到来のことなぞ、なんらはっきり考えていないのだった。

「おどろいたか?」と、アントワーヌは言葉をつづけた。「それは、われわれの計画がまだわかっていないからのことなのさ。われわれは大きな望み……すばらしい望みを持ってるんだ! なあ、ステュドレル君……どうだ、話して聞かせようか?……もちろんいっしょに飯をたべるだろうな?……さ、シトロン水をゆっくり飲めよ。それから家の中を案内しよう。新しくなった家のようすを見てもらおう……そうしたあとで、上へいっておしゃべりをしよう」

《ちっとも兄きは変わっていないな》ジャックは心にこう思った。《あいかわらず組み立てたり、指導したりせずにはいられないんだ》彼は、言われるままにシトロン水を飲んだあとで席を立った。ア

ントワーヌもすでに椅子を離れていた。そして、

「まず研究室だ」と、言った。


チボー氏が死ぬまでは、アントワーヌは将来のある若い医師としての尋常な生活を送っていた。いろいろな試験をひとつひとつパスしたあとで、中央医局にはいり、病院勤務のほうに専任のポストができるのを待ちながら、ひきつづき患者の診療に従っていた。

とつぜん、父からの遺産は、彼にとって思いがけないひとつの力、すなわち金なるものをあたえてくれた。そして、こうした絶好の機会を見のがすような彼ではなかった。

彼には元来、なんのうるさい係累もなく、これといって金のかかる楽しみもなかった。唯一の道楽といっては、ただ仕事。唯一の望みは、大家になること。病院も患者も、彼の目からは単に小手しらべというにすぎなかった。何よりたいせつに思っていたのは、小児病理学に関する自分自身の研究だった。そうしたわけで、いったん金ができたと意識するや、すでに張りきっていた生活力は、たちまちいままでの十倍にさえふくれかえった。彼にはいま、ただひとつの考えだけしか頭になかった。すなわち、その全財産をあげて、自分自身の職業的栄達を促進するということ。

計画はすぐに実行に移された。まず完備した組織によって物質的方面のあらゆる便宜、すなわち実験室、書庫、選ばれた助手の一群などを確保すること。金があるので、すべてはできることであり、またわけなく実行に移されていったのだった。のみならず、資力のないいく人かの若い医者たちの知

嚢と献身までをも手に入れることができたのだった。彼は、それらの人々にたいして生活の安全を保証してやり、そして自分の研究を押し進め、さらに新たな研究を計画するため、彼らの能力を利用しようという腹だった。……すぐにアントワーヌには、エッケ博士の友人で、カリフというあだ名で通っている旧友ステュドレルのことが思い浮かんだ。彼の方法の精神についても、知的潔癖さの点についても、仕事の能力のことについても、ずっとまえからよくわかっていた。それにつづいて、彼はふたりの青年に目をつけた。ひとりはマニュエル・ロワ。外勤の医師で、すでに何年か自分の下ではたらいていた男。さらにひとりはルネ・ジュスラン。化学者で、血清に関する重要研究ですでにその名を知られている男。

父の住まいは、野心的な建築技師のおかげで、わずか数カ月のあいだにまったく見ちがえるようになっていた。むかし階下の住まいだったところは部屋の中に階段をつくって二階の住まいと連絡させ、そこにはあらゆる近代的設備をととのえた実験室ができていた。欠けたものといっては何ひとつなかった。工事のうえに何か困難な問題がおこると、アントワーヌは、機械的に、小切手帳の入れてあるポケットの上に手をやった。《ひとつ見積書を出してもらおう》出費については、ほとんど意に介さなかった。金銭についてはきわめて恬淡、望むところは計画がすべて思いどおりにはこばれるということ以外になかった。公証人も、代理人も、ともにブルジョワ二代にわたっておもむろに蓄積され、慎重に管理された大財産が、いまこうしたものすごさで食われていくのを目のあたり見ながら、ただはらはらするばかりだった。だが、当の本人はそんなことは歯牙にもかけず、証券類は大たばに処分させ、代理人たちの小さい警告など、すべて鼻のさきで笑っていた。それに、彼自身としても、そこにひとつの経済上のプランを持っていた。巨大な出費のあとに残った財産は、外国株、とくにロシアの鉱山株の投資に当てる考えをきめていた。それはもっぱら、友人であり、外交官であるリュメルのすすめによるものだった。彼は、そうすることによって、たとい資産が大いにへるにせよ、計算の結果、かつてチボー氏が、《安全》第一でこそあったが、たいして利回りもあげない株を守り、元本はそのままにしておいてそこからあげていたいくらかの利益にくらべて、さして目だって下回るとも見えない収入が収められるものとふんでいた。

階下の部屋を子細に点検するためには、およそ半時間の時を要した。アントワーヌは、何から何までをジャックに見せずには気がすまなかった……彼は以前穴倉だったところを、白いしっくい塗りの大きな地下室にしたところへまでつれていった。そこはつい近ごろになって、とんだにおいのする飼育場をもうけたところで、ねずみ、はつかねずみ、天竺ねずみなど、かえるを入れた水槽と隣りあっていた。アントワーヌは、とても満悦そうなようすだった。そして若々しい、うねるような、咽喉で出す笑い声をひびかせていた。それこそは、久しくおさえられた笑い、ラシェルによってはじめて解き放された笑いだった。《まるで玩具をみせびらかす金持ちのおぼっちゃんそっくりだな》と、ジャックは思った。

二階には、小さな手術室、三人の協力者の研究室、文献のための部屋、それに書庫がおかれていた。

「これで、いよいよ仕事がはじめられるというわけなんだ」アントワーヌは、三階へあがりながら、重々しい、満足らしいちょうしで説明した。「三十三歳……後世にのこるような仕事をしようと思ったら、いよいよ真剣にはじめなければ！　なあ」彼は立ちどまると、ジャックのほうをふり返りながらこう言った。いささかわざとらしいところのある唐突なちょうし、アントワーヌは弟の前でとくにそれをやるのだった。「人間というやつには、自分の思っている以上のことができるものなんだ！　何かやろうと決心さえしたら――もちろんそれはできる可能性のあることにはちがいないが……――それに、おれはできる可能性のあることだけしかけっしてやろうとしないんだが……――そうだ、本気にやろうと決心したら！……」彼は、それ以上言葉をつづけず、愉快そうな微笑とともに歩みつづけていた。

「試験のほうはどうだったの？」と、ジャックは、何も言わずにいるわけにもいかないでたずねた。

「病院のほうのはこの冬にパスした。あとはただアグレガシヨン（大学教授資格試験）だけがのこっている――教授にもなれるようにしときたいからな！……ところで」と、アントワーヌは言葉をつづけた。「なるほどフィリップ先生のようなりっぱな小児科医になることもけっこうだ。だが、おれはそれだけでは満足できそうに思われない。おれの腕を見せるためには、どうもそれだけではふじゅうぶんだ……現代医学は、心理的方面において、その決定的第一歩をふみ出さなければならないように思われるんだ……おれはそのひとりになろうと思っている。わかるかね？　その第一歩が、このおれによってなされなければならないと思ってるんだ！　試験準備のあいだ、おれがあれほど言語発育不全な者のことを取り扱ったのも、それはけっして偶然の気まぐれではなかった……おれによれば、小児心理の問題は、まだほんの緒についたばかりだ、いまこそ絶好の時期なんだ……で、おれは、来年こそは、小児の呼吸器官とその知能生活との関係に関する文献を、しっかりとまとめてみようと思っている……」こう言いながらふり返った。その面上には、とつぜん、知識によって、無知な凡俗とはっきり区別されるすぐれた人といったような風貌がうかがわれた。彼は、かぎ穴にかぎをさし込むまえに、弟のうえに深い眼差しを見すえながら、「この方面においてなすべきことは山ほどあるんだ……」と、落ちつきはらったちょうしで言った。「解決すべきことは山ほどあるんだ……」

ジャックは黙りつづけていた。こうして生活に興味を持ちつづけているアントワーヌのようす、それによって、これほどいらいらさせられたためしはいままでめったにないことだった。じゅうぶんすぎるほどな条件にめぐまれ、今後の出世疑いなしと保証されているかに見える三十男を目の前にしながら、ジャックは何か不安の念で、自分自身における均衡のゆらぎ——さらに、いま世界のうえにのしかかっているあらしの脅威を感じていた。

こうした反発の中で家を見てまわることは、ジャックにとってことさらつらいことだった。アントワーヌは、贅をこらした住まいの中を、しゃんとひかがみを張りながら、まるで鳥小屋のおんどりとでもいったように歩いていた。彼は、家じゅうの仕切りを大部分ぶち抜かせ、家の配置を全面的に変えさせていた。簡素なおもむきこそなかったが、模様がえにはかなりの成功が見られていた。うるし塗りの高いびょうぶで、ふたつの待合室はいくつかの小間に仕切られていて、患者は、たがいにべつべつにいられるようになっていた。しかもアントワーヌの自慢している建築士の創意は、部屋全体に何かしら装飾展覧会とでもいったような感じをあたえていた。もっともアントワーヌは、こうした外見のけばけばしさにはあまり賛成できないと言っていた。「だが」と、アントワーヌは説明した。「こうしておくと患者をふるいにかけられるんだ。なるべく患者の数をへらし、勉強の時間が持てるんだ」

化粧室は、その工夫なり便利さなり、まさに粋をこらしたものだった。アントワーヌは、上きげんで、着ていたブルーズを脱ぎすてながら、みがきあげた衣装戸棚のとびらをあけたりしめたりしてみせた。

「何から何まで手の届くようになっている。ずいぶん時間の経済になるんだ」彼はその言葉をくり返していた。

アントワーヌは、部屋着を着ていた。ジャックは兄の身なりが昔にくらべてずっとしゃれたものになっているのに気がついた。べつにこれと目を引くものはない。だが、黒の上着も絹であり、ソフトのシャツもきわめてしなやかなバチストだった。こうした人目につかない優雅さが、兄にはしっくりあっていた。以前よりも若く見え、たくましさだけは昔のままでありながら、ずっとしなやかさが見られるように思われた。

《きわめて快適に奢侈（しゃし）を満喫する、といったところだな》ジャックは心にそう思った。《おやじふうの見栄坊……ブルジョワ固有の貴族趣味的見栄坊……なんたる階級！　たしかに彼らは、その財産だけでなく、快適な生活、安逸の趣味、よきものをねらう趣味を、まるで自分たち自身の優越さででもあるかのように思っている！　彼らはそれを、まるで個人的な価値とでも思っている……そしてまたそうした価値が、彼らに社会的権利をあたえることにもなってるんだ！　しかも彼らは、自分たちの受ける尊敬を、正当なものででもあるかのように思っている！　自分たちの権力、他人の屈従、彼らにとって、それらはすべてとうぜんのものに思われてるんだ！　そうだ、彼らは、所有することをもってとうぜんのことと思っている！　そして、自分たちの所有が何人によってもおかされず、持たざるものの要求から法律的に保護されているのを、きわめてとうぜんのことのように思っている！……きまえがいい？　なるほど、それもあるだろう！　だが、それはきまえのよさが、さらにひとつの奢侈である意味においてだ。消費の一種としてのきまえのよさだ……》ジャックは、むだを節し、必要なものをたがいにわけあい、最小限を割る危険をさえおかしてたがいに助けあって暮らしている、あのスイスの同志たちの不安定な生活のことを考えていた。

それにしても、小さな池ほどもある浴槽、たたえた水の照り返しに目もくらむような浴槽を見たときは、いささか羨望の気持ちを禁じ得なかった。部屋代三フランの自分の部屋は、なんともいごこちが悪かった……きょうの暑さに、ひとふろあびる気持ちのよさはどんなだろう。

「これが書斎だ」アントワーヌは、ドアをあけながら言った。

ジャックは、中にはいっていきながら、窓のそばへ歩みよった。

「や、これはまえに客間だったところだな？」

まさに以前の客間だった。ひきつづく三十五年間、チボー氏は、そのおごそかな薄暗い部屋の中、天蓋のついた窓掛けやずっしり厚いドアにかこまれながら、なんべんとなく家族会議を催したものだった。建築士は、そのさえた腕まえを発揮して、それを、明るい、あからさまな、しかもいかついところのない、端然たる現代風の部屋につくり変えた。そして、かつてのゴチック風の色ガラスを取りはらった三つの窓からは、いま明るい光が流れこんでいた。

アントワーヌは、なんとも返事をしなかった。彼は、机の上にアンヌからの封筒を見つけ、ベルクにいるとばかり思っていたのにおどろきながら、いそいで封を切った。ひとわたり読みおわると、アントワーヌはまゆをしかめた。《ふたりの家》額ぶちの中に、白絹の部屋着をしどけなく着こなしたアンヌのすがたが思い浮かんだ……彼は機械的に、掛け時計のほうへ目を投げた。そしてポケットの奥に手紙を入れた。おりがわるい……せめて久しぶりで弟とひと晩いっしょにすごそうと思っているのに……

「え？」アントワーヌは、相手の言葉を聞かなかった。「ここではけっして仕事をしない……ここは診察のためなんだ……おれはいつも昔のほうの家にいるんだ……行こう」

廊下のはずれから、レオンがこちらに歩いてきた。

「お手紙をごらんになりました？」

「見た……なにか飲み物を持って来てもらおう、おれの書斎だ」

その書斎、これこそはこの住まいの中にあって、いささか生活のにおいを感じさせるたったひとつの場所だった。じつをいえば、そこには、仕事というよりむしろ複雑乱脈な活動力といったようなものが感じられた。だが、ジャックにとっては、その複雑さこそなにか好感が持てるのだった。山のような書類、カードとか手帳類とか切抜き記事とかが机の上に山とつまれていて、わずかに書き物をする場所がのこされているにすぎなかった。棚の上には使い古された書物、しおりをはさんだ雑誌類、乱雑にとりちらした写真、びんの類、薬品見本などがいっぱいだった。

「かけようじゃないか」アントワーヌは、かけごこちのよさそうな皮の安楽椅子のほうへジャックを押しやりながらこう言った。そして自分は、いくつものクッションをならべたディヴァンの上に横になった。彼は、話をするとき、いつも横になるのが好きだった。「立つか、寝るかだ」彼はいつもそう言っていた。「椅子に腰かけるのは、あれは、官吏のすることだ」彼は、ジャックがひとわたり部屋の中を見まわし、最後に暖炉の上にかざられた仏像に目をそそぐのを見てとった。

「美しいだろう？　十一世紀のものだ。ラムシー・コレクションから出たものでね」

なつかしそうに弟をながめていた彼の眼差しは、たちまち探るような目つきに変わった。

「きみの話を聞こうじゃないか。タバコはどうだ？　で、フランスに帰ってきた用件は？　おそらくカイヨー事件（フランスの蔵相カイヨーに対して、激しい非難を浴びせた『フィガロ』紙主筆ガストン・カルメットを一九一四年三月カイヨー夫人みずから新聞社に乗りこんで射殺した事件）の報道だな？」

ジャックは、なんとも答えなかった。そして、じっと仏像をながめつづけた。貝殻のようにめくれかえった大きな蓮の葉の奥に、仏像の顔は静寂なおもむきをたたえて輝いていた。やがて彼は兄のほうをじっと注視した。その目の中には、恐怖のかげらしいものが浮かんでいた。顔の上には沈痛な表情があらわれ、それを見ていたアントワーヌはなにか不安な思いに駆られた。そしてたちまち、これはなにか新しいできごとによって弟の生活がかきみだされているんだな、と考えた。

レオンが盆を持ってはいってきた。そして、それをディヴァンのそばにおいた。

「返事をしないな」と、アントワーヌは言葉をつづけた。「なんでパリへやってきたんだ？　滞在はそうとう長いのかね？……何を飲む？　おれはあいかわらず例の冷たい茶なんだが……」

ジャックは、いらだったようすでそれを退けた。

「だが兄さん」ジャックはしばらく黙っていたあとで、つぶやくようにこう言った。「兄さんは、フランスでどんなことがおころうとしているのか、気がつきさえもしないのかしら？」

アントワーヌは、ディヴァンのはしにかがみこみ、ついだばかりのガラスの茶碗を両手の中にささえていた。そして、唇をぬらすよりもさきに、レモンとラム酒の軽いにおいのついた茶のかおりに陶然としてかぎ入っていた。ジャックの目には、その顔の上のほうの部分、なげやりなうわのそらといったようすの浮かんでいる眼差しだけしかはいらなかった。（アントワーヌは、いま自分を待っているアンヌのことだけを考えていた。なにしろあまりおそくならないうちに、電話で知らせておかなければ……）

ジャックは、あわや立ちあがって、説明もしないで帰りかけた。

「いったい、何がおころうとしているんだね？」アントワーヌは、姿勢を変えようともせずにこうつぶやいた。そして、いかにも気のなさそうに、弟のほうへ目を移した。

「戦争だ」ジャックは、しわがれた声でこう答えた。

かなり遠い玄関のほうで、電話のベルの鳴るのが聞こえた。

「何?」タバコの煙に目をしかめながら、アントワーヌがこう言った。「また例のバルカンか?」

彼は毎朝、情報にはひとわたり目をとおしていた。そして漠然とではあるが、いつも周期的に中部ヨーロッパの諸政府の頭痛の種になる不可解な《外交的緊迫情勢》のひとつが、いまもまたおこりつつあることを知っていた。

アントワーヌは微笑を浮かべた。

「ひとつ、バルカン国家のまわりに保証地帯をつくるんだな。そして、その中で思うぞんぶん、やつらがひとりもいなくなるまで殺しあいをやらせるんだな!」

レオンがドアを細めにあけた。そして、

「お電話でございます」と、はばかるようなちょうしで言った。

《電話、アンヌだ》と、アントワーヌは思った。そして、すぐ手の届くところに電話があるにもかかわらず、座を離れると診察室のほうへ出ていった。

一瞬ジャックは、じっと兄が出ていったドアのあたりをながめていた。それからとつぜん、まるで最後の断とでもいったように「彼とおれとのあいだには、越ゆべからざるみぞがある!」と、口に出した。(越ゆべからざるみぞ。それを思うとき、彼には何か狂暴な満足感がおこるのだった。)

診察室にはいったアントワーヌは、いそいで受話器をはずしていた。

「もしもし……あなた？」やさしい、燃えるようなコントラルトの声だった。送話器の共鳴がてつだって、ふるえがことさら強くひびいた。

アントワーヌは距離をへだてて微笑した。

「ちょうどよかった……こっちからかけようと思っていたところだ……困ったことがおこってね……ジャックが来たんだ……ジャック、弟のジャックさ……ジュネーヴからやって来たんだ……そうなんだ、まえぶれなしに……今夜、ついいましがた……だからとうぜん……どこからかけているんだね？」

相手の声が、甘えるようにこう言った。

「もちろんふたりの家からよ……あたし、お待ちしていたわ……」

「ゆるしてほしい……ね、わかるだろう？……弟とつき合わなければならないんだ……」

相手がなんとも答えないので、アントワーヌは呼びかけた。

「アンヌ……」

相手はあいかわらず黙っていた。

「アンヌ！」アントワーヌはくり返した。

大きな飾り机の前、受話器の上にかがみこんで、彼はうつろな、不安そうな眼差しを、明るい栗色の敷物の上、書棚のすそ、それから家具の足もとのところへと移していた。

「ええ」相手の声が、ようやくつぶやくようにこう言った。そしてまた沈黙。「あの……今夜おそくまでおいでになるの？……」

いかにもなさけなさそうな声のちょうしに、アントワーヌの心はくつがえされた。

「じゃないと思うんだが。でもなぜさ？」

「だって、今夜、あたしちょっとでもあなたにお会いしないで帰れると思って？……どんなにお待ちしているかわかっていただけたら！……すっかりおしたくできてるのよ……お食事も……」

アントワーヌは笑った。女もつとめて笑ってみせた。

「お食事が見えて？　窓のまえに小さな食卓をすえて……大きな緑のサラダ皿に、小さないちごが山のように。あなたのためなのよ……」ちょっとまをおいたあとで、咽喉にかかった早口で言った。「ねえあなた、ほんとう？　いますぐおいでになれない？　すぐに？　ほんの一時間だけ？……」

「だめなんだよ……十一時か、それとも十二時まではだめなんだ……わかってくれなくちゃ……」

「ほんのちょっとでも？……」

「わからないな……」

「ううん、わかるわ」女は早口に、悲しそうにさえぎった。「どうともしかたがないのね……ざんねんだわ！」沈黙。そして軽いせき。「じゃ、いいわ……あたし、お待ちするわ」相手は、あきらめたようなためいきをついた。アントワーヌには、ひたすら納得しようとつとめている女の気持ちが感じられた。

「ではあとから……」

「ええ……あの！」

「何さ？」

「なんでもないの……」

「ではあとで！」

「あとで！」

アントワーヌは、なおしばらくのあいだ耳を澄ましていた。向こうでも、アンヌは耳に受話器をつけたまま、電話を切る気になれないでいた。アントワーヌは、ちょっとあたりを見まわしたあとで、電話にぴったり口をつけると、キスの音をひびかせた。そして、微笑しながら受話器をかけた。

十五

アントワーヌがふたたび姿をあらわしたとき、安楽椅子から身を動かさずにいたジャックは、兄の面上にただならぬかげを見てとって、はっと心を打たれた。はっきりとではないが、そこにはなごやかな、恋する男といった感動のなごりがうかがわれていたのだった。たしかにアントワーヌは変わっていた。

「失敬……電話のやつ、ちょっとのあいだもじっとさせてくれないんだ……」

そう言いながら、茶碗をおいた低いテーブルに近づくと、ひとくち二くち口をしめしたあとで、ふたたびディヴァンにもどって横になった。

「なんの話をしていたっけな?……そうそう、戦争だ……」

彼にはいままで、ついぞ政治に関心を持つだけの暇がなかった。また、持とうともしなかった。科学的鍛練ということに慣らされていた彼は、社会においても生物の世界におけるとおなじく、すべては問題としてのこされており、しかも解決困難な問題であり、そしてあらゆる分野において、真実の探究には努力と、研究と、それに適した才能が必要であると考えていた。そんなわけで、彼は政治をもって、自分の活動とは別個の種類に属する活動圏であるというふうに考えていた。こうした理づめな手控えの気持ちには、さらにきわめてすなおな嫌悪の気持ちが加わっていた。諸国家の歴史のはしからはしまでに見られる醜悪な事実、それは彼をして、権力の行使からは必然的に一種の不道徳がにじみ出てくるものという信念をいだかせていた。少なくも医者である自分として、まず何よりも考えなければならないきびしい廉直さといったようなもの、それが政治界では必ずしも本則的なものでなく、おそらくそれほど必要とされていないらしいことを考えていた。そんなわけで、彼は政治の動きについてはいつもなにか不信をともなった無関心さで対しつづけ、逓信事務や土木事業の運営に関する以上の興味をはらわなかった。そして——たとえば友人のリュメルのところで——喫煙室でおしゃべりをしているようなとき、たまたま列座の人たちとおなじように、自分としても現在のある大臣の行動についてなにか意見を述べなければならないといったような場合、彼はいつも直截な、現実的な、つとめて単純な見方をもってするのを例とした。つまり、乗合自動車の乗客が、運転手の腕まえをほめたり非難したりするような場合、もっぱら運転手がいかにそのハンドルを動かすという一点からだけ見るのとおなじようなやりかただった。

だが彼は、ジャックもそれを望んでいるようだし、まずヨーロッパ政局の一般について語りあうことから話をはじめようと考えた。そしてジャックの沈黙を破るため、彼はきわめてまじめな気持ちでこう言った。

「では、バルカンにまた新しい戦争の気運でもあるというのかね？」

ジャックは、じっと兄の顔をながめていた。

「ではパリでは、兄さんたち、この三週間以来おこっていることをちっとも気がつかないでいるのかしら？　いやというほど兆候があらわれてるのに！……問題は、もうバルカンでの小ぜりあいくらいではなくなってるんだ。いよいよこんどは、ヨーロッパ全部が一路戦争に向かって突進するんだ！　それなのに、なにも気がつかないで、いつもどおりの生活をつづけているなんて？」

「や、や、や……」アントワーヌは、半信半疑なようすでこう言った。

と同時に、この冬のある朝のこと、ちょうど病院へ出かけようとしていたとき、医師手帳の動員欄の書きかえをしにやってきた憲兵のことを、とつぜん思いだしたというのはなぜだろう。そのとき彼は、自分の配属がどう変えられたのか、それを見ようともしなかったことを思いだした。憲兵が帰ると、彼はその手帳をどこかの引き出しの中にほうりこんでしまった。しかも、それがどの引き出しだったかをさえおぼえていない……

「兄さんはどうもわかってないらしいな……いまの事態は、もしみんなが兄さんのようにやっていたら、すなわち誰も彼もがただ事の成りゆきにまかせていたら、もう不可避というところまでやってきている……いまとなっては、ほんのちょっとしたきっかけ、オーストリア＝セルビア国境でのばかげた発砲事件ひとつあっても、たちまち事変の勃発疑いなしというところまできている……」

アントワーヌはひとことも言わなかった。彼は軽いショックを感じた。一陣の熱風が彼の顔を燃えあがらせた。いまの言葉は、とつぜん彼のうちなる隠れた一点に触れたのだった。それはいままで、いかに特別な感覚をはたらかせても、どうも、はっきり突きとめることのできなかったものだった。彼もまた、一九一四年夏におけるほかの人々とおなじように、空中にただようなにか集団的、伝染的――おそらく宇宙とでもいったような――ばくとした熱気に支配されていることを感じていた。そして、ほんのしばらくではあったが、なにか予感めいた不安なものを感じないではいられなかった。だが、彼はほとんどすぐに、そうしたばかげた不安を克服した。そして、例によって極端なものにたいする反抗から、弟にたいして――和協的なちょうしではあったけれど――好んで反対の立場をとったのだった。

「もちろんその点について、おれはきみほどの情報は持っていないよ……だが、それにしても西ヨーロッパにおけるような文明を前提として考えるとき、全般的に戦争がおこるなんていう見こみはほとんど想像できないな！　そこまでいくには、なんにしても人々の考えに大転換が行なわれなければならない！……それには時を要する。何カ月、おそらく何年といった時が……そのあいだにはほかの問題がおこってこよう。そして、現在の問題の力も、それにさらわれてしまうことになろうじゃないか……」

彼は、自分自身の論理にすっかり平静をとりもどしながら微笑して見せた。

「そうした危険は、何も事新しいものではない。すでに十二年まえにも、ルアンで、ちょうどおれが軍隊にいたころ……そうだ、戦争や革命の予言だったら、いつの世にも不幸を予言する者に事欠かなかった……そしてなによりおもしろいのは、そうした悲観論者がその予見の基礎をおいている兆候なるものが、つねに正しいものであり、たしかに心配に値するものだという点にあるんだ。それにもかかわらず、なんびともが考えていなかったような、ないしその正しい価値において考えていなかったようなひとつの理由がはたらいて、予見とちがった発展が見られ、自然に解決されてしまうことになるんだ……そして人生は、なんとかかんとか続けられていく……平和についてもぜんぜんおなじだ！」

ジャックは、首を肩の中に埋め、ひたいにひとたばの髪の毛をたらしながら、じっとこらえて聞いていた。

「だが兄さん、こんどというこんど、事はきわめて重大なんだ……」

「え？　オーストリア＝セルビア間の紛争がか？」

「それもひとつの動機なんだ。それは、予定されたできごとといおうか、おそらく故意に誘発されたできごとなんだ……だが、すでに何年というまえから、過度の軍備拡張をつづけてきたヨーロッパの楽屋裏には、発酵しきっている何ものかがあるんだ。兄さんが、しっかり平和に腰をおろしているものとばかり思いこんでいる資本主義社会のごときにしても、それはいま、表面にあらわれない苛烈な対立によって引きむしられ、あてもなくさまよっている状態なんだ……」

「だが、それはいまにはじまったことでもなかろうじゃないか?」

「ちがう!……いや、おそらくそうだったにちがいない……だが……」

「わかるさ」と、アントワーヌが言葉をはさんだ。「あのプロシャのミリタリズムが、ヨーロッパ全土を極端な軍備拡張にまで駆りたててるんだ……」

「それはプロシャだけにはかぎらない!」と、ジャックがさけんだ。「おのおのの国家が、すべてミリタリズムを行なってる。そしてその口実として、自国の利益が危険に瀕しているといってるんだ!……」

アントワーヌは、首を振りながら聞いていた。

「利益、なるほど、それにちがいない。だが、利益の争いなら、たといそれがどんなにはげしいものであろうと、戦争にまで持っていかないでもじゅうぶん考えられることではないだろうか! おれは平和を信じている。それでいて、おれは闘争も生活の条件であると思っている。さいわい今日では、各国は、武器による殺しあい以外に、別な戦争の方法を持ってるんだ! ああした方法は、バルカンのやつらにかっこうなのさ！……あらゆる政府は——おれの言うのは大国の政府の場合だが——たとい最大の軍事費を計上している国においてさえ、明らかに戦争をもってもっとも憎むべきことと考える点において一致している。もっともおれは、責任ある政治家たちが、その演説の中で述べていることをくり返して言っているにすぎないんだが」

「もちろんだ！　彼らは、言葉のうえでは、すべて国民に向かって平和を説いている！　だが、彼らの中の大部分は、戦争は周期的におこる避くべからざる政治的必然であり、いざといったときにはそこからうまい汁——最上の利益を引き出さなければならないことを確信しているんだ。というのは、その利益というやつこそ、あらゆるとき、あらゆる場合を通じ、あらゆる罪悪のいつも変わらぬ原因をなしているからなんだ！」

アントワーヌは考えこんでいた。彼は、別な抗議を持ち出そうと思った。だが、早くも弟は言葉をつづけていた。

「ねえ、現在のヨーロッパの指導的立場には、六人ばかりの物騒な大愛国者たちがいる。そいつらが、参謀本部の不逞な命令一下、おのおのきそって自分の国を戦争にかり立てるんだ。これは知っておかなければならないことだ！　そのうちのある者、もっとも破廉恥をきわめたやつらは、ちゃんと自分の落ちつく先を知っている。彼らは戦争を望んでいる。そして何か陰謀でも企てるようにそれを準備している。というわけは、そうなったあかつき、事態は自分たちに有利になるだろうという確信を持っているからのことなんだ。これは明らかに、オーストリアのベルヒトルトといった連中の場合だ。ペテルスブルグのイズヴォリスキー、サゾノフといった連中の場合もこれとおなじだ……ところが別のやつら、僕は彼らが戦争を望んでいるとは言わない。そのほとんどすべてが戦争を恐れているからなんだ。だが、彼らにはあきらめがある。というのは、彼らは戦争を運命的なものと思っている。そして、戦争を避け得ざるものと考えること、これこそ政治家の頭に巣くっているいちばん危険な確信なんだ！　彼らは、戦争を回避するため、あらゆる手段を講じようとするかわりに、ただひとつのことだけを考えている。すなわち、あらゆる機会に、できるだけ早く、勝利の機会を増大させようということなんだ。そして、平和を守るために用いられるすべての力を、まえにあげた連中とおなじように、戦争準備のために用いているんだ。いうまでもなく、カイゼルと、その大臣たちの場合がこれだ……おそらくそれはイギリス政府の場合でもあるだろう……そしてたしかにフランスでは、ポワンカレの場合がこれにあたる！」

　アントワーヌは、はげしく肩をそびやかして見せた。

「ベルヒトルト、サゾノフ、といったな……それについてはなんともいえない。というのは、おれがほとんどその名まえさえも知っていない連中だからだ……だが、ポワンカレが？　ばかな！……フランスでは、デルーレード（フランスの詩人。一八四六―一九一四。愛国的勇壮な作品をもって有名である）ふうの気ちがいどもを別として、誰がいったい武力による光栄、ないし復讐なんかをねがっていよう？　フランスはそのあらゆる部面、あらゆる社会層において、絶対平和主義なんだ！　そして、いたしかたなくヨーロッパ紛争にまきこまれるようなことがあるにしても、次の一点だけは疑いない。すなわちなんびとも、フランスがその何かしたといって非難し、フランスにたいし、最小限の責任たりとも負わすことができないだろうということなんだ！」

ジャックは椅子からおどりあがった。

「とんでもない！……兄さん、そんなことを考えてるのか？……とんでもない！……」

アントワーヌは、確信のある、人の心をつかむような、あのいつも患者を見るときの眼差しで弟をながめた（この眼差し、その生きいきとした輝きは、見たてちがいのない診断のしるしといったように、いつも患者たちに大きな安心をあたえていた）。

ジャックは、立ったままじっと兄を見つめていた。

「兄さんは腹がたつほど人がいいんだ！……共和国の歴史を、その初めから見直さなければいけないんだ！……兄さんは、四十年来のフランスの政策を、心から平和国家のそれだと言いきることができるかしら？……そして、ほかの国の権力乱用にたいして、抗議する権利がフランスにあると思っているのかしら？……わが国の植民地についての貪欲ぶり、とくにわが国のアフリカ政策、それが諸外国の食欲をそそりたてるにあずかって力あったとは思わないのか？　他国にたいして、併合という恥知らずの手本をしめしたとは思わないのか？」

「そういきまくなよ！」と、アントワーヌが言った。「わが国のモロッコ侵入は、おれの知ったかぎりにおいてけっして違法な性質を持ってはいなかった。おれはあのアルジェジラス商会のことをおぼえている。あれはたしかに、ヨーロッパ諸国の委任をうけて、スペインとフランスとが、モロッコ平定をやったのさ」

「その委任というやつからして、力ずくで奪い取ったものなんだぜ。そして、われらにそれをあたえた列強にしても、こんどは自分たちがその先例をうまく利用しようと考えてたんだ。現に彼らは何をしたか？　たとえば、わが国がモロッコ遠征をしなかったとしたら、イタリアがトリポリに、オーストリアがボスニアにおどりかかったりしただろうか？……」

アントワーヌは、信じられないといったように顔をしかめてみせた。だが、こうした問題に通暁していない彼としては、弟の言葉を切り返すわけにもいかなかった。

いっぽう弟は、ますます勢いに乗じていた。

「では、あの同盟はなんだろう？　フランスは、その平和的希望を証明するためロシアと軍事同盟を結んだというのだろうか？　ロシアとツァー(旧帝政ロシア皇帝)とが、革命の国フランスと同盟したのが、時いたらば、オーストリアにたいし、ドイツにたいし、その企てるであろう大賭博にフランスをまきこむためであることぐらい、だれでもみんな知ってるんだ！　イギリス外交の支持者であるデルカッセ(フランス外相)が企てたドイツ包囲の政策、兄さんはそれを平和的工作だと思っているのか？　その結果おこったのが、兄さんもさっき話したような、プロシャにおけるミリタリズムの沸騰であり、促進であり、激成だった……その結果、ヨーロッパ全土にわたり、戦争材料、要塞、造艦、軍事鉄道そのほか驚くべき濫造をみた……フランスでは、最近四年間に百億フランの軍事公債！　ドイツでは八億！　ロシアではフランスから借款の六億フランで鉄道をつくり、それで西部ドイツへの軍隊輸送をやろうという！……」

「……やろうという！」と、アントワーヌはつぶやくようにこう言った。「いつかはね……それも遠い未来のことなのさ……」

ジャックはかまわず言葉をつづけた。

「大陸のはしからはしまで気ちがいじみた軍備競争、それがすべての国を滅ぼし、本来ならば社会改良のために役立つであろう何十億という金を、軍事費につぎこむことを余儀なくさせているんだ……気ちがいじみた競争、奈落めがけての競争なんだ！　それには、われら――われらフランス人も一部責任を持っている。しかもわれらは、それを平気でつづけているんだ！　フランスがエリゼー宮（大統領官邸）にあのロレーヌ生まれの愛国者（レーモン・ポワンカレ）を送ったのは、はたして世界をその平和的意図のうえに安定せしめるためであったろうか？　あらゆる国家主義的熱狂分子が、彼をたちまち愛国主義者の権化として祭りあげはしなかったろうか？　彼が大統領に選ばれるや、たちまち復讐戦への希望をよびさまし、イギリスでは、ドイツの競争をたちまちたたき倒してくれるだろうというので、イギリス商人の希望をわきたたせ、ロシアでは、つねにコンスタンチノープル併合を望んでいる帝国主義者たちの意欲をそそりたてたりはしなかったろうか？」

興奮をおさえきれずにいるジャックを見ながら、アントワーヌは笑いだした。彼にはいま、ジャックに引きずりこまれることなく、上きげんでいられるという腹ができていた。彼はこの対話をもって、単に一場の理論の遊戯、政治的仮定を駒とした西洋将棋の一ゲームぐらいに考えていた。

アントワーヌは皮肉なようすで、弟が捨てた椅子を指して見せた。

「掛けないか……」

ジャックは、何かにくにくしげな眼差しで兄をながめた。だが、彼はポケットに両のこぶしをつっこむと、そのまま椅子に腰をおろした。

「ジュネーヴから見ていると」ジャックは、しばらく黙っていたあとで言った。「——というのは、ぼくの暮らしているインターナショナルの社会からの意味なんだ——各国間の微妙な相違は姿を消し、一種の距離を隔てて見ることによって、ヨーロッパ政局の一般的な見とおしというものが得られるのだ。そこでだ、あっちで見ていると、フランスが日に日に戦争に向かって進んでいることが一目瞭然なんだ！　そして、その進行過程において、たとい兄さんがどう考えようと、ポワンカレを大統領に選んだことは、まさに決定的な一時期を画していると思うんだ！」

アントワーヌは微笑をつづけていた。

「あいかわらずポワンカレか！」茶化すようにこう言った。「もちろんおれは、人から話に聞いただけのことなんだが……うわさのうるさいエリゼー宮で、彼は異口同音に尊敬をあつめているということだ……ケー・ドルセー(外務省)にあっても同様だ。ポワンカレ内閣の下で働いたリュメルに聞いた話だが、卓然たる人物、大臣としても廉直精励、誠実な政治家、秩序を愛し、出たとこ勝負を何より憎む人物だということだった。ばかばかしい、人もあろうにポワンカレが……」

「それはちょっと待ってもらいたいな！……」ジャックが言葉をさえぎった。ポケットから手を出した彼は、熱に浮かされたようなしぐさで、ひたいの上にたれかかる髪の毛をいく度となくかきあげた。明らかに、興奮をおさえようとしているようすだった。彼はしばらく目を伏せていたあとで、ふたたびきっと目をあげた。

「言いたいことがたくさんあって、どれから話していいかわからないんだ……」と、ジャックが言った。「ポワンカレ……まず人物と政策とは区別して考える必要がある。だが、政策を理解しようと思ったら、まずその人物を知らなければ……その全貌を！　ところで、この闘争的な闘士のかげには、神経質でしかもたくましく、いつも軍事的なことに興味をしめしているへたな猟歩兵の将校といったようなところのあるのを見のがしてはならない……《秩序を愛し……卓然たる人物》たしかにそれはあたっている。正義感。誠実さ。だが、それは一徹者の誠実さだ。親切な男ともいわれている。それもたしかにちがいあるまい。彼は、たいていの手紙の終わりに《きみが忠実なる》と書く。これは単なる形式とはいわれない。たしかに、人の役にたちたいと思ってるんだ。つねに不正と戦い、非違をただそうと思ってるんだ」

「おやおや、だいぶ風むきがよくなったな！」と、アントワーヌが口をはさんだ。

「待ってほしい！」いらだたしげにジャックが言った。「ポワンカレの場合、ぼくは『ファナル』紙に出した論文をかなりくわしく調べてみた……何より彼は強情だ。負けるということを知らない、ぜったいゆずるということを知らない、もちろん彼は聡明だ！……推理的、論理的な聡明さだ。つまり大局にわたっての見とおしを持たず、天才的なところのない聡明さだ……信じられないほどな頑強さ！ 頭は鋭く働くが、いささか近視眼的たるをまぬかれない。記憶力は人に絶しているにしても、それも瑣末な点についての記憶力だ……弁護士たるには完全無欠なものだろう（ポワンカレは弁護士出身である）。――りっぱな弁護士だった。つまりは、思想よりも言葉をあやつるに巧みなもの……」

これにはアントワーヌが反対した。

「単にそれだけのことだったら、どうして政治的にあれほどな成功がおさめられるものか」

「それは彼の驚くべき勉強の結果なんだ。それに、財政的知識のためでもある。議会にはそうした人物が少ないんだ」

「その廉直さによるものなのさ。あの社会では、それはたしかにめずらしい。そして、いやでも重きをなすゆえんだ……」

「だが、彼の成功は」と、ジャックが言った。「それは彼自身にとっても、思いがけないものだったにちがいない。そして、それが少しずつ彼の野心をそそりたてていったのだ。論より証拠、彼は野心家になった。そして、いろいろな点から察するところ、いまでは歴史的役割を演ずることをまんざらでもないと思っているらしい。というより、フランスに、何か歴史的役割を演じさせる人物になること、フランスに新しい威光をあたえること、そして、それに自分の名を結びつけることをまんざらでもなく思っているらしい。何よりも心配なのは、国家的名誉ということについての彼の考え方だ。愛国主義なるものの宗教的な意味なのだ……それも、ロレーヌに生まれた彼、もぎとられた国土（普仏戦争の結果、ロレーヌ州はドイツに合わされた）にその青年期をすごした彼として考えられないことではない……何十年というあいだ、復讐に燃え、失われた国土の回復を念じつづけた土地に生まれ、そうした世代に属している彼だ……」

「それもよかろう」と、アントワーヌが一歩ゆずった。「だが、そのことからすぐに、彼が戦争をせんがために権勢にありつこうと思ったと言いきれるかな！……」

「待ってほしい」と、ジャックが言った。「も少し話を聞いてもらおう……いまから二年半の昔、彼が首相になったとき――いまをさる十八カ月以前、彼が大統領にあげられたときといってもいい――もし誰かが彼に向かって《あなたはフランスを戦争にかりたてている》と言いでもしたら、彼はもちろん心の底から憤慨しておどりあがったにちがいない。だが、ここで思いだしてもらいたいんだ。一九一二年一月、彼はいかなる事情のもとに首相になったか？　誰の後任として？　カイヨーのだ……しかるにそのカイヨーたるや、フランスをして、ドイツとの戦争を回避させたその人なのだ。そして、独仏永久の接近のため、その杭を打ちこみさえした人なのだ。こうした平和的政策を行なったればこそ、カイヨーは国家主義者たちによってくつがえされた。そして、その彼をポワンカレがおそったというのは――ぼくはあえて戦争をせんがためとは言わないが、そこにはやはり国民こぞって、彼がドイツにたいし国家主義的政策、つまりあまりに和協的だったカイヨーの政策と絶対反対な政策をとるにちがいないと、期待していたからにほかならないんだ。論より証拠、彼はたちまち《包囲》主義者だった老デルカッセの再起を促し、これを外務大臣の椅子にすえたじゃないか！……そしてその後一年、大統領になったとき、彼を選んだ多数党とははたして何ものであったろう？　資本主義的ブルジョワジーにほかならないんだ。すなわちいまもなおジョゼフ・ドゥ・メーストル（フランス十九世紀の熱烈なる宗教的論客。政治、宗教の面について、激越なる権力至上論を説く）とおなじように、戦争はひとつの生理的必然であり、きわめて自然的なものであり、好ましからざるものではあるにしても、周期的に必然的なものと考えているようなやからなのだ……もちろん彼らは、復讐戦をおこさせるため、一挙手一投足をこころみようとはしないだろう。それでいながら、そうした仮説はたちまち彼らを陽気にさせる。そして、時いたれば、たちまちその危険をさえ甘受しようとしているのだ。そうした反動的ブルジョワジーの化石ども、ぼくらは昔、この家でのお父さんの宴会の席上、そうしたやつらをかなり身近に見せられた！……しかも、共和国といくぶんそりのあわないそうした右党の面々には、こうした底意さえひそんでいるんだ。すなわち、もし戦争がうまくいったら、それは勝利者たる政府に独裁的勢力をあたえることになるだろう。そうすれば、政府は社会主義者の台頭をはっきり押さえ、彼らの共和主義的扇動をすっかり払拭することができるだろう、と。彼らは、軍隊化され、規律化されたフランスの夢に酔っているんだ。勝ち誇ったフランス、超高度の軍備を持ち、巨大な植民帝国の上にどっしり腰をおろしたフランス。そして全世界は、こうしたフランスの前を羊のように行進するにちがいない……愛国主義の面々にとってはなんとも楽しい夢なのさ！」

「だが、政権を取って以来」と、アントワーヌは、いきあたりばったりに言葉をはさんだ。「ポワンカレはいつも平和的意図を語っているぜ……」

「ふん」と、ジャックが言った。「ぼくもそれが本心であってほしいと思っている。だが、平和的膨張策というやつは、外交がよくそれに成功しないかぎり、たちまち戦争意図に転換するんだ。ところで、ここに考えなければならないことがある。そして、その結果は計り知れないものがあるんだ。すなわち、これは数年まえから世人周知のことなんだが、ポワンカレは盲目的にふたつの確信にとりつかれている。そのひとつは、英独間の紛争は宿命的なものであるということ……」

「きみ自身も、さっきそんなことを言ったな……」

「ちがう。ぼくは宿命的とは言わなかった。おそれがあると言ったんだ。第二は、ドイツはとりわけアガディール事件（一九一一年、ドイツはモロッコのアガディール港に一巡洋艦を派遣したことで、独仏間に異常な緊迫事態を惹起した）以来、フランスをやっつけようと考えて、準備おさおさ怠りないという考えだ。これが彼にとってのふたつの固定観念で、彼は断じてこれを改めようとしないんだ。そして、力のみよく相手を恐れさせ、平和を確保するものであると信じている彼のことだ。その結論として何をひき出してくるかはわけなくわかろう。すなわち、フランスにしてドイツの攻撃をのがれうる道があるとしたら、それは、フランス自身、ますます恐るべき存在となるべきであるということなのだ。すなわち、あくまでも軍備だ。すなわち、御しがたきものになること、攻勢的なものになることなのだ……これをしっかりのみこんでかかると、すべてははっきりわかってくる。すなわち一九一二年以来の内外にわたるポワンカレの活動は、きわめて論理的に明白なものとなってくるんだ！」

アントワーヌは、クッションのあいだに身を横たえて、落ちついたようすでタバコをふかしていた。彼は、弟の興奮におどろきながら、注意ぶかく聞き役にまわっていた。いっぽうジャックの声も、海にしずまる潮騒のように、しだいしだいになごんでいった。彼としてもいつもしなれたこの議論、一瞬兄にたいして優越感といったようなものを感じさせたこの議論のうえに、彼はどっしり腰をすえた気持ちだった。

「何か講義でもしているようだな。きまりがわるいや」ジャックは、つとめて微笑をよそおった。

アントワーヌは、親しみをこめた眼差しで弟をながめた。

「どうして、どうして、さきを聞こうや……」

「ぼくは、内外にわたって、と言った。まず対外政策からはじめよう。それは、先手を打つという意味において故意に攻勢的なものだった！　その一例は対露関係だ。ドイツが露仏協定を気に病む？それもしかたのないことなんだ。ポワンカレの恐れている戦争の場合、ドイツの侵入に抗するためにはなんとしてもロシアの援助が必要だ。そこで、ドイツの気を病むことなどおかまいなしに、公然と露仏同盟を強化しようと思っているんだ！　だが、それには恐ろしい危険がともなっている。というのは、それは汎スラヴ主義の片棒を担うことになるからなんだ。オーストリアとドイツとを目の敵にしている汎スラヴ主義の敵対意図は、誰知らぬもののないひとつの秘密だ。だが、ポワンカレはそんなことなど気にしていない！　あぶない仕事にひきずりこまれる危険よりも、たったひとつの同盟国とのきずなのゆるみを恐れているんだ。そして、この政策遂行のため、彼は絶好の相棒を見いだした。すなわち、ロシアの外務大臣サゾノフ。他のひとりはイズヴォリスキー、パリ駐在のロシア大使だ。彼は、昔からの同腹の友人デルカッセを、ペテルスブルグ駐在フランス大使としてロシアに送った。

指令。ロシアの戦争気構えをそそりたて、武力政策のためこれと緊密に提携すること。すべて十全の策がめぐらされていた。ぼくたちは、きわめて正確な情報網をジュネーヴに持っている。二年まえ、首相としてはじめてペテルスブルグに出かけたときから、ポワンカレは、ロシアの侵略政策に色よい態度をしめしていた。そして事態の進行に恐ろしい結果をもたらすであろうこんどの旅行は、彼としてたしかに、先方の要路の人々につき、準備万端ととのっているか、いったん合図のありしだい条約が効果を発揮するにちがいないか、それを現地にたしかめようという気持ちからにほかならないんだ！」

アントワーヌは、片ひじついて身を起こした。

「だが、それはまだ事実とはいわれない、単なる想定にすぎないんだ！」

「ちがう。兄さんとぼくらとで、考え方にあまりにへだたりがありすぎる……ポワンカレがはたしてロシア側にだまされているのか、それとも相棒になっているのか？　そんなことなどどうでもいいんだ。事実として、ポワンカレのロシア政策には心胆を寒からしめるものがある。なるほど論理的であるにはちがいない！　だがそれは、鉄のごとき意思をもってロレーヌ州における戦闘行為のことを考え、そのためにはロシアが東部プロシャに侵入することを必要と考えている男の政策なのだ……イズヴォリスキーといったような男が、ポワンカレの好意とか援助とまではいえないにしても、少なくもその承認のもとに、パリでいかなる役割を演じているかを知らなければならない！　兄さんは、フランスにおける戦争宣伝のため、ロシアの機密費がどれほど使われているかを考えたことがあるだろうか？　兄さんは、フランスの世論買収のため、そうした巨額なルーブルが、フランス政府のけしからぬ承認どころか、その現実の、そして日ごとの共謀のもとに吐き出されているという事実に気がつかないのか？」

「まさか！」アントワーヌは半信半疑にこう言った。

「こうなんだ。兄さんは、ロシアの機密費が、誰の手によってフランスの大新聞にばらまかれていると思っている？　大蔵大臣自身によってだ！……それについては、ぼくたちジュネーヴでちゃんと確証を握っているんだ。それにオスメールといったような男の口から――ヨーロッパの事情に精通しているオーストリア人だ。彼は口ぐせのようにくり返している。すなわち、まえのバルカン戦争以来、西欧諸国の新聞という新聞は、そのほとんどすべてが、戦争に関心を持つ国々のお雇いになっているって！　そうしたわけで、西欧諸国の世論は、ここ二年以来、中央ヨーロッパやバルカンでは、文字の読める人であるかぎり戦争必至を考えないではいられない恐るべき抗争状態のことを、まったく知らないで暮らしているんだ！……だが、新聞のことはひとまずよそう……だが、これはけっして全部ではないんだ……ちょっと待って……ポワンカレについては、無尽蔵の材料がある！……ぽつぽつ話していたんでは、とてもすべては説明できない。国内政策の方面を見ようか。これもまた、国外政策と同歩調。じつにつじつまが合ってるんだ。まず、第一には軍備増強の再強調――これによって受ける工業家組合の利益はきわめて大きい。その裏にまわっての力、それはいかにもものすごいかぎりだ……三年兵役……兄さんは、議会の討論をずっと注意していただろうか？　あのジョーレスの演説を？……さて、次には、一般人の考え方への働きかけだ。《フランスでは、もう誰ひとり軍事的光栄を夢みるようなものはない》と、兄さんは言った。兄さんには、ここ数カ月以来フランスの社会、とりわけ青年層に燃えあがっているあの愛国的な、好戦的な興奮がわからないのか？　これについても、ぼくの言葉に誇張はないんだ……そして、これもまたポワンカレ自身のしわざなんだ！　彼は計画を持っている。いざ動員となったあかつき、政府に白熱化した世論、それは単に政府のなすところを承認し、それに従ってくるというだけでなく、政府をかつぎ、それを押しすすめる役まで買おうという世論の必要を知っているんだ……一九〇〇年のフランス、あのドレフュス事件以後のフランスは、あまりに平和主義に傾きすぎていた。軍隊は信用を失い、民衆の心はそれからまったく離れていた。民衆は平穏無事の習慣に慣れきっていた。そこで、国民的不安をかきたてる必要があった。青年層、とくにブルジョワ階級の青年層は、盲目的愛国主義の宣伝のためにきわめて打ってつけの苗床だ。そして、結果はまさに思うつぼにはまったのだ！」

「なるほど、若い国家主義者もいないことはない。それにはべつに反対しないが」と、アントワーヌは、その協力者のひとりマニュエル・ロワのことを思い浮かべながら言葉をはさんだ。「だが、それはきわめて少数だ」

「その少数が、毎日毎日数を増していきつつある！　きわめてぶっそうな少数者。彼らはたえず軍隊にはいり、何か記章をつけ、旗を振りまわし、軍隊行進についてゆくことばかり考えている！　そしていま、ほんのなんでもないことを口実にしては、ジャンヌ・ダルクの像の前や、ストラスブールの像（パリのコンコルド広場に立てられているフランス各州をあらわした像の中で、アルザスの首府ストラスブールをあらわしたもの。アルザス・ロレーヌが普仏戦争の結果ドイツに割譲されて以来、この像には喪章がつけられていた）の前で示威行進をやりたがっているんだ！　そして、その感染力はきわめて大きい！　一般の人々――下っぱのサラリーマンとか商人とかも――必ずしもそうした示威運動、そうした狂激な興奮にたいしてむとんじゃくではあり得ないんだ……いわんや、政府によってひきまわされている新聞という新聞が、すべての人々の頭をおなじ方向に向けさせようとしているにおいておや、だ……いまやフランス国民は、自分たちは脅やかされている、そして安全たらんがためには腕力にたよる以外に道がなく、力をしめす必要にせまられ、そのためには水ももらさぬ軍備を承認すべきであるというふうに納得させられていきつつある。すなわち、フランスには、じつに巧みに、兄さんたち医者の連中が精神病とよんでいるもの、戦争的精神病がつくられつつあるんだ……そして、いったん国民のあいだにこうした集団的な不安、こうした熱病、こうした恐怖を目ざめさせた以上、これを駆って恐るべき狂乱におもむかせることはきわめて容易なことなのだ！……要するにこれがバランス・シートだ。ぼくは必ずしも、ポワンカレが近くドイツに宣戦するだろうなどとは言わない。そうだ、ポワンカレとベルヒトルトはちがっている。だが、平和を守るつもりだったら、まずそれが可能であると思いこむことが第一だ……しかるにポワンカレは――まず紛争が不可避であるという考えから出発し――戦争の機会を回避しようとするかわりに、むしろそれを助長させる政策を考え、それを行なってきた！　ロシアの戦争準備と併行するわがフランスの軍備拡張は、とうぜんのこととしてベルリン政府を震駭（しんがい）させた。ドイツ軍閥は、これを機として自国の軍備を増強した。露仏同盟化の事実は、ドイツをして《包囲政策》を恐怖することをきわめてとうぜんのことと考えさせた。そしてドイツの将軍たちは、この包囲圏からぬけだすためには、もはや一戦によるほかなしと公々然と述べている。しかもそのうちのいく人かは、自衛上むしろ進んで戦う必要をさえさけんでいるんだ！……これらすべて、その大部分がポワンカレの工作によるのだ。イズヴォリスキー＝ポワンカレ政策のきわめて明白な、また辛辣な結果として、ドイツはポワンカレが考えていたようなもの、すなわち攻勢的なもの、ひとつの好戦国家となるにいたった……われらはいま、地獄の圏内を動きまわっている。そして、もし三カ月の後、フランスがヨーロッパ戦争にたたきこまれるような日がくるとしたら――それはじつに、ロシアが根気づよくそれを準備し、いっぽうドイツが絶好の機会を利用すべく、おろかしくもその到来に身をまかせている戦争なのだ――そのときポワンカレは、これ見よがしにさけぶだろう。《それみたことか、われらは危険にさらされていたのだ！　より強力な軍隊、より信頼しうる同盟をと望んでいたことがわかったろう！》と。そして、自分自身の錯覚により、ロシアとの親近により、その悲観的見通しによる政策により、その見せかけとは反対に、彼自身戦争責任者のひとりであることなどには気がつきさえもしていないんだ！」

アントワーヌは、いまはただ弟に話させておくことにきめていた。だが心の中では、そうした非難攻撃をかなり支離滅裂なものと考えていた。彼は、話の途中に、いくつかの矛盾した点を拾いあげた。論理的であり、現実的である彼の頭脳は、全体として薄弱な、整頓のないような弟の議論に反発を感じていた。彼は、いつもに変わらず皮相的であり、かつ子供らしいものにさえ思われる弟の見方に、観察力不足の結論をくださずにはいられなかった。大まかな見方と、観察力の不足……もしいま地平線上に何かもやもやした危険があるというのが事実なら、たといエリゼー宮におさまってはいても、なおすぐれた活動力を持っているポワンカレとして、とうぜん適当な時期にそうした雲を吹き払うこともできるはずだ。彼こそはたしかに信頼のできる男だ。そして、すでに大政治家としての手腕をじゅうぶん見せてくれた彼ではないか。リュメルも彼を賛嘆していた。ポワンカレのような冷静な人間、それが復讐戦を思い描いていようなどとはまったくもってばかばかしい。戦争を欲しないポワンカレのような人間が、単にそれがおこるかもしれないというだけのことで、ないしそれが宿命的なものであると考えただけで、それを不可避なものででもあるかのように行動するとは、これまたばかばかしい考え方といわなければならない。まったくもって児戯に類する！　きわめて幼稚な常識から考えても、ポワンカレが——そして彼と同様にフランスのあらゆる政治家たちが——自国に冒険をおかさせないため、何をおいても断固たる決心をなすべきぐらいは知っていなければならないはずだ。理由をあげればいくらもある。まず第一に、ポワンカレは、今日ロシアにしてもフランスにしても、そうした大賭博をみごとやってのけられそうな態勢にないことをだれよりも知っているはずだ。ついこのあいだも、リュメルがそのことを話していた。それにジャック自身も、暗黙のうちに、ロシアの輸送機関、戦略上の交通網の不備を認めているではないか。ロシアが六億の借款をしたというのも、こうした不備にそなえるためにほかならないのだ。いっぽうフランスでは、ドイツの常備兵員数の水準に達するため不可欠と認められる三年兵役制のごとき、やっと議会を通過したというばかりで、まだその効果を発揮するまでにはいたっていないし……。だが、こう考えはしたものの、アントワーヌには、できればそうしたいと思ったように、弟の主張全部を粉砕してのけるため、それに必要な正確な知識の持ちあわせがなかった。いきおい沈黙しているほうが得策だった。いずれは事件そのものが、ジャックの誤りを、またあのスイスにいるさまざまな外国人の、そしてジャックに影響をあたえている食わせものの予言者たちの誤りを、おのずから明らかにしてくれるにちがいないのだ。

ジャックは黙っていた。何か急に元気がなくなったといったようすだった。彼はハンケチをとり出すと、それをまるめて顔や襟のあたりをふいた。

彼は、自分の激越な即興的な議論が、兄を納得させなかったであろうことをはっきり感じていた。そして、それがなぜであるかも知っていた。彼は自分が、政治的、平和主義的、革命的といったような種々雑多の方面にわたった議論を、ただ雑然と、系統もなく、無思慮に投げ出したということを知っていた。そして、そうした議論は、大部分《本部》でのおしゃべりの、漠然とした蒸しかえしというにすぎなかった。彼はいま、兄の非難が、それと口に出さずに向けられている自分の鑑識不足にたいし、自分自身で身を刺されるように感じていた。

パリに来てから一週間の時を、彼はとくにフランス社会主義者の考え方を調査するために費やした。そしてとくに力をそそいだのは、ヨーロッパ諸国としての責任所在の問題より、むしろ戦争の脅威を前にしてのフランス社会主義者の反応だった。

不安な彼の眼差しは、部屋の中を行ったり来たりして、どこと一点にとどまらなかった。やがてそれは、両手を首のうしろにまわし、目を天井にそそぎながら、じっと動かずにいる兄の上にそそがれた。

「もっとも」と、ジャックは激したような声で言った。

「ぼくにはなぜかよくわからないんだけれど……これらの点についてはたしかにもっと語らなければならないこと、ぼくが語り得たより以上のことがあるにちがいないと思ってるんだ……かりにぼくのポワンカレにたいする考え方が誤りであるとしておこう……フランスの責任を問うにあたって、ぼくが誇張しすぎているとしておこう……だが、重大なことはそれではない！　重大なこと、それはいま戦争が近づきつつあるということなんだ！　ぜがひでも危険を排除しなければならないということなんだ！」

アントワーヌは、何か疑うような微笑を浮かべた。それを見るとジャックは憤然とした。

「兄さんたちは」と、彼はさけんだ。「自分たちが無事安穏でいるということに、じつにけしからん信頼をつないでいると思うな！　ブルジョワ階級がついに事態をあるがままの姿においてながめなければならなくなったとき、そのときはすでに手おくれなんだ……事態は加速度的に進んでいる。きょう七月十九日の『マタン』（フランスの大新聞）をみるがいい。そこにはカイヨー事件の裁判のことがのっている。夏休みのこと、海水浴のこと、夏の懸賞競技の記事がのっている。だが同時に、その第一ページには、けっして偶然にのせられたものではないひとつの記事、《戦争勃発せば！……》という爆発的な文字にはじまるひとつの記事がのっているのだ。これが目下の実情だ！　西欧はまさに一個の弾薬庫だ。どこかで一点火花が散ったら！……しかも兄さんたちは、さっきのようなちょうしで《なに、戦争だって？》と、言っている。兄さんたちの考えでは、それは口で言うのと変わりのない、単にひとつの言葉というにすぎなかろう！　兄さんたちは《戦争》という。しかもだれひとり《前例なき殺戮》《責任なき百万の無辜の犠牲》のことなど考えてさえもいないんだ……もし兄さんたちの考えが、一瞬たりともその麻痺状態から脱し得たら、兄さんたちは、まず兄さんを先導として、立ちあがらずにはいられまい！　なんとかひとつ手を打つために！　まにあううちに戦うために！」

「だめさ」と、アントワーヌは泰然として言ってのけた。

彼は、なおしばらくのあいだなんの感情もあらわさないでいた。

「だめさ！」彼は、顔をふり向けようともしないでふたたび吐き出した。「おれはしないよ」

弟の提出した問題によっていやおうなしに動揺を感じていたにもかかわらず、彼は心に不安のはいりこむことを、いままでのがっしりした生活、そのうえに自分自身の平衡が保たれている生活のくつがえされることをがんとして拒みつづけていた。

彼は、軽く身を起こして腕組みをした。

「だめだ！　だめだ！　断じてだめだ！……」彼はかたくなな微笑を浮かべながらこう言った。「おれは、世間のできごとに立ち入るために立ちあがるような人間ではないんだ！……おれには、はっきりきまったおれ自身としての仕事がある。おれは、あしたの朝八時に、ちゃんと自分の病院に出かけていく人間なのだ。おれには第四号のフレグモンの患者があり、第九号の腹膜炎の患者がいる……毎日毎日、危険の第一歩から救い出してやらなければならないきのどくな子供たちがたくさんいるんだ！　だからおれは、そのほかのことにたいしては《だめだ》と言う！……なすべき仕事を持っている人間は、自分と関係のないことにかかずらって気を散らしたりしてはならないのだ……おれには仕事がある。おれには、おれが専門として解決しなければならない的確な、限定された問題がある。そして、それはしばしば一個の人命の将来――いや、往々ひとつの家族の将来にまで関係するんだ。で、わかるだろう？……おれには、ヨーロッパの脈をさぐるというより以外に仕事があるんだ！」

　彼はまた、心の底に、政治を担当する人々は原則としてあらゆる国際間の難局に通暁している人々であり、自分のようなしろうとは万事盲目的にそれらの人々にまかせておくべきものという考えを持っていた。フランスの為政者たちによせる彼の信頼は、同様に他の国々の支配者たちについても同様だった。彼は、専門家にたいする生まれながらの尊敬といったようなものを持っていた。

　ジャックは、あらためて注意をしなおしながら兄をながめていた。彼はふと、かつてはそれがさも理性による征服であるかのごとくに考え、世の中の矛盾にたいする精神の勝利であるかのごとく考え、いつもいらだたしさと羨望のまじりあった気持ちを起こさせられずにいなかったアントワーヌの均衡なるものも、じつはこうした懶惰な活動家の自己防衛の具にすぎなかったのではあるまいかと考えた。要するに彼らは、単に自分の値打ちを自認するため――いわば遊戯的に――動きまわっているにすぎないのだ！　さらによりはっきりと考えられたことは、アントワーヌの均衡なるものが、じつは自分らの活動力にたいする——要するにかなり窮屈な——制限、その虫のいい結果ではなかろうかという一事だった。

「きみは、戦争的精神病と言っていたな……」と、アントワーヌが言った。「ふん、おれはそうした心理的な因子にきみほど重要性を認めていないんだ……政治というものは、何よりもまず具体的なものの世界だ。そうした世界においては、人間感情の高貴な感激などというものは、ほかの世界におけるほど感じられるものではないんだ！……だから、たとえきみの言っているような危険が実際に存するにしたところで、われらとしてはなんとも手のくだしようがないんだ。ぜったいいかんともなし得ないんだ。きみであれ、おれであれ、そのほかのなんぴとにしたところで！」

ジャックは、憤然として立ちあがった。

「ちがう！」彼は、いまはおさえようとしてもおさえきれぬ憤激に身をふるわしながら、こうさけんだ。「なに！　こうした危険をまえにしながら、何もできない、背をかがめて自分の小さな仕事をつづけ、ただいたずらに悲劇の到来を待つというのか！　言語道断だ！　だが、さいわい諸国の民衆のため、さいわい兄さんたちのため、そこにはある人々がいるんだ、彼らはつねに危険を見まもり、あす、必要とあらば敢然として命をささげ、ヨーロッパをその危険から……」

アントワーヌは、のぞきこみながらたずねた。

「ある人々？」心にかかるといったようすだった。「どういう人々だね？　きみもそうなのかね？」

ジャックは、ディヴァンのそばに身をよせた。いまは、そのいらだちも消えていた。彼は、じっと兄を見おろしていた。その目の中には、自負と確信とが輝いていた。

「兄さんは、世界に、組織された二千万の労働者のいるという事実だけでも知ってるかしら？」ゆっくり、こう言いきった彼のひたいには汗がにじんでいた。「兄さんは知ってるだろうか、社会主義運動の背後には、闘争、忍苦、協力、不断の進展を語る十五年の歴史があるということを。今日ヨーロッパのあらゆる国の議会には有力な社会主義団体があり、二千万の党員は二十以上の国々に分散し、二十以上の社会党が、世界のはしからはしにかけてひとつの巨大な連鎖、ただ一個の同胞的集団を形作っているんだ……そして彼らの主要観念、盟約のくさびをなすところのものは、ミリタリズム排撃であり、それがいかなるものであれ、どこでおこるものであれ、戦争にたいしてあくまで戦おうという抜くべからざる決意なのだ——すなわち戦争こそは、つねに資本主義のしわざであり、民衆は……」

「お食事の用意ができました」戸をあけながらレオンが言った。

ジャックは、話の腰を折られて、ひたいの汗をふきながらもとの椅子にもどった。それから、下男が姿を消すやいなや、結論がわりにつぶやいた。

「兄さん、これでおそらく、ぼくが何をしにフランスに来たのかわかるだろうな……」

アントワーヌは、しばらくのあいだなんの返答もせずに弟をながめていた。そのまゆげの線のうねりが、深くくぼんだ目の上に一本の緊張したかんぬきをつくり、一心に考えつめていることがうかがわれた。

「よくわかった」アントワーヌは、なぞのようなちょうしでこう言った。

一瞬ふたりのあいだには沈黙があった。アントワーヌは、足の位置を変え、ディヴァンの上に腰かけながら、目をじっとゆかにそそぎ、両方の手のひらの上にあごをのせていた。やがて、肩を軽くゆすると立ちあがった。

「なにしろ晩飯を食うとしようや」彼は微笑しながらこう言った。

ジャックは、何も言わずに兄のあとに従った。

彼は、汗でぐっしょりになっていた。廊下に出ると、あの浴槽(ゆぶね)の記憶がよみがえってきた。ためらいの気持ちよりも誘惑のほうが強かった。

「ねえ」彼はとつぜんこう言ったかと思うと、子供のように赤くなった。「ばかばかしいが、じつはぼく、とても風呂にはいりたいんだ……すぐに、食事のまえに……はいれるかしら？」

「なんだって！」アントワーヌは、おかしさにたまらないようにこうさけんだ。（ばかばかしくはあっても、それはちょっとしかえしのできたような気持ちだった。）「風呂でも、シャワーでも、おかってしだいだ！……こっちへこいよ」

ジャックが風呂をつかっているあいだ、アントワーヌは書斎にもどって、ポケットからアンヌの手紙をとり出していた。彼は、それを読みかえしてから破り捨てた。いままで、女からの手紙は、ただの一本もとっておかなかった。彼は、心に微笑をもらしていた。だが、その顔には、ほとんど微笑のなかった。

かげも見られなかった。彼はふたたび横になると、タバコに火をつけ、クッションに身を埋めて動か

彼は考えていた。それは戦争のことでもなく、ジャックのことでもなく、さらにはまたアンヌのことでもなかった。彼は自分自身のことを考えていた。

《おれはおそろしいほど自分の職業にとらわれている。これが事実だ》と、彼は考えた。《おれにはこのごろぜったいに物を考えるという暇がない……考える、それは患者のことを考えたり、医学のことを考えたりするのとはちがっている。考える、それは世の中のことを思いめぐらすことでなければならない……ところがおれにはそれだけの暇がない……おれは、それを自分の仕事から暇を盗むとでもいったように考えている……はたしてそれでいいのだろうか？　おれの職業的生活、それがほんとの人生全部といえるだろうか？　このおれ自身の一生でさえありうるだろうか？……そのへんどうもおぼつかない……ドクトル・チボーというもののかげに、ほかの何者かがいることがはっきり感じられる。つまりこのおれ自身なのだ……ところが、その何者かが押しころされている……ずいぶんまえから……おそらくはおれが第一回の試験をパスしたときから……その日、ぱたりとねずみ取りの口がしまったんだ！……かつての日の人間、医者たる自分以前に存在していた人間――とはいいながらけっきょく、いまの自分が最後にはそれである人間――それがちょうど、地に埋もれた種子とでもいったように、ずっとまえからなんの発育も見せないでいるのだ……そうだ、あの第一回の試験以来……そして、おれの同僚たちにしてもすべてこのおれとおなじなのだ……いそがしがっている人間たちは、

すべてこのおれとおなじなのにちがいない……優秀なものたちすべてがそれなのだ……というわけは、優秀なものであればあるだけ、いつも自分自身を犠牲にし、その職業上の仕事のあくなき要求を甘受しているからのことなんだ……つまりおれたちには、いささか身売りした自由人といったおもむきがある……》

彼はポケットの奥につっこんだ手で、いつもはなさず持っている小さな備忘録をもてあそんでいた。彼は機械的にそれをとり出して、うわのそらの眼差しを翌七月二十日にあたるページの上に投げてみた。そこには名まえやらしるしやらが無数に書かれていた。

《じょうだんじゃない》彼はとつぜんこう思った。《そうだ、あしたはテリヴィエに、ソーにいる娘の容態を見に行く約束をしてあった……そして二時には診察がある……》

彼はタバコを灰皿の中に押しつぶしてからのびをした。

《またチボー博士が顔を出したぞ》彼は微笑しながらこう言った。《そうだ！ 生きるとは、なんとしても働くことにある！ それはむずかしい理屈をならべることではない……人生について思いをめぐらす？ それがなんの役にたつ？ 人生のなんたるかはよくわかっている。それは、すばらしいことと、うるさいこととのアマルガムだ！ 事はこれで解決だ……生きるとは、事を未解決のままにしておくこととはちがうんだ……》

彼は、腰にぐっと力をこめると、身を起こし、ぴょんとその足の上に立ち上がった。そしていく足か歩いて窓のそばに進みよった。

《生きるとは、働くことにある……》彼は、人通りのない町の上、ひっそりした建物の前面や、夕日の光が煙突の影を倒している屋根の傾斜の上にかけてうわのそらで眼差しをうつしながら、くり返してこうひとり言をいった。ポケットの奥では、あいかわらず備忘録をいじくりつづけていた。《あしたは月曜日。十三号の子供をやっつけるんだ……接種はたしかにうまくいこう……いやなこったな。十五で腎臓をひとつなくすなんて……それに、あのテリヴィエの娘のやつがいる……どうも今年は、連鎖球菌のある肋膜というやつにすっかりたたられた……あと二日もしてうまくいかないようだったら、いよいよ肋骨を切り取るんだ……そうなんだ！》彼はぶっきらぼうにこう言うと、窓のカーテンをふたたびおろした。まじめに仕事をしていくこと、それだけでじゅうぶんなんではないだろうか？……そして、人生はその流れ去るままにまかせること！……》

彼は部屋の中央にもどると、また新しいタバコに火をつけた。そして、言葉のちょうしに興味を感じて、まるでリフレインというように、小声で軽く歌いはじめた。《人生流れにまかせること……ジャックをしゃべるにまかせること……人生流れにまかせること……》

十六

食事は、冷たい一椀のコンソメによってはじめられた。兄弟がそれを黙って飲んでいるいっぽうでは、白いバーマンの上着を着たレオンが、もっともらしいようすで、デザート・テーブルの大理石の上でメロンを切っていた。

「魚と、冷肉が少しと、それにサラダといったところだ」と、アントワーヌが披露した。「そんなところでいいかな？」

ふたりのまわりには、この新しい食堂のむき出しの板壁、鏡、窓と反対の側の羽目板にそって据えられた長いデザート・テーブルといった道具だてが、がらんとして、陰気な、いやにおごそかな空間をつくっていた。

アントワーヌは、こうしたものものしい道具だてに打ってつけというかっこうだった。その面上には、いま、とても親しみのこもった好意の表情がうかがわれた。弟に会えた喜びでいっぱいの彼は、気を落ちつけてふたたび話のつづきを待っていた。

だがジャックは、口をつぐんで語らなかった。この部屋のようす、十二人ばかりの客でもできそうな大きな食卓をへだててふたりの食事が奇妙に並べられていることが、何か親しみの持てないぎごちない気持ちにさせていた。こうした気づまりな感じは、レオンのいることによってさらに強調されていた。すなわち、レオンは料理の皿を変えるごとに、食卓と食器棚とのあいだを往復するため、つまり食堂の半分を二度歩くことになっていた。そしてジャックの目には、見るともなしに、敷物の上をすべるように通ってゆくこの白い亡霊の姿がはいるのだった。彼は、メロンをくばってしまったら、きっとレオンが姿を消すにちがいないと思っていた。ところが、レオンはなおもその場を去らずにグラスに酒をついでまわるのだった。《これも昔とちがったやり方だな》と、ジャックは気がついた。(昔だったら、兄きは、気ままに、ひとりでついで飲まなくては気がすまなかったことだろう。)

「ムルソーの一九〇四年ものだ」と、アントワーヌは説明しながら、こはく色に透き通ったぶどう酒をながめようと、グラスを高くさしあげた。「魚とはとてもよく合うんだ……穴倉に五十本ばかりあるのを見つけてね……それにしても、おやじは穴倉をほとんどからにしてしまっていた……」

彼は、こっそりと、いっそうの注意をこめて弟のほうをながめた。そして、あわや何か問いかけようとしたが、思いとまった。

ジャックは、うわのそらのようすで外をながめていた。窓は開かれていた。家々の屋根の上には、空が真珠のようなばら色の照りかえしを見せていた。子供のころ、こうした暮れがた、彼はいくたびこうした家々の正面、こうした屋根、よろい戸をおろしたこうした家々、黒くよごれたこうした日よけ、バルコニーにならべられたこうした緑の植木鉢をながめたことであったろう！

「なあ、ジャック……」と、ふいにアントワーヌが言った。「で、どうなんだ？　うまくいってるのか？　きみ満足してるのかね？」

ジャックは、はっと身をふるわして、おどろいたように兄の顔をみつめた。

「そうなのさ」と、アントワーヌはなつかしそうに言葉をつづけた。「幸福にやってるかね、せめて？」

苦しそうな微笑が、ちょっとのあいだジャックの唇に浮かんだ。

「だって」と、ジャックはつぶやくように言った。「幸福なんて、一挙に得られるものじゃないんだから……あれはひとつの才能だと思うな、どうもぼくには、それがつかめていないらしい……」

彼は、アントワーヌの目にいきあたった。それは職業人らしい目つきだった。ジャックは、皿の上に目を伏せて、黙りこんだ。

彼は、中途でやめた議論を蒸し返したいと思わなかった。だが何を考えてもすべてはそれに立ちもどっていくのだった。

父の時代の銀のうつわ……レオンがそれに魚をのせて出した小判形の皿、柄の曲がり方が古代のランプを思いださせるソース入れ。おりもおり、それらはかつての日の家庭での晩食のことを思いださせた。

「あの、ジゼールは？」と、彼はとつぜんたずねた。それはまるで、何カ月というもの忘れていたあとでとつぜん思いだしたというようだった。

アントワーヌは、その機をすかさずこう言った。

「ジゼールかい？　いつものとおりあそこにいるのさ……幸福にしているらしい。ときどき手紙をよこすがね。復活祭のときには、三日ばかりここへやってきさえした……お父さんから残されたもので、いまではどうやら一本立ちしていってるようだ」

彼は、チボー氏の遺贈のことにちょっと触れてみることによって、漠然とではあるが、父の遺産についての話のきっかけを作ってみようと考えた。彼は、ジャックが遺産分配をことわったことを、けっして真にうけてはいなかった。彼は公証人と相談のうえ、財産を均等に分配することにした。そして、ジャックの分の管理を彼の仲買人に託しておいた。

だが、ジャックにとっては、そんなことはまったく念頭になかった。

「ずっと修道院にいるのかしら？」と、彼はたずねた。

「いや、もうロンドン市中にはいないんだ。近効の、キングスベリーに住んでいる。おれの思いちがいでなかったら、おなじ修道院に付属したところなんだ。寮のようなところで、ジゼールのような娘たちがたくさんそこで暮らしているという」

ジャックは、軽々しくこんな問題に触れたことをほとんど後悔するような気持ちになっていた。ジゼールの思い出は、何か気づまりな感じをおこさせずにはいなかった。彼はジゼールがイギリスに逃げていったこと、彼女が昔を思いださせ、裏切られた希望を思いださせるであろうあらゆるものから遠くのがれていったことについて、自分ひとりが責任を負うべきものと思いこむだけの十二分の理由を持っていた。

アントワーヌは、おっとりした微笑を浮かべながら語りつづけた。

「どんな生活をしていると思う……まったく思いどおりの生活なんだ……べつに厳格な規則などのない修道者の共同団体といったようなものでね。時間はすべて、信仰とスポーツに当てられるんだ……」彼は、ちょっと気がつかないほどのためらいを見せながら、さっきの言葉をくり返した。「幸福にやってるらしいよ」

ジャックは、いそいで、兄の話を別のほうに向けさせた。

「それから、ヴェーズおばさんは？」

（冬のあいだに出したひとつの手紙の中で、アントワーヌは、彼女が養老院にはいったことを知らせておいた。）

「ヴェーズさんについては、じつはもっぱら間接に聞いているにすぎないんだ。アドリエンヌとクロティルドをとおしてね」

「あのふたりはずっとここにいる？」

「そうなんだ……おいとくことにしたんだよ。レオンとうまく折り合うんでね……ふたりは、忠実に、毎月第一日曜日にヴェーズさんに会いにいくんだ」

「場所はどこ？」

「ポワン・デュ・ジュール河岸だ。シャールが、わがままものおふくろをそこへ入れて、身代かぎりをしてしまったあの養老院を知ってるだろう？　知らない？　あの話を知らなかったのかな？　あの奇妙きてれつなシャール氏美談のひとつなんだが……」

「ところで彼自身はどうなったの？」ジャックは、笑いながら、思わず兄にこうたずねた。

「シャールかい？　あいつはとても大当たりさ！　ピラミッド町で、発明品の勧工場をやってる……自分では、生まれ落ちたときからの志望だったと言ってるのさ……それに、そうとうまくいってるらしい……通りすがりに、寄ってみるだけの価値はあるぜ。あの奇妙な男との共同事業というわけでね。この両人が顔をそろえたところ、まさにディッケンズ(イギリスの作家)大喜びといったところなのさ……」

しばらくのあいだ、ふたりは声をそろえてからからと笑った。ちょっとのあいだ、昔に変わらぬ兄弟の気持ちが見いだされたかたちだった。

「ところで、ヴェーズおばさんのほうだが……」と、ちょっとまをおいてアントワーヌが言った。

彼は急に気まずさを感じたようすで、ジャックにたいして、事の次第をとくに話して聞かせたいというようだった。「わかってもらえると思うが」彼は、ジャックにとってまったく耳新しい、人の好さそうなちょうしで言った。「おれにしても、おばさんがこの家をはなれて余生を過ごすことになろうなどとはまったく考えてもみられなかった……おい、レオン、サラダ入れをテーブルの上においてってくれ、おれたち自分で取ることにするから……クレッソンのサラダだ」レオンが戸口まで行くのを待ってアントワーヌが言った。「冷肉といっしょに食うか、それともあとからにするか？」

「あとにしよう」

「率直に話そう」ふたりきりになったのをたしかめてから、アントワーヌが言った。「おれは、あの人が家を出ていかなければならなくなるような態度はなにひとつ見せなかった。だがじつをいえば、あの人ががんとして家を出るといってくれたんで、おれは大いに助かったんだ。おばさんにここにいられたんでは、新しい生活の設計もずいぶんむずかしいことになったろうから……おばさんは、ジゼールがはっきりイギリスで暮らす決心をしたということを知ったとき、養老院にはいろうという気持ちになった。ジゼールとしては、なんとしてでもおばさんを向こうへつれて行き、自分のそばにいてもらおうと言っていた……だが、だめだった。おばさんの頭からは、養老院が離れなかった……毎日毎日、昼食の終わりに、テーブルの上に骸骨のような手を組み合わせながら、あの小さなひたいをふりふり、おなじことをくり返すんだ。《アントワーヌさん、まえにも申しあげましたがね……もうこんなからだになってしまっては……人さまの重荷になりたくないのでしてね……もう七十八、それにからだもこんなふうでは……》きみも想像できるだろうな？　ふたつ折れになったからだ、そしてあごをテーブル・クロースの上にのせ、しわだらけの手のひらでパンのくずをあつめながら、ふるえ声でくり返すんだ。《もうこんなからだになってしまっては……》おれは、いつでもこう答えた。《ええ、ええ、いずれそのうち……あらためてご相談することにしましょう……》そしてじつのところ——これは率直な話なんだが——これで万事はかんたんにかたづいてくれた……おれも、最後になって譲歩したんだ……おれのやり方にまちがいがあったと言いはしまいな？……もっとも、おれは万事に最善をつくしてあげた……万事に不自由がないためにと、高い金を払ってやり、特別待遇の金もおさめた。おれは自身で、おばさんのために二間つづきの部屋をえらんでやり、真新しくなるように手入れをさせ、おばさんの部屋の家具をすっかりそこに運ばせてやった。場所が変わったという気持ちになるたけさせないようにと思って……これだけ尽くしてあげた以上、すたりものを養老院にほうりこんだのとはわけがちがおう？　ちょっとした恩給暮らしの女の人が、どこかしろうと屋に間借りをしたというかっこうなのさ……」

彼は、じっと弟を見すえていた。そして、ジャックの肯定する目つきにほっと安心したらしかった。後はたちまち微笑しながら、

「そんなわけでね」と、朗らかなちょうしでつけ加えた。「だが、自分自身にだまされてはいけない……おれは隠さずきみに言おう、おばさんが家を出てから、おれはとてもさばさばしたんだ！」

彼は、口をつぐむと、ふたたびフォークを手にとった。しばらくまえから、彼は話すのに夢中になって、たべるほうを忘れていた。

彼はいま、うつむきこんで、あひるの股肉（ももにく）を巧みに処理していた。彼は一心になっているようすだった。だが、その一心というのが、指先のはたらきとは別のことに向けられていたのが、はっきりそれとうけとれた。

十七

「おれはいま、きみの言う二千万労働大衆のことを考えているんだがね」と、とつぜんアントワーヌが言った。「じゃ、なにかい、きみはいま社会党に入党してるのかい？」

アントワーヌは顔を伏せたままだった。じっと弟を見ようとその目をあげたときでも、顔をあげることをしなかった。

ジャックは、こうした明確な質問を、ただ肯定するように首を動かしてみせただけで回避した。（事実彼は党員カードを、つい数日まえに受けとったばかりだった。彼は、ヨーロッパの脅威を感じるにおよんで、はじめていままでの独尊的な立場を捨て、戦争反対に効果的にたたかうために、じゅうぶん活発でありじゅうぶんな人数を擁していると思われるただひとつの運動、すなわち社会主義インターナショナルに加盟の必要を感じたのだった。）

アントワーヌは、弟にサラダ入れをわたしてやってから、さりげないようすでこう言った。

「いったいきみは、そうした……政治的環境の中でのきみの現在の生活が、はたしてもっともよく……きみの知的要求、きみの文学的立場、きみのほんとの性向と一致しているものと思ってるのかね？」

ジャックは、あらあらしくサラダ入れを食卓の上においた。

《兄きのやつ》と、彼は思った。《だんだんおやじそっくりの尊大ぶったちょうしになってきている……》

アントワーヌは、目に見えて、なにげない、不偏不党といったちょうしを見せようとつとめていた。彼は、ちょっとためらったあとで、さらにいまの言葉を明確なものにした。

「底を割ったところ、きみは革命家になる素質を持ってると思うのかね？」

ジャックは兄の顔を見た。そして、にがにがしい微笑を浮かべて、すぐには答えようとしなかった。彼の顔は、だんだん暗いものに変わっていった。

「何がぼくをして革命家にさせたか」と、ジャックはやがて口を切った。——そして、唇をふるわせた——「それはここ、この家に生まれたからのことなんだ……一個のブルジョワの息子として生まれたからのことなんだ……小さいときから、こうした特権階級がそれによって暮らしているあらゆる不正を毎日見せられたからのことなんだ……子供のころから、悪いことをしているといった感じ……悪事の片棒をになっているといった感じを持っていたからのことなんだ！ そうだ、そうしたことをたまらなくいやだと思いながら、やはりそれを利用していたという、身を切られるような感じのためだ！」

彼はアントワーヌが異議をはさもうとするのを手で制した。

「資本主義がどんなものであるかを知るよりずっとまえ、その言葉さえまだ知らなかったころ、おそらく十二、十三のころだったと思う、ぼくは自分の住んでいる社会、友人たちの社会、教師たちの社会……お父さんの社会、そしてまたお父さんのりっぱな事業の社会にたいして反抗の気持ちを持っていたんだ！」

アントワーヌは、考えこんだまま、サラダをかきまぜていた。

「ふん、社会がその組織において多くの病弊を持っていること、それを認めるにかけてはこのおれだって人後に落ちない」アントワーヌは、相手の意をおさえるような軽い嘲笑を見せながらこう言った。「だが、そこにいろいろなことはあろうが、習慣という力によって、すりへらされた中軸の上をどうやらこうやら回転しつづけていっている社会……それにたいしてあまり厳格すぎてはいけないと思うな……それはそれとしての美点も、責任も、偉大さも……そして、それとしての便利さをも持った社会なんだ！」

彼はおぼっちゃんらしいようすでこうつけ加えた。そうしたようすが、言葉以上に、弟をして不愉快にさせた。

「ちがう」と、ジャックの声はふるえていた。「資本主義の世界はぜったい弁護の余地がない！　それは人間相互のあいだに、言語道断な、非人道的な関係を打ち立てた！……そこでは、すべての価値はみんなまがいものであり、人格の尊重なんていうことはまったくかえりみられず、ただ利益だけが唯一の原動力であり、すべての人々が金持ちになるということだけを夢に描いている世界なんだ！

そうした世界では、金力だけがおそろしい権力を握り、その金をもらっている新聞によって世論をあやまらせ、そして国家自体をさえその勢力下に隷属させているんだ！　個人が、働くものが、ゼロの立場におかれている世界なんだ！　さらには……」

「すると」これも怒りを感じはじめてきたアントワーヌがさえぎった。「きみの考えでは、労働者は、なんら近代社会の生産物の恩恵にあずかっていないというわけかね？」

「だが、なんというなさけないあずかりかただろう。そうだ！　それに、もっぱらあずかっているのは、資本家であり、株主であり、大銀行家であり、大工業家なんだ……」

「……では、それらの人々を、きみはとうぜん無為享楽の徒であり、民衆の汗によって肥えふとり、女どもとシャンパンをあおっている連中だと考えているんだな？」

ジャックは、肩をすくめてみせる気にさえなれなかった。

「ちがう！　彼らがどんなものであるかを考えてみよう……少なくも、彼らのうちの優秀なものたちのことを。彼らはぜったい無為の徒とはちがう。むしろ反対だ！　だが、享楽の徒であることにはちがいない！　勤勉にして、同時に豪奢な生活をやっている。たのしくも勤勉な生活、と同時に恐れを知らぬ豪奢な生活だ！　飽満な生活、そうだ、そこには手の届くかぎりの享楽が集められている。あらゆる快楽、あらゆる慰みごと。それは知能的な労作によって、競争にたいするスポーティフな闘争によって、そして、からくりと、いんちきと、成功とによって得られている。あらゆる満足感。それは利益の獲得と、社会的尊敬と、人間および物にたいする征服とによって得られているのだ！……

つまるところ特権者的生活なんだ！……このことは、兄さんも否定しないだろうな？」

アントワーヌは、口をつぐんでいた。《空論だ！》と、彼は、わきを向いてつぶやいた。《ばかめ、くだらないことをよくしゃべりおる！……いまさらめずらしくもないことをつべこべと！……》それでいながら、彼は、自分がじりじりしている結果、ぜんぜん公平になりきれないでいることを、また、弟の世迷言の中で問題とされていることが、必ずしも閑却し得ないものであることを感じていた。《ジャックとか、その同類の単純なやつらが考えているより、ずっと問題はむずかしいんだ……》と、彼は思った。《きわめて複雑な問題なんだ。これが解決には、人道主義的空想論者のかわりに、学者を——冷静な科学的方法を十二分に体得したりっぱな人物を必要とするのだ……》

ジャックは、たけりたった眼差しで結論した。

「資本主義？ それはたしかに、かつては進歩の手段としての役割を持っていた……。だが今日、それは宿命的に、良識にたいし、正義にたいし、人間の尊厳にたいして、戦いをいどむものとなっている！」

「ほほう！」と、アントワーヌは言った。「それだけかね？」

ふたりはしばらく口をつぐんだ。レオンがはいってきて、皿を片づけていたからだった。

「チーズとくだものをくれないか」と、アントワーヌが言った。「かってに食うからね……プチ・スイスにするか、オランダにするか？」と、弟のほうを向いて言った。彼はことさらさりげないようすをつくっていた。

「もうたくさん。ぼくはいらない」

「桃はどうだ？」

「桃をもらおう」

「待て待て。いいのをよってやるから……」

彼はわざと、親しそうなようすを見せて言った。

「さあ、ひとつまじめな話をしようじゃないか」彼はちょっとまをおいたあとで、さも言葉のとげをやわらげるとでもいうような和協的なちょうしで言った。「いったい、資本主義とは何なのだね？ことわっておくが、おれは合い言葉というやつを信用しないんだ。とりわけ、主義という字のついたやつを……」

彼は、弟が困るだろうと思っていた。ところが、ジャックはおだやかに顔をあげた。いま、彼の興奮はおさまっているらしかった。唇の上には微笑のかげさえうかがわれた。彼は、目で、一瞬開かれている窓のほうをながめた。日が沈みかけていた。立ちならぶねずみ色の家々の上に、空は一刻一刻明るさを失っていた。

「ぼくの場合」と、ジャックは説明した。「資本主義というとき、はっきり次のことを考える。地球上の富のある種の分配のしかた、そして、それの利用についての一種のやりかた」

アントワーヌはちょっと考えてから、肩を動かして同感の意をあらわした。ふたりは、たがいにほっとした気持ちで、だいぶ緊張の解けてきたことを感じた。

「よくうれているかね？　砂糖を少しかけたらどうだ？」

「ねえ」ジャックは、それには答えようとせずに言った。「兄さんは、資本主義の何がいちばんぼくに腹をたてさせるのか知っているかしら？　それは、資本主義が、労働者から、彼をして一個の人間たらしめるところのものを奪い去ったということなんだ。企業集中ということによって、労働者は故郷を奪われ、家庭を奪われ、いままでの生活の中で人間らしいものをあたえてくれていたあらゆるものを奪われてしまっている。つまり、根こぎにされてしまってるんだ。いまや、かつて仕事が職人にあたえていたようなあらゆる高尚な満足感は、労働者から奪いさられてしまっている。労働者は、工場という蟻塚の中の、なにかしら生産的動物といったようなものにされてしまっている！　兄さんには、こうした地獄の中での労働組織というものを、考えてみることができるだろうか？　労働の手工業的・機械的な部分と——さ、なんといったらいいか——その知的部分とのあいだに、まったく非人間的な区別のできあがってしまっているということを？　工場労働者にとっての日々の仕事がどんなものになっているか、兄さんは想像できるだろうか？　それがどんなにたまらない奴隷状態であるかが？……昔だったら、そのおなじ人間が、自分の小さな仕事場を愛し、自分の仕事に興味を持つひとりの勤勉な職人になれたのだ。それが今日では、彼は彼自身として一文の価値のないものになってしまっている。それは単に一個の歯車なのだ。神秘な機械を組み立てている数かぎりない部分品の、そのひとつにしかすぎなくなっている。しかも彼には、自分の仕事を生み出すため、その機械の神秘を理解する必要さえないんだ！　神秘、それこそは少数者の占有物なんだ。いつもおなじ少数者の——

資本家であるとか、技師であるとか……」

「だって、教育のある連中とか、専門の連中とかは、いつも多くはないからじゃないか！」

「兄さん、人間から、その人間性が奪われてしまっているんだぜ……それが資本主義の罪悪だ！　それは、労働者を機械にしてしまったんだ！　それだけではない、機械の奉公人にしてしまったんだ！」

「落ちつけ、落ちつけ」と、アントワーヌが言葉をはさんだ。「まず第一、それは資本主義というものではない。機械主義というやつだ。混同してはいけない……それに忌憚なく言わせてもらえば、きみは妙に事実をドラマチックに考えるらしいな！　実際において、労働者と技術者とのあいだに、それほど厳密な壁ができていようとは思われない。むしろ多くの場合、彼らのあいだに一種の連絡、了解、協力といったようなものさえ見られている。機械を《神秘》だと思っているような労働者はその数きわめて少ないのだ。なるほど労働者自身、機械を発明することもできないだろうし、それをこしらえることもできなかろう。だがそれがどんなふうな働きをするか、労働者はちゃんと心得ているのだ。そして自分の手で、それに専門的な改良を加える場合がきわめて多い。なんにしても労働者は機械を愛している。それを自慢している。それをたいせつにしている。それがうまく動くように念じている……アメリカにいたことのあるステュドレルは、向こうの労働階級を風靡した《工業的興奮》についておもしろい話を聞かせてくれる……おれはおれで病院のことを考えてみるんだ。つまるところ、病院も工場もそこにたいして変わりはない……その病院にも、資本家と労働者の別、《知的》な部分と《手工業的》部分の区別がある。おれのごときは、つまり資本家といったところさ。ところがだ、これははっきり言いきれるが、おれの配下のもの、それはいちばん下の小使いにいたるまで、きみが言ったような意味においてはなんら《奉公人》的なものを持っていない。おれたちすべていっしょになって、ひとつのおなじ目的のために働いている。患者の全快がすなわちそれだ。各自がおのおの、自分の方法と才能とをそのためにつくす。協力の結果、もうとてもだめだと思ったのがみごと凱歌をあげることができたとき、彼らがどんなに喜ぶことか？　きみに見せたいほどなんだぜ！」

《いつも自分が正しいと思わなくては気がすまないんだ》ジャックは、いらいらしながらこう思った。

同時に彼は、資本主義の批判を、もっぱら労働の組織と分配のうえに打ち立てたといったようなところ、どうも討論の切り出しかたがへただったなと気がついた。

彼は、つとめて落ちつくように努力しながら言った。

「資本主義制度にあってがまんできないのは、それは労働の性質についてではない。労働に課せられる条件についてなんだ。ぼくのけしからんと言うのは、なにも機械主義それ自身のことではない。つまりひとつの特権階級が、それを自分自身の利益のためにさらいこんでしまうということにあるんだ……社会機構については、これを単純化して言うとこういうことになる。いっぽうには、金持ち連中からなる少数のブルジョワ的な選ばれた人々がいる。そのあるものは才能もあり、勤勉である。他のあるものは無為であり、寄生的である。この選ばれた者たちは、すべてを掌握し、すべてを支配し、あらゆる指導的立場をしめ、あらゆる利益を一手におさめて、大衆をしてこれに均霑させるということをしない。そして他のいっぽうには大衆がある。真の生産者であって、しかも搾取される人々だ。巨大な奴隷の群れなのだ……」

アントワーヌは、朗らかそうに肩をすくめてみせた。

「奴隷だと？」

「そうなんだ」

「それはちがう。奴隷でなんかあるものか……」アントワーヌは、きげんよさそうにこう言った。「国民大衆の群れなのさ。法律の前に、資本家、技師たちとまったくおなじ権利を持った国民大衆の群れなのだ。選挙権にも変わりがない。なんびとによっても強いられない。自分の満たしたいと思う欲望のまにまに、働くもよし、働かずにいてもいい。職業、工場の選択も自由だ。心のままに変えられるのだ……たとい契約によってしばられてはいても、それは、討議のすえ、自分自身自由に承諾したところの契約なのだ……これをしも奴隷といえるだろうか？　奴隷としたらだれの奴隷だ？　いかなるものの奴隷なのだ？」

「彼らの貧苦の！　兄さん、あなたはまるで扇動家といったような話しかたをなさる……そうした自由は、何から何まで見せかけのものにすぎないんだ。事実として、今日の労働者はつねに貧苦に追いかけられているからなんだ！　飢え死にしたくないと思ったら、ただ賃金にたよるほかに道がない。そこで、仕事を独占し、賃金決定権を持っている少数ブルジョワジーの前に手足の自由を奪われながら、身をささげなければならないんだ！……兄さんは、その少数者が有識者、技術家たちから成っているという……それはぼくだって知っている。ぼくはなにも彼らの能力にたいして、とやかく言おうというんじゃない……ただ、事実どうしたことが行なわれているかを知ってほしいと思うんだ。雇い主は、それが自分の利益になると思ったら、飢えている労働者に仕事をあたえる。そして、その仕事にたいして賃金を支払う。だが、その賃金たるや労働者の労働によって得られた利益の、とるにもたらぬ小部分にしかすぎないのだ。つまり雇い主なり資本家なりが、その残りの部分をちょろまかしてしまう……」

「とうぜんのことじゃないか！　その残りの部分は、彼らの協力の報酬として、彼らが取っておいてしかるべきものなのなんだから！」

「そう。なるほど理論的には、残りの部分は、計画を立てた雇い主なり、資本を出した資本家たちのものであるかもしれない。このことについてはあとで改めて話すとしよう！　ここでは、まず、数字を比較してみようじゃないか！……賃金と利益とを比較してみよう！……じつをいえば、その残りの部分というのは、提供された協力とは明らかに均衡を欠いていて、不公正にうわまえをはねたものにほかならないんだ！　そしてその部分、それは、ブルジョワどもにとって、自分たちの力を固めるため、それを増大させるために役だっているんだ！　自分たちの安楽やぜいたくのためにそれを利用しないものは、それを資本に組み入れて、いろいろな事業に投資する。そして、それは雪だるまのようにどんどん大きくなっていくんだ。こうして、労働者たちの犠牲によって資本化された富なるものが、何世紀このかた、あのブルジョワ階級の全能的権力というものを形作った。それは、おそるべき不義のうえに打ち立てられた全能的な権力なのだ……というわけは――ぼくが改めて言いたかったのはこの点なのだ――その不義の最たる点は、けっして、資本家がその協力の報酬として受けとるところのものと、労苦する人間の受けとる賃金とのあいだの不均衡にとどまらない。もっともおそるべき不義は、つぎの事実、すなわち、金銭は、それを所有している者のために働くという点、しかも、金銭は、その所有者が指一本動かす必要もなしに、ひとりでに働くものという点に存するのだ！……金は、無限に子を生んでいく……兄さんはいままでこのことを考えたことがあるだろうか？　甘い汁を吸おうとする面々は、銀行という悪辣なものが発明されたおかげで、奴隷を買い入れ、それを自分たちのため、汗水たらして働かせるという巧妙な逃げ道を見つけたんだ！　安全な、名なしの奴隷たち。遠くはなれたところにおり、しかもなんのだれともわからない奴隷たちのことなんだ。ちょっと良心さえ眠らしたら、彼らがいかに苦しい生活をしているか、知らないふりをしていられるのだ……これなのだ、もっとも大きな悪というのは。それは、このうえなく偽善的な、このうえなく不道徳なからくりによって、汗と肉からしぼり取った悪税のことにほかならないんだ！」

　アントワーヌは、テーブルから椅子をはなし、タバコに火をつけて腕組みをした。夜は、おどろくほど早く落ちそめて、ジャックには、兄のこまかい表情ももはやはっきりとは見わけかねた。

「で？」と、アントワーヌがたずねた。「きみのいう革命というやつが、まるで魔法のつえのひとふりのように、それを一挙に変えさせられるとでもいうのかね？」

この言葉には、茶化したようなちょうしがうかがわれた。ジャックは、皿を向こうへ押しやると、テーブルの上にどっかりとひじをついた。そして、薄やみの中で、じっといどむような眼差しで兄をみつめた。

「そうなんだ。というのは、現在労働者が孤立しており、食うに追われているかぎり、彼はまったく手も足も出ない。だが、革命が社会にもたらす第一の結果は、労働者に、ついに政治的権力をあたえることにある。そうなれば、労働者は、すべての基礎的条件を変えることができるだろう。新しい制度を、新しい掟を、打ち立てることができるだろう……ねえ兄さん、唯一の悪というのは、人間が人間を搾取するというところにあるんだ。そうした搾取が、もはやぜったい不可能であるような社会を打ち立てなければならないんだ。つまり今日いわゆる大工業、大銀行といった寄生的組織によって不当に掌握されていた富が、ふたたび自由に流通することになり、あらゆる人間がそれを利用することのできるといったような社会なんだ。今日、生産に従っている哀れな労働者は、生活に必要な最小限度を手に入れるのさえたいへんで、その結果、物を考え、人間としてとうぜんゆるされる範囲で自分自身を発展させるための、時間なり、勇気なり、気持ちなりを持てないでいる。革命によって無産者の状態をなくするというのは、つまりこうしたことを言っているんだ。真の革命家たちの考えるところでは、革命は、何も真の生産者にたいして、いままでよりも楽な、保証された、もっと快適な生活をあたえるというだけのことではない。それは何よりもまず、労働に対する人間の状態を変えるということにあるんだ。労働自身をして人間的なものたらしめ、それをして悲惨な奴隷的なものたらしめない、ということにある。労働者は、くつろぎの時を持たなければならない。朝から晩まで、単に一個の道具たるにすぎないことをやめなければならない。自分自身のことを考えるためのゆとりを持たなければならない。そのおのおのの才能にしたがい、人間としての値打ちを最大限度に発展させることができなくてはならない。そして、自分としてできうる限度において――しかも、その限度たるや、けっしてふつう考えられているほど制限されたものではない――真に一個の人間にならなければならないのだ……」

《その限度たるや、けっしてふつう考えられているほど制限されたものでない》そう言った言葉には、堅く信じて疑わないといった説得力がしめされていた。だが、そう言った言葉のちょうしの沈んでいたことから、もしアントワーヌよりさらに目のきいた人が居合わせたなら、そこに一抹、懐疑のひびきを聞きつけたことにちがいなかった。

アントワーヌは、そんなことには気がつかなかった。彼は考えにふけっていた。

「そんならそれでいいだろう……」と、彼は一歩ゆずった。「そうしたことが実現できると仮定して……だが、どういう方法でやろうというんだ？」

「革命以外に何もないのさ」

「つまり、プロレタリアの独裁かな？」

「独裁、そうだ……最初はそれでいかなければいけない」と、ジャックは、夢みるようなようすで言った。「もっと適切な言葉でいうと、生産者による独裁だ……プロレタリアという言葉は、これまで乱用されすぎた。革命家たちの仲間でも、今日では、四八年時代（一八四八年。すなわちフランス二月革命の起こった年）の、人道主義的・自由主義的な、古い言葉を捨てようとしている……」

《それは嘘だ》と、ジャックは、自分自身の使っている言葉、《本部》での演説のことなど思いだしながら心の中に考えた。《だが、やはり、そうならなければならないんだ……》

アントワーヌは黙っていた。彼には、弟の言った最後の言葉がよく聞きとれないでいた。《独裁……》と、彼は考えていた。ア・プリオリ（先天的に、先験的に）の意味において、彼にはプロレタリア独裁ということが、それ自身考えられないわけでもなかった。それがほかの国々、たとえばそれがドイツでだったら、たいした努力もなしに想像できたことだろう。だが、それがフランスでのこととなると、ぜんぜん不可能なことのように思われた。そうした独裁といったようなもの、それは単に急激な切り替えぐらいでがっしり打ち立てられるものではない、と彼は思った。そうした独裁が勝利を確保するには、それが肯定されるため、経済的な結果をもたらすため、また新しい世代の中にしっかり根をおろすための時を要する。それは、執拗な暴虐、絶えざる闘争、抑圧、略奪、貧困の、少なくも八年、十年、おそらくは十五年でなければならない。ところでフランス――国民すべてが不平家で、個人主義的で、各人おのおの自由に恋々たるフランス、すべてが少額年金生活者といったようなフランス、革命家といったところで、ふつうのやつは、自分ではそれと意識しないで、しかも小さな旦那衆といったような習慣なり傾向なりを持ちつづけているフランス――そうしたフランスが、はたして十年の長きにわたって、こうしたきびしい試練に堪えうるだろうか？　そんなことを期待するのは、それはまったく狂気のさたといわねばなるまい。

いっぽうジャックは、思いつくままに論難をつづけていた。

「資本主義制度によってあらゆる人間の活動力を奴隷化し、搾取することは、この制度にして崩壊せざるかぎり終わるものではないんだ。搾取者の所有欲にはぜったいに限度というものがない。五十年このかたの工業上の進歩は、ただ彼らの力を増大させるためにだけ利用されてきた。全世界のあらゆる富は、すべて彼らの貪欲の対象にされている！　彼らの征服欲、発展欲のはげしさは、全世界の資本主義のさまざまなフラクションが、国際的な大きな制覇のための大同団結をめざすかわりに、きわめて明白な自分たちの利益に反して、まるで親の財産を奪いあう息子どもといったように、たがいにかみあいむしりあうというところまでいっているんだ！……戦争の脅威も、その深い原因としてはこれをおいてほかにない……」（彼はたえず、つかれたように戦争のことにもどっていった。）「だが、今度という今度、やつらは思いもよらぬ力に当面しなければならないんだ！　天なるかな、命なるかな、プロレタリアは、もはや昔のような受動的態勢をかなぐり捨てた！　彼らはもはや所有者階級が、その貪婪（どんらん）や分裂によって自分たちを破局に追いこみ、自分たちをして、その代価を払わせることなどぜったい許さないにちがいない……目下の場合、革命などは二の次なのだ。何をおいても戦争の防止だ……そうしたうえで……」

「そうしたうえで？」

「そうだ、そうしたうえで、しなければならないことはたくさんある！……だが緊急なこと、こうした民衆の勝利、帝国主義にたいする世論の爆発を利用して、乾坤一擲、権力を握るにあることはもちろんなのだ……そうすれば、世界にたいし、生産合理化を命令することもできるだろう……そうだ、全世界にたいして……」

アントワーヌは、注意ぶかく耳を傾けていた。そして、わかったというようすを見せた。だが、軽く浮かべた微笑のかげには、必ずしも賛成でないことがうかがわれた。

「もちろん、それは無為にしては得られない」と、ジャックはつづけた。「そこまで持っていくには、まず革命家たちの暴力によって口火を切ることが必要なのだ。反乱状態をひきおこすんだ」彼は、メネストレルの言葉をそのまま、その鋭い声までもまねていた。「事はきわめて重大だ。だが、すぐ目の前に、その重大なことをすべき時がやって来るんだ。それをせざるかぎり、労働者はおそらくこのさき半世紀、むなしく解放の時を待たなければなるまい……」

沈黙がつづいた。

「で……そうしたりっぱな計画を実行に移すのに仲間がいるのか？」と、アントワーヌがたずねた。

彼は、話を感情的に激したたせないよう、それを理性的に進めさせるようにとつとめていた。彼は弟にたいして、自分のよき意思を、自由な考え方を、不偏不党な気持ちを、すなおにしめしてやろうと思っていた。だが、ジャックは、それをありがたいとさえも思わなかった。逆に、そのあまりに無関心な態度をむしろ腹だたしいとさえ思っていた。なんでだまされてたまるものか。アントワーヌ自身弟と議論するとき、知らず知らずのうちに見せる嘲弄的な声のひびき、何か落ちつきはらったようなちょうし、それはたえず、兄が自分より立ちまさった経験と利口さとをかさに着て、目上のものの立場に立って自分を見おろしているかのように思わせずにはいなかった。

「仲間？ いるとも」ジャックは昂然としてこう答えた。「だが、偉大な実行家、天才的な指導者は、いままであてにしていた人間以外にいる場合が多い。いったん事がおこったうえで、新しいやつが出てくるんだ……」

彼は、しばらく口をつぐんで心に夢を追っていた。それから静かに言葉をつづけた。「兄さん、いま言ったことのどれひとつ、空想ではないんだ。……社会主義への進行は、一般的な事実なのだ。それは明々白々なことなのだ。終局的な勝利までにはずいぶん困難もあるだろう。それにおそらく、望ましいことではないんだが、血なまぐさい事件なしにはすまされない。だが、はっきり目をあけているものにとって、それはもはやそうなるにきまったことなのだ……終局において、全面的な、新しい制度の確立を予想することができるんだ……」

「階級なき世界か」アントワーヌは、皮肉らしく頭をふって見せながら言った。

ジャックは、耳にはいらなかったとでもいうように言葉をつづけた。

「……ぜんぜん新しい組織だ。それはたしかに、予測をゆるさない無数の問題を提起することにちがいない。だが、それは少なくも今日哀れな人々を苦しめているもの、すなわち経済問題を解決するにちがいないんだ……そこにはなんら空想的なものがない……」と、彼はくり返した。「こうした明るい見とおしを前に、あらゆる希望がゆるされるんだ！……」

ジャックの熱心なちょうし、その思いこんだような、そして、薄やみの中にあってさらに力づよく迫ってくる確信のちょうしは、逆にアントワーヌの心の中に懐疑的な気持ちをそそりたてた。《反乱的状態》と、彼は考えた。《まっぴらだ!……じょうだんじゃない! 生活を快適にさせるための高貴な努力に、なんという大きな犠牲がともなうことだ!……しかもそうした努力も、断じて永続性ある改革には到達できない! 彼らは大げさに考え、ただ打ちこわすことばかりを考え、新しいものにとって替えることばかり考えている。だが、しばらくすれば、その新しい制度にもまた新しい弊害が生まれてくるんだ。そしてけっきょく……! それは医学におけると変わりがない。とかく性急に新しい療法ばかりを採用したがる……》

なるほど彼は、現在の社会について弟ほど辛辣な考え方をせず、けっきょくそれとどうやら折りあっていっていた。——それは、彼のむとんじゃくさによるというより、持って生まれた順応主義によるものであったが(同時に、それは、彼自身、社会の専門的指導者たちを信頼する傾向を持っていたからによるのだった)——だからといって、彼は、現在の社会を完全無欠なものと考えているわけでもけっしてなかった。《そうだ》と、彼は思った。《あらゆることはつねに改善さるべきであり、また改善されなければならん。それが文明の法則だ。また生命の法則でもある……だが、それにはそれで順序がいる》

「で、それに到達するには」と、彼は言った。「どうしても革命が必要だというのかね?」

「いまとなってはそうなんだ……いま、ぼくはそう信じている」と、ジャックは言った。「ぼくには兄さんの考えていることがよくわかる。ぼくはずいぶん久しいこと、兄さんのように考えていた。ぼくはずいぶん久しいこと、改革だけで事たりると思いたかった。現在の制度の、その内部に改革をもたらすだけで……だが、いまのぼくには、とうていそうは信じられない」

「だが、きみのいわゆる社会主義は、一年一年、順を追って、自然に実現されつつあるんじゃないか？ いたるところで！ 独裁制の国においても。たとえばドイツといったような？」

「ちがう。まさに兄さんの言ってるような事実にこそ、ひじょうに考えさせるものがあるんだ。そうした改革、それはなるほど悪の結果についてはある程度緩和することもできるだろう。だが、それはけっして悪の原因を衝くものではあり得ない！ それはいかにもとうぜんのことなんだ。改革主義者は、たといそれがいかに良心的らしい人たちでも、それは事実上、これから打ちたおすべき、またおき替えるべき政治なり経済なりの、片棒をになっているものにほかならないのだ。資本主義にむかって、それ自身の土台をくずし、消え去れと言ったところで、それは言うだけやぼというものなのだ！ つまりは、われわれから招いた混乱でにっちもさっちもいかなくなると、せっぱつまった改革案を、社会主義的考え方に借りにくる……だが、けっきょくそれがすべてなんだ」

アントワーヌは、これにはしっかり踏みこらえた。

「だが、比較的な考え方というのも賢明だと思うな！ そうした部分的な改革にしたって、きみの力説する社会理想にとってやはりひとつの勝利じゃないかね」

「屁のごとき勝利さ。それは、しぶしぶながら受け入れられた、とるにもたりぬ譲歩にすぎない。本質はいささかたりとも変わらないんだ。兄さんの言うような国々で、改革がはたしてどんな重要な変化を見せた？　金の力は、少しもその支配権を失わなかった。それはあいかわらず労働を左右し、大衆をしっかりつかんでいる。それはあいかわらず新聞の操縦、公権力の腐敗、ないし威嚇をつづけている。事の根本を衝こうというなら、制度の土台につるはしを打ちこみ、全面的に社会主義方針を適用しなければ！　ボロ建築を駆逐するには、都市計画者は全部根こそぎ打ちこわす。そして新たに建て直すんだ……そうだ」と、彼はためいきとともに言葉をつづけた。「いまのぼくの深い確信は、あの革命のほかにない。それこそは、底の底からほとばしり出て、何から何まではじめからやり直させる全面的な立て直し。これのみ世界を資本主義的中毒から救いうるのだ！……ゲーテは、不正か混乱かいずれかひとつを選べというなら、むしろ不正を選ぶと言った。ぼくはぜんぜん反対だ！　ぼくは、正義なきところ真の秩序はあり得ないと思っている。たといどんなことであろうと、不正よりはましだと思っている……たといどんなことにしてもだ！……たとい」と、言いかけて急に声を落とした。「たとい、それがあの恐るべき革命的混乱であったにしても」

《ミトエルクに聞かせたら喜ぶだろうな》と、彼は思った。

ジャックはしばらく考えこんでいた。

「ぼくはせめてひとつの希望として、いたるところに、あらゆる国々に、必ずしも血なまぐさい革命がおこらないでもすむのではないか、と思っている……八九年（一七八九年のフランス大革命）の共和制の精神が、津々浦々にしみとおり、すべてを変革してのけるためには、必ずしも九三年（一七九三年恐怖政治の時代）のギロチンを、ヨーロッパのあらゆる国々の首都に打ち立てたりする必要はなかったんだ。つまりフランスが、まず第一に突破口をつくった。そして、他の国家は、すべてその突破口から通っていった……どこかひとつの国家が——たとえばドイツかな？——身を切られるような思いをしたら、それでたしかに新しい秩序ができあがる。そして、ほかの国々は、その例にならってきわめてやすやすと進展の道をたどっていく……」

「ドイツでだったら、立て直し騒ぎもけっこうだが！」と、アントワーヌは、ひやかすようなちょうしで言った。そして言葉をつづけながら「だが」と、まじめに言った。

「おれの知りたいと思うのは、その新しい社会を打ち立てるにあたっての問題だ。おれはけっきょくむだぼね折りに終わるだろうと思っている。というわけは、再建にあたっては、つねにおなじ基礎的要素が存立する。そして、そうした本質的な要素には変わりがない。すなわち、人の本性がそれなのだ！」

ジャックは、さっと顔色をかえた。彼は、心の動揺をさとられまいとして顔をそむけた。

アントワーヌは、自分でもそれと知らずに弟の大きな傷口、その心の底の、癒えることのない傷口に触れたのだった……きたるべき人々への信頼、それはまさに革命にとっての存在理由をなすものであり、あらゆる革命的情熱の真の跳躍板をなすところのものだったが、ジャックは不幸にして、それをときたまちらりと感じるか、ほんのつかのま、周囲のけはいに押されて感じるというにすぎなかった。彼には、いままでそれを現実にわがものとして感じることができなかった。彼は、人間にたいして無限の同情を持っていた。人間にたいして、心をこめての愛さえささげていた。だが、いかにつとめてみても、いかにあがき、いかに熱烈な確信をこめて、主義のお題目をくり返してみても、人間の精神面における可能性については依然懐疑的たらざるを得なかった。そして、心の底には、いつもひとつの悲痛な拒否が横たわっていた。彼は、人類の精神的進歩という断定に誤りのないということを信じなかった。それを信じることができなかった。全面的に制度を改革することにより、また新しい組織を打ち立てることにより、人間の状態の悪しきを正し、これを組織しなおし、これを完全なものにすることは、たしかにできるにちがいない。だが、そうした新しい社会秩序が、そのままぐに、本質的によりすぐれた人間のひとつの型をつくり出し、それによって《人間》そのものを更新するということ——それが彼には考えられなかった。そして、心に深くいかりをおろしたこうした根本的な懐疑に気がつくごとに、彼は悔恨、慚愧、絶望に胸を刺される思いだった。

「ぼくは、人間性の完成ということについて、そう度はずれた夢を持っているわけではないんだ」と、ジャックは告白するように言った。そうした声は、いままでと少し変わっていた。「だがぼくは、現代の人間が、自分がその中に身をおいている社会組織によってそこなわれ、侮蔑されているということを認めている。現在の社会組織は、労働者を圧迫することによって、労働者を低め、精神的に貧しくさせ、きわめて低劣な本能に追い落とし、そして、労働者自身必ず持つであろうと思われるみずからを高めようという欲望を押し殺している。もちろんぼくは、そうした低劣な本能が、人間にとって生まれながらのものであることを否定はしない。ただぼくは、人間にはそうした本能しかないものとは思っていないし、また思いたいとも思わない。ぼくは、われらの経済文明こそ、よき本能の発展をさまたげ、それが他の本能に打ち勝つことをさまたげていると思っている。そして、人間の中にあるもっともよきものに自由な発露がゆるされるとき、人間ははじめて、いまあるものとちがったものになれる期待が持てると思う……」

おりからレオンが来て、部屋の戸を細めにあけた。彼は、ジャックの言葉の終わるのを待って、表情のない声で、

「お書斎のほうにコーヒーのおしたくをしておきました」と言った。

アントワーヌはふり向いた。

「いや、ここへ持ってきてくれ……それに明かりをつけてもらおう……なげしのところだけでいい……」

天井が照らし出された。その白さで、部屋の中には気持ちのいいほんのりした明るさがみなぎった。

《待てよ》と、アントワーヌは思った。彼は、この点こそ、弟と話し合いのつきうる点だったことに気がつかなかった。《これが問題の中心点だ……ああしたおめでたいやつらは、人間の不完全さをいちずに社会の欠陥の結果に帰している。したがって、彼らが、革命に気ちがいじみた希望をつなぐというのも、きわめてとうぜんなことなのだ。もし彼らにして、事実をありのままにながめ、人間が元来けがらわしい動物であり、手のくだしようのないものであることをしっかりわかってくれたら……社会制度には、すべていやおうなしに、人間性のいやしがたい悪なるものが反映されるものなの

だ……。そうとわかったら、何を苦しんで危険な建てなおしの必要があろう？》

「近代社会の混迷は、物質的方面だけには限られていない……」と、ジャックは、沈痛なちょうしで語りはじめた。

「砂糖はふたつにするかね？」と、アントワーヌがたずねた。

「ひとつでいい。ありがとう」

沈黙。

「それはみんな……」と、アントワーヌは微笑しながらつぶやいた。「おまえ、おれがひとつ率直に言ってみようか？　それはただの《ゆ――め》なのさ！」

ジャックは、じっと兄をみつめた。《兄さんは、おまえと言った。おやじそっくりだ》と、彼は思った。彼には自分がだんだん腹だたしくなっていくのが感じられた。そして、腹をたてることによって、この場の気まずい空気から解放されると思った彼は、そのままそれに身をまかせた。

「《ゆめ》だって！」と、彼はさけんだ。「兄さんにはわかっていないらしい。世の中に何千という真剣な人たちが、そうした《ゆめ》を、周到に考えられた、厳密に組み立てられた行動方針としてとりあげ、機会さえあればすぐ実行に移そうと考えてるんだ！」（こう言いながら、彼はジュネーヴのこと、メネストレルのこと、ロシアの同志のこと、ジョーレスのことを思っていた。）「ぼくたちが生きているうちに、地球上のどこかで、そうした《ゆめ》がいやおうなしに実行され、それによって新しい社会の生み出されることにちがいないんだ……」

「だが、人間が人間たることは、いつになっても変わらないぜ」と、アントワーヌはつぶやくように言った。「いつになっても強者と弱者がいるだろう……つまり、おなじものにはなり得ないんだ。強者は、われわれのそれとちがった法則、別な制度のうえにその権力を築くにちがいない……そして、新しい強者の階級、新しい搾取者の型ができあがる……これが法則だ……ところで、そうなるまでというもの、われわれの文明の中でも捨てがたいもの、それはいったいどうなるね？」

「そうだ」と、ジャックは、ひとりごとのように言った。その悲しそうな言葉のちょうしにアントワーヌは胸を打たれた。「兄さんのような人たちにたいしては、大きな、目のさめるような事実によって答えるよりほかに道がないんだ……それまでのあいだ、兄さんたちのご身分はけっこうなものさ！　つまり、現在の世の中をいたって住みごこちのいいものと思っている人たちの、それをなんとかしていまのままであらせたいと思っている人たちの立場なのさ！」

アントワーヌは、手荒く茶碗を下においた。「なんだって？　おれにはおれで、新しい世界への心がまえができてるんだ！」気色ばんだ兄の言葉を、ジャックはわが意を得たもののように聞いた。

《自分の確信を、現在の生活に屈従させないこと、それだけだってすでにたいしたものなのだ……》と、ジャックは思った。

「きみにはわかっていないかもしれない」と、アントワーヌは言葉をつづけた。「だが、おれはあらゆる社会形態の縁辺に立ってぜったい独立の立場に身をおいている！　おれは、ほとんど政治に関心を持たない！……おれには、自分のしなければならない仕事がある。おれの心は、それ以外のものにはひきつけられない。そのほかのことは、おれの診察室のまわりに、どうとも好きな世界をつくるがいい！　貧窮、濫費、愚行、下劣な欲望、そうしたもののない社会、不正、腐敗、特権といったようなもののない社会、人類がたがいにいがみあうあのジャングルの法則といったようなものの行なわれない社会、そうした社会を打ち立てることができるというなら、それもよかろう、大いにやるんだ！……ぐずぐずしないでやるんだな！……おれは少しも資本主義を弁護しない！　だが、それはたしかに存在している。おれがこの世に生まれてきたとき、それはすでにできていた。三十年このかた、おれはその中で暮らしている。で、それに慣れ、それをそのまま受け入れてる。そのうえ、おりさえあれば、それを利用しさえもしているんだ……だが、おれは、いつでも新しいものと折り合える！　もしきみたちが、ほんとによりよきものを見いだしたら、それは何よりめでたしだ！……このおれは、おれ自身そのために存在していると思っているもののため、できるだけのことをするというよりほかに求めない。おれは、自分の人間としてのはたらきをやめさせられるというのでないかぎり、なんであろうと承認する。……だが」と、彼は快活につけ加えた。「たといきみたちのいう新しい制度が、いかに完全であり、同胞愛をいかに一般通則とさせることに成功しても、健康の問題について、おなじちょうしにいくかどうか疑わしいな……そこには必ず病人がいる。したがってまた医者もいよう。そうだとすれば、おれにとって、ほかの人間たちとの根本的な関係において、なんの変化もあり得ないんだ……ただし」と、彼はちょっとまばたきした。「きみのいう社会主義の社会にして、おれにある程度の……」

玄関のベルがはげしく鳴った。

アントワーヌは、はっと聞き耳をたてた。

だが、彼はそのまま言葉をつづけた。

「ある程度の自由をゆるしてさえくれるようなら……そうだ、これは sine qua non（ラテン語。《必要欠くべからざる》）の条件だ。職業上のある程度の自由だ……つまり、思想の自由と、仕事の自由の意味なんだが……もちろん、それにともなうあらゆる危険と、あらゆる責任は覚悟のまえだが……」

彼は話をやめて耳をすました。

レオンが、踊り場へ向かったドアをあける音がした。つづいて女の声が耳にはいった。

アントワーヌは、テーブルの上に握りこぶしをおき、すぐにも立ちあがろうというけはいをしめしながら、はやくも職業的な表情をとりもどした。

レオンが戸口にあらわれた。

彼はまだ、なにひとこと口にするひまがなかった。そのうしろから、ひとりの若い婦人があわただしく部屋へ飛びこんで来たのだ。

ジャックは、はっとおどりあがった。そしてとつぜん、顔色を変えた。ジェンニー・ドゥ・フォンタナンだということがわかったから。

十八

ジェンニーのほうでは、ジャックということがわからなかった。おそらく彼女は、注意して見なかったからのことだろう。いな、目にさえはいらなかったのかもしれなかった。彼女は、緊張した表情でアントワーヌのほうへ歩みよった。

「はやくいらしって……パパがけがをしたんですの……」

「けがをされた？」と、アントワーヌが言った。「重態ですか？　どこのところへ？」

彼女は、手をこめかみへあててみせた。

彼女のおろおろしたようす、その身ぶり、これまでジェローム・ドゥ・フォンタナンについて聞かされていたわずかばかりのことから、アントワーヌは、すぐに何か事件がおこったことを見てとった。殺されようとでもしたのだろうか、それとも自殺をはかりでもしたか？

「どこにおいでなんです？」

「ホテルですの……番地もわかっています……ママも行ってお待ちしています……いらしって……」

「レオン」と、アントワーヌがさけんだ。「ヴィクトールに言ってくれ……大いそぎで車の用意だ！」

彼は、ジェンニーのほうをふりかえった。

「ホテルって？　それはまたどうして？　いつけがをされたんです？」

彼女は返事をしなかった。彼女は、客のほうをちらりとながめたところだった……ジャック！

彼は、目を伏せていた。顔のうえには、まるでやけどのように、ジェンニーの眼差しを感じていた。

あのメーゾン・ラフィットでの夏以来、ふたりは一度も会っていなかった。四年間！

「ちょっと道具をとってきます」アントワーヌは、こう言いすてると、戸口のほうへ飛んでいった。


ジャックとふたりきりになったのに気がつくやいなや、ジェンニーのからだはふるえだした。彼女は、じっと敷物の上を見つめていた。唇のはしは、目に見えないほど細かにふるえていた。いっぽうジャックは、息をころしていた。こうした思いもかけぬこと、それは、一分まえまで夢にもあり得ないことのように思われていた。ふたりは同時に目をあげた。目と目があった。おなじような驚き、おなじような苦しみが、ふたりのひとみを見ひらかせた。ジェンニーのひとみに、ちらりと恐怖のかげが浮かんだ。だが、それもたちまち、まぶたのかげにかくれてしまった。

ジャックは、機械的にひと足前へふみ出した。

「かけたらどう……」と、彼は、椅子を引きよせながら、つぶやくような声で言った。

ジェンニーは動かなかった。そして、天井からの光の中に立っていた。頬のうえには、まつげが細かく動いていた。無地のタイユールを着ている彼女は、大柄で、すっきりしていて、いかにもきちんと身を装っている感じだった。

アントワーヌが、あわただしく部屋にもどってきた。外出用の背広を身につけ、すでに帽子をかぶっていた。そのうしろからは、レオンが、包帯の箱をふたつ持ってきた。アントワーヌは茶碗を向こうへ押しやりながら、テーブルの上にそれをあけた。

「ところで、少し説明してください……車はすぐにしたくができますから……で、けがというのは？どういうけがでした？　レオン、大急ぎだ、圧定布箱を持ってきてくれ……」

アントワーヌは、しゃべりながら、箱のひとつから、ピンセットと小さな薬びんをふたつ取り出し、それを別の箱の中に入れた。彼はいそいでいた。だが、それらは、むだのない、的確な動作で行なわれた。

「何も知らないんですの……」ジェンニーは、アントワーヌが部屋に帰ってくると、ぐっとそのほうへ歩みよっていった。そして、彼の質問に、つぶやくようにそう答えた。「ただピストルの弾が……」

「ふむ！」と、アントワーヌは、ふり向いて見ようともせずに言った。

「パリにいることさえわからなかったんですの……ママは、まだウィーンだとばかり思っていたんです……」

沈んだ、いささか息のはずんだ声だったが、ちょうしだけはしっかりしていた。そこには、こうした騒動の中にあって、しっかりしている、けなげといった印象が見られた。

「そこのホテルから知らせてよこしてくれたんですの……三十分ばかりまえ……わたしたち、車を見つけて飛びのりました……そしてママは、行きがけにわたしをここでおろしましたの……ママは、一刻も待っていられないといったようで、ことによったら……」

ジェンニーはここで言葉を切った。おりからレオンが、ニッケルの箱を手にしてはいってきたから。

「よし」と、アントワーヌが言った。「では出かけましょう！……ホテルは、遠い？」

「フリエドラン通り二十七番地二号」

「きみもいっしょに来てもらおう！」と、アントワーヌはジャックに言った。その意向をたずねるというより、むしろ命令するようなちょうしだった。そして、さらにつづけて「向こうで手がいるにちがいないから」

ジャックは、それには答えずにジェンニーのほうを見た。彼女は身動きしないでいた。だが、ジャックは、ジェンニーが、自分の行くのを承認したものと解釈した。

「どうか」と、アントワーヌが言った。

自動車は、まだガレージから引き出されずにいた。ヘッド・ライトは、目のくらむような光を前庭に投げていた。アントワーヌは、ヴィクトールがいそいでボンネットをしめているあいだに、すでにジェンニーを車に乗せていた。

「ぼくは前に乗る」と、ジャックが言った。そして助手席に乗りこんだ。

車は、コンコルドまでを矢のように走った。だが、シャンゼリゼ通りへかかったとき、車の往来で、運転手はいやでも速度をゆるめなければならなかった。

アントワーヌは、ジェンニーのとなり、車の奥に腰をおろしながら、相手の沈黙をみだすまいと控えていた。彼は、べつになんの屈託もなく、いままでにもよくおぼえのあるこの楽しいひととき、果断と責任とのときに先立って、待望とあふれかえる力とに張りきった瞬間を味わっていた。そして、ぼんやり外をながめていた。

ジェンニーは、どんなものにもさわられたくないといったように、車のすみに身を引き、ぐっとからだを固くしながら、しかも思わず、からだのふるえてくるのをとめられなかった。足のさきから頭にかけて、何かに触れて鳴る切子グラスといったように、ふるえつづけていたのだった。

あやしみながら入れてやった、見たことのないホテルのボーイの口から、横柄な言葉で、《九号室の旦那が、頭にピストルを一発打ちこんだ》と聞かされて以来、そして、母とふたりでタクシーに乗りこみ、その中でもたがいにひとことも言葉をかわさず、涙一滴こぼさず、ただ狂おしく手と手を握りあったままユニヴェルシテ町にやってくるまで、彼女の頭の中は、ただ傷ついた父を思う気持ちでいっぱいだった。ところが、青天の稲妻とでもいったように、ジャックがすがたをあらわして以来、彼女は父のことなど忘れていた……自分の前の、このずんぐりした、生きている背中。それは見まいとしながら否定することのできない存在であり、全身のあらゆる力が、思わずそのほうへ凝集されるものなのだった！……彼女は、歯をくいしばり、左手をしっかり胸にあて、心臓の鼓動をおさえていた。そして、かたくなに顔を伏せていた。こうしたはげしい心の中のざわめき、いまといういま、それをどう解釈していいかわからなかった。彼女は、自分が死ぬほどの思いをさせられ、そして、それから永遠に解放されたとばかり思っていたわが一生の悲しいできごとにふたたびつかまれ、いまはただその擾乱に身をまかせていたのだった。

とつぜん車がとまったので目をあげた。軍隊の行進を通すため、ロン・ポワン（ロータリーのようになったところ）のところで車をとめなければならなかった。

「いそいでいるおりもおり！……」と、アントワーヌはジェンニーのほうをふりかえりながら不平らしくつぶやいた。

密集した列をつくった若い兵士たちの一隊は、カンテラを振りかざし、歩調をとり、軍楽隊を先頭に、声をかぎりにマーチの勇ましいくり返しの部分を歌っていた。その両側には、ものものしい交通整理の警官にまもられながら、ぎっしりつめよせた群衆が、兵士たちに喝采を送っていて、軍旗が通ると脱帽した。運転手は、ジャックが帽子をぬがないのに安心して、自分も帽子をぬがなかった。

「あたりまえでさあ……」と、彼は思いきって口に出した。「この界わいは、みんなあいつらの仲間なんでさあ……」そして、ジャックが肩をすくめてみせたのに気をよくしてか、さらにつづけてこう言った。「あっしらの住んでいるベルヴィルあたりじゃ、こんなお祭りさわぎなんか見ようたって見られませんや！　けんか騒ぎになりまさあ……」

いいあんばいに、コンコルドのほうへくだっていた行進は、左へ折れて、ダンタン通りのほうへの道をあけてくれた。

それから数分ののち、車は、快速でフォブール・サン・トノレへの坂道をあがって、フリエドラン通りへ出た。

アントワーヌは、いち早くドアをあけた。そして、車がとまるやいなや飛びおりた。ジェンニーは、やっとの思いで腰掛けから身を起こした。そして、アントワーヌの出してくれる手を避けながら、人道の上におり立った。そして、ホテルの戸口から車道へ流れている光の帯に目がくらんで、一瞬そこにつっ立ったまま、倒れんばかりに放心したようすで、そのままじっと動かずにいた。

「ついていらっしゃい」と、アントワーヌは、やさしく彼女の肩にさわりながら言った。「さきへ行きますから」

ジェンニーは、はっとからだをこわばらせた。そして、すぐそのあとについていった。《あの人、どこにいるんだろう?》彼女はふり向いてみるだけの勇気もなしにこう思った。(いま、ここに来てまで、彼女の考えているのは父のことではなかったのだ。)

ウェストミンスター・ホテルは、エトワール界わいにたくさんあるような、外国人向きの下宿屋だった。小さなホールは、あかあかと輝いていた。奥のほうには、ガラス戸の向こうにガルリー・サロン(廊下風のサロン)が見えていた。そして、そこでは、人々があちらこちらに集まっては腰をおろし、タバコをふかしながら、緑の植え込みのかげにかくれているピアノの音を聞きながら、トランプ遊びをやっていた。

アントワーヌが何か言うと、門番の男は、黒いサテンにものものしく身を包んだ太っちょの女のほうへ合図をした。女は、すぐにカウンターのうしろから身を起こし、むずかしい顔をしながら何ひとこと言わず、せわしそうにエレヴェーターのほうへ案内した。鉄のドアがしまった。そのときはじめて、彼女はジャックのいっしょでないのに気がついて、ほっと重荷をおろしたような気持ちだった。

心を取り直すまもなく、彼女は、踊り場の上の母の前に立っていた。

フォンタナン夫人の面上には、苦しそうな、それでいて落ちついた表情が見られていた。ジェンニーは、何よりもまず母の帽子のまがっているのに気がついた。そして、こうした異常なとり乱しかたに、その目にうかがわれる苦しそうなようすにもまして心を打たれた。

夫人は、封の切られた手紙を手にしていた。夫人は、アントワーヌの腕をつかんだ。

「あそこにおります……どうぞ……」

夫人は、アントワーヌをいそいで廊下のほうへつれていった。

「いま警察のかたが帰ったところでして……まだ息がございます……なんとしても助けなければ……ホテル付きのお医者さまは、動かせないと言っておりますが……」

夫人はジェンニーのほうをふり向いた。傷ついた父の姿を見せたくないと思った母は、

「あなたはそこで待っててね」

と言って、手にした封筒を娘のほうへ差し出した。それはゆかの上、ピストルのそばに落ちていた手

紙だった。そこに番地が書かれていたおかげで、天文台通りの家へすぐに人を走らすことができたのだった。

踊り場のところにとり残されたジェンニーは、天井灯の暗い光のかげで、父の書いた手紙を読みはじめた。最後に近く記された自分の名の《ジェンニー》が、ぱっと彼女の目にはいった。

……ジェンニーよ、ゆるせ。わたしはジェンニーにいつもじゅうぶんな愛情をしめすことができなかった……

彼女の手はふるえていた。彼女は、指のさきまでゆすりあげるはげしい神経のたかぶりをおさえようと、むなしくからだを引きしめようとこころみた。そして、最初の一行から、いっしょうけんめい読みにかかった。

……テレーズ！　わたしのことをきびしくさばいてくれるな。事ここにいたるまで、わたしはどんなに苦しんだことか！　おまえたちのことを、どんなにきのどくに思っていたか。おまえにもどんなにいろいろ苦労させたことだろう！　あれほどりっぱな、そしてあれほどやさしかったおまえ。わたしは恥ずかしく思っている。わたしには、善にむくいるに悪をもってすることしかできなかった。だが、わたしはおまえを愛していた。この気持ちをわかってくれたら。わたしはおまえを愛している。わたしはおまえを愛していたのだ……

文字は目の前に踊っていた。かわききって、燃えるような彼女の目。それは、たえず手紙のうえをはなれて、階段のほうへ不安な眼差しを投げていた。頭の中には、ただジャックが来はしまいかという不安を。ジャックが姿をあらわしはしまいかという大きな不安が、この悲痛な手紙のうえに注意を集めることをゆるさなかった。手紙は、紙いっぱいに鉛筆で走り書きされ、そこには、父の手によって、自決の直前、その最後の瞬間、《ジェンニーよ、ゆるせ……》と、自分にたいする最後の気持ちがしたためられていた……

彼女は、目で、どこか身をかくすため、隠れるところはないかとさがしてみた。だが、それはどこにも見あたらなかった……向こうのすみのところにベンチがあった……彼女は、よろめきながらそこまで行って腰をおろした。いま自分の感じているのがなんであるか、彼女はそれをわかろうともしなかった。あまりにも疲れが大きかった。これで万事が終わるのだったら、これで自分自身から解放されるというのだったら、このまま死んでも心のこりはないだろうに。

だが彼女は、自分の考えをせきとめることができなかった。その思い出には、過去がどっかり座をしめていて、それが自分の目の前を、夢のような速さでほぐれるフィルムといったように動いていた。

わからないことは、はやくも一九一〇年夏の終わり、メーゾン・ラフィットではじまったのだ。日一日とジャックが自分を好きになってゆき、ぜがひでも自分を征服したいと思いつのってゆくのを見たとき、そして自分のほうでも、日一日と心が乱れてゆき、ほだれそうになってゆくのにおびえていたとき、とつぜん、なんの予告もなく、手紙一本よこすでもなく、そして、態度を急に変えた無礼についてなんら納得のいくような理由もおしえず、ジャックはぱったりこなくなった……つづいてある晩、アントワーヌからダニエルに電話がかかってきた。ジャックが失踪したということだった……そして、このときから、彼女の苦しみがはじまった。なんのための家出だろう？　いや、悪くすれば、自殺かもしれない。あの向こう見ずの青年は、どんな秘密を胸にいだいて家出をしたというのだろう……一九一〇年十月、彼女は毎日毎日、心の中の苦しみを、まわりの誰にも、母にさえも気づかせることなく、ただ、家出をしたジャックの踪跡をむなしく求めつづけているアントワーヌとダニエルの捜査の結果だけに注意していた……そして、こうした状態が何カ月もつづいた……彼女は沈黙と煩悶の中で、わが身をささえてくれるまことの信仰も持たず、こうした息苦しいなぞの空気に包まれたまま、ただひとりもがきつづけていたのだった。そして、そうした絶望をがんとして人に見せまいとしていたばかりでなく、肉体的な苦しみ、そうしたショックの結果としての肉体の衰えさえも人にかくしていようとした……こうしたひとりぼっちの戦い、軽快になるかと思うとまたぶり返す一年以上にわたる予後のあとで、ようやく心の落ちつきがもどってきた。あとは養生だけが問題だった。そこで、医師の命ずるままにひと夏を山のほうですごし、初寒の到来とともに南仏に移った……そして、去年の秋、ちょうどプロヴァンスにいたときのこと、母へあてたダニエルからの手紙によって、ジャックが見つかったこと、スイスで暮らしていること、チボー氏の葬儀に列するためパリへもどってきたことなどを教えられた。それからの何週間というもの、彼女は深く心を動かされつづけていた。だが、それも、とにかくおどろくほどの速さで、そのまま自然になおってくれた。そして、彼女自身、もうすっかりなおったものと思っていた。そうだ、自分とジャックとのことはこれですっかり終わったのだ。もう何も残ってなんぞいないのだ……ほんとに、もう何も残っていないのだ、と彼女は思っていた！　そこへ今夜、しかも自分にとってこのうえなく悲痛なおりもおり、ジャックはふたたび、その敏捷なひとみ、いじわるそうな顔をして自分のまえにあらわれたのだ！

ジェンニーは、うつむきこんで、目をおそるおそる階段のほうへ向けながら腰かけていた。彼女の考えは、駆け足ではせめぐっていた……いったい自分はどうなるのだろう？　偶然の出会い、ふたりの眼差しのぶつかりあい、ただそれだけで、あらゆる過去の残滓（ざんし）がかきたてられ、その結果、長年かけてようやく回復できた心身の均衡が、たちまち失われてしまうとでもいうのだろうか？

ジャックは、兄からしめされたとおり、ホールの中で待っていた。

黒サテンの女は、帳場にもどると、眼鏡の上から、ときおり敵意のこもった視線を投げてきた。遠くに聞こえているピアノとかん高いヴァイオリンのオーケストラは、たった一組踊っている人がいるために、タンゴの曲を奏していた。ジャックの目にも、その人たちのすがたがときおりガラス戸の向こうに見えた。食堂では、おそくなった人たちが食事を終わりかけていた。台所のほうからは、皿のひびきが聞こえていた。盆を持って、行ったり来たりしているボーイどもは、帳場の前を通りながら、あまり高くない声で「三番さまにエヴィアン一本」「十番さま、お勘定」「二十七番さま、コーヒー二丁」と知らせていた。

部屋つきの女中が、階段を駆けおりてきた。すると、黒サテンの女は、ペン軸のさきでジャックのほうをしめした。

女中は、兄からの短い手紙を持ってきた。

ドクトル・エッケに電話をかけて、大至急来てもらうこと。パッシー、〇九—一三番。

ジャックは、電話室を教えてもらった。電話に出たのが、すぐにニコルの声だとわかった。だが、ジャックのほうでは、自分ということを名のらなかった。

エッケは家にいた。そして電話口にあらわれた。

「すぐ出かける。十分したら行くからね」

帳場の女は、電話室の前で待っていた。あの《九番のばかやろう》に関するかぎり、何から何まで信用するわけにいかなかった。ただの病人というだけでも、ホテルにとってはありがたからぬ客なのだ。いわんや自殺をしかけたお客なんて！

「おわかりでもござんしょうが、こうしたことは、てまえどものような家では……おことわり申しますよ……ぜったいおことわり申します……一刻も早く……」

アントワーヌが、階段に姿をあらわした。帽子もかぶらず、ひとりだった。ジャックはいそいで駆けよった。

「どう？」

「昏睡状態だ……電話はかけてくれたね？」

「エッケさんはすぐ来るって」

黒サテンのおかみは、決然ふたりの話に割ってはいった。

「かかりつけのお医者さまでいらっしゃいますね？」

「そうなんです」

「おわかりでしょうが、てまえどもではここにおおきするわけにはまいりません……ここはなにしろホテルですから……病院におつれ願いましょう……」

アントワーヌは、おかみにかまわず、ホールの向こうのすみのほうへ弟をつれていった。

「どうしたの？」と、ジャックがたずねた。「なんで自殺したのかしら？」

「それがまったくわからないんだ」

「ひとりでここに暮らしていた？」

「そうらしい」

「すぐ上へ行く？」

「いや、エッケの来るのを待っていよう、ちょっと話があるんだから……かけようや」

だが、腰をかけたと思うまもなく立ちあがった。

「電話はどこだね？」アントワーヌは、とつぜんアンヌのことを思いだした。「入口を見張っていてくれ。おれはすぐに帰ってくるから」


アンヌは、明かりもともさず、窓はあけ放ち、すだれをさげ、長椅子の上に横たわっていた。電話のベルが鳴るが早いか、てっきりアントワーヌのやってこないだろうということを直感した。そして、向こうの言うことは耳にはいらず、何を言っているのかもよくわからずに、ただアントワーヌの言いかけの言葉を聞いていた。

「わかったね？」相手が黙ったままなのに驚いてアントワーヌが言った。

アンヌは、返事ができなかった。咽喉のところがけいれんして、締めあげられるようだった。そして、やっとのことで、こうつぶやいた。

「……そんなこと、嘘でしょう？」

声はいかにも低く、それがいつもとちがっていたため、アントワーヌは、あやうく腹をたてかけた自分をおさえた。

「何？　嘘だろうって？　だって、言ってるじゃないか……昏睡状態だって！　外科医の来るのを待ってるんだ！」

女は、くやしさのあまり、受話器をしっかり握りしめていた。そして、わっと泣けてくるのをおそれながら、口をきくことができなかった。

彼は待っていた。

「あなた、どこにいらっしゃるの？」と、ようやくのことで女が言った。

「あるホテルだ……エトワール（エトワール凱旋門）のそばの……」

女は、よわよわしいこだまとでもいったようにおなじ言葉をくり返した。

「エトワール？……」それから長いことためらったあとで「ではすぐそばね……すぐ近いところにいらっしゃるのね！……」

彼は微笑した。

「そうなのさ、遠くないところさ……」

女は、声のちょうしで男の微笑しているのを察した。そして、急に希望をとりもどした。

「きみが何を考えてるか、よくわかるよ」彼は微笑をつづけていた。「だがね、も一度言うが、ぼくは今夜ずっとここにいなければならないんだ……きみは、おとなしく家へ帰ったほうがいい」

「いや！」と、女は早口にそして低い声でさけんだ。「いや、あたし動かない！」そして、またしばらくためらっていたあとで「あたし、お待ちしててよ……」と、ささやいた。

女はぐっとからだをそらし、受話器を遠く離したあとで、深く息を吸いこんだ。遠くのほうから、受話器が鼻声をつたえていた。

「……逃げ出せたらね……だが、あんまりあてにしないでね……では、さよなら……」

女は、はっと受話器を耳にあてた。だが、もうアントワーヌの切ってしまったあとだった。

女はふたたび長椅子の上に身を横たえた。そして、一点に目をそそぎ、両足をしっかりそろえ、からだを緊張させたまま、受話器を頬にしっかり押しあてていた。

「フォンタナン夫人は、たしかにりっぱな婦人だよ」と、アントワーヌは、ジャックのそばにしずかに腰をおろしながら言った。彼は、そう言ってから口をつぐんだ。そして、ちょっとまをおいて
「ジェンニーさんには会わずにいたのか……あれ以来?」アントワーヌの胸には、とつぜん、弟の失踪のこと、『ラ・ソレリーナ』のこと、また、このはっきりしない事件について、かつて自分のかぎつけたすべてのことを思い浮かべた。
ジャックは、暗い顔で、否定するように手を振ってみせた。
一台の自動車がホテルの前にとまった。エッケの姿が石段の下にあらわれた。見れば細君もいっしょだった。ニコルは、これまでぜったいおじのジェロームのことを許していなかった。母の不身持ちも、まさにおじの責任であると考えていた。そして、こうした見苦しい終局も、神さまの罰にほかならないように思っていた。といって、こうした悲痛なときにあたり、おばのテレーズとジェンニーをふたりだけにしておく気にもなれなかった。

エッケは、入口でちょっと立ちどまった。眼鏡のうしろの鋭い眼差しは、ひとわたりホールの中を見まわした。そして、ふたりのほうへ歩みよってくるアントワーヌの姿が目にはいった。だが、つとめて身を隠すようにしていたジャックの姿には気がつかなかった。

アントワーヌは、ニコルの長女が死んだまえの晩以来、彼女と会っていなかった。（その後まもなく、ニコルが死産をしたこと、それがなかなかの難産で、その結果、ニコルは心身ともにすっかり弱ってしまったことを知らされた。）ニコルはやせていた。あの若々しい、むじゃきな顔の表情も、いまはまったく見られなかった。ニコルは手をさし出した。ふたりの眼差しがいきあった。そして、ニコルは、軽く顔を緊張させた。

彼女のつらい思い出の中には、いつもアントワーヌの思い出がのこっていた。そして今夜、こうした事件の悲痛な空気の中で、ふたたび彼に会ったのだった……

アントワーヌは、エッケの耳に何か話しつづけながら、いっしょにエレヴェーターのほうへ向かっていった。ジャックには、ふたりがガラス張りの箱にはいる直前、遠くから、兄がこめかみの一点、生えぎわのあたりに指をおいたのが目にはいった。

帳場の中から、黒サテンのおかみが飛び出してきた。

「あれはご親類のかたですか？」

「外科医です」

「ここで手術をなさることだけはおことわり申しておきますよ」

ジャックは、おかみに背を向けた。

すでに音楽もやんでいた。食堂の明かりも消されていた。駅の乗合自動車で、一組の若い男女が運ばれてきた。イギリス人にちがいなかった。口かずも少なく、真新しいりっぱなスーツケースをさげていた。

十分ばかりもたったころ、女中がふたたび、アントワーヌからの別の手紙を持ってあらわれた。

ヌィイー、五四―〇三番、ボードラン病院にエッケからと言って電話をかけること。寝台車をすぐにまわしてもらうこと。手術室を準備しておくこと。

ジャックはすぐに電話をかけた。

電話室から出てきた彼は、ドアに身をよせていたおかみと会った。女は、愛想よく、ほっとしたようなようすで微笑して見せた。

彼は、兄とエッケが、ホールを横切って歩いてくるのを見た。エッケは、ひとりで自動車に乗った。

アントワーヌは、ジャックのほうへもどってきた。

「エッケは今夜、たまが抜けるかどうかやってみるという。のるかそるかの運だめしだ……」

ジャックは、目で、兄へ向かって問いかけた。兄は口をとがらせて、

「頭蓋を深くやられている。うまく抜き出せたら奇跡だな……ところで……」兄は、そう言いなが

ら、ガルリー・サロンの入口にあった通信用のテーブルのほうへ歩いていった。「フォンタナン夫人は、リュネヴィルの兵営にいるダニエルに知らせてやりたいにちがいない。夜どおしあいている郵便局で、電報を打ってきてもらいたい。たとえば、取引所の郵便局で」

「だが、休暇をとることができるかしら？」と、ジャックがちょっと言いかえした。

《なにしろ時局が時局なんだ……それに国境近くの駐屯のことだし》と、彼は思った。

「とうぜんじゃないか……なぜさ？」と、アントワーヌは、何もわからないままに言った。

兄は、すでにテーブルの前に腰をおろして、電報を書きかけていた。が、ふと思いかえして頼信紙をまるめた。

「いかん……大佐あてに打ったほうが確実だ」そして、別の頼信紙を手にとると、低く口につぶやきながらこうした文句を書きつけた。《フォンタナングンソウ　シキュウキュウカ　オネガイス　チチオヤ……》書いてしまうと立ちあがった。

ジャックは、言われるままに電報を手にした。

「では、あとで病院へ行こうか？　場所はどこかしら？」

「来るなら来いよ……ビノー通り十四番地……だが、来てもなんにもならないぜ」と、ちょっと考えてから、兄が言った。「賢明なのは家に帰って寝ることだ……」《どこに泊まってる？　ユニヴェルシテ町の家へ来て泊まらないか？》と、言おうとした。だが、そのまま何も言わなかった。）「あしたの朝、八時まえに電話をかけてくれるがいい。どんなようすか知らせるから」

そして、ジャックが行こうとするのを見て、も一度弟を呼びもどした。
「それに、ダニエルあてにも電報を打っといてもらおう。病院の番地を知らせてやって」

十九

ジャックが、取引所の郵便局を出たときは、ちょうど夜中の十二時が打とうとしているところだった。

ジャックはダニエルのことを考えていた。彼は、《ドクトル・チボー》という名で打った電報の封を、ダニエルが切っているところを思い浮かべていた。明るく照らし出され、ほとんど人っ子ひとりいない広場を見ながら、彼はさもそれが目にはいらないとでもいったようすで、ぼうぜんとして、ちょっとのあいだ、人道のふちに立ちどまった。熱の出はじめとでもいったように、手足がすこし痛んでいた。目まいがしていた。彼は、《どうしたのかしら?》と、心に思った。

彼は、ぐっと腰に力を入れてからだをそらした。そして車道を渡っていった。空気はいままでよりもなめらかになっていた。だが、夜はあいかわらず暑かった。彼はどことあてなしに、ただまっすぐ歩いていった。彼は、《どうしたのかしら?》と、ふたたび心の中に考えてみた。《ジェンニーのことかな?》すると、青いタイユールを着た、顔色のわるいやせがたのジェンニーが、何年も会わずにいたあとでとつぜんあらわれたときそのままの姿で、彼の目の前に思い浮かんだ。だが、それもほんの一瞬のことだった。彼はすぐに、そしてほとんどなんの努力もせずに、それをはらいのけてしまうことができた。

彼は、ヴィヴィエンヌ町を通り、ポワソニエール通りまで来て立ちどまった。夏の日曜日のことでもあって、それまでほとんど人けのなかった大通りは、いまやひとしきり人でにぎわっていた。ほうぼうの劇場のはねる時刻だった。カフェーのテラスは客でいっぱいだった。オープンのタクシーが、オペラ座のほうをさして竜巻のように流れていく。人道の上には、人波が、これまた西のほうへ向かって流れていた。花のついた大きな帽子をかぶった、潑剌とした夜の女たちが、人波とは逆に、男たちだけの顔をのぞきこんでポルト・サン・マルタンのほうへ歩いていく。

町かどのところ、一軒の店の前によりかかって、ジャックは、こうして何も知らない人々の動いていくのをながめていた。アントワーヌの無知、それはひろく一般の人たちのものでもあった。こうして笑いさざめいて歩いていく人たちのうち、ヨーロッパがすでにわなにかかっているのに気のついているものがひとりでもあろうか?……ジャックは、何千何万というむとんじゃくな人たちの運命が、ただいきあたりばったりに選び出されたいく人かの人々の手ににぎられていること、そして、そうした人たちに、一般大衆がなんとばかばかしく自分たちの安危を託して安心しているかの事実を、きょうほどひしひしと思い知らされたことはなかった。

ひとりの新聞売りが、ボロ靴を引きずりながら、なんの張りもないといったようすでどなっていた。

「第二版……『ラ・リベルテ』……『ラ・プレッス』……」

ジャックは、そうした新聞を買って、街灯の灯(ひ)かげでひとわたり目をとおした。《カイヨー事件公判……ポワンカレ氏の訪露旅行……パリ横断水泳競技……アメリカ合衆国とメキシコ……嫉妬の惨劇……フランス一周自転車旅行……テュイルリー、風船競争一等賞……経済市況……》なにも書かれていなかった。

また、ジェンニーのことが心をかすめた。そしてジャックは、とつぜん出発を二日早めようと心にきめた。

《あした、ジュネーヴへ帰ろう》こうきめると、思いもかけず気が軽くなった。

《『ユマ』(『ユマニテ』新聞社)によってみようか？》こう考えた彼は、ほとんどうきうきしたようすで、クロワサン町のほうへ向かって歩いていった。

ちょうどこうした時刻、翌日の新聞の大部分が作り出されつつあるこの界わいは、まったく活気にあふれていた。ジャックは、蜂の巣のような町の中へはいっていった。昼のように明るいバーやカフェーは、客でいっぱいだった。あけ放されたほうぼうの戸口からは、中での騒ぎが往来の中まで流れていた。

『ユマニテ』社の前には、いく人かの人が立ちはだかって、入口をふさいでいた。ジャックは、中のいく人かと手を握った。はやくも、ラルゲが《おやじ》にもたらした報告のことが話題にのぼっていた。金貨四億フランの特別預金（それは《戦争準備金》と呼ばれていた）が、最近フランス銀行になされたことについてだった。

まもなく連中は散っていった。ある者たちは、今夜のくくりに《カフェー・デュ・プログレ》に行こうと言った。それは、そこから数分といった距離のサンティエ町にあって、何かニュースをつかみたいと思う社会主義者たちは、そこへ行けば必ずいく人かの編集者に会うことができた。（プログレ亭に行かない者は、モンマルトル町のクロワサン亭、それでなければ、フェードー町のショップ亭に行くのがしきたりだった。）

ジャックは、プログレ亭へ行ってジョッキを一杯やろうとさそわれた。彼は、これまでにもこうした集まりの場所に出入りしていたので、そこへ行けばいつもいく人かの友人に会えた。みんなは、彼が任務を持ってスイスから来ていることを知っていた。そして、彼はある種の敬意をもって迎えられていた。みんなは、いろいろの情報をあたえてくれ、仕事を助けてくれていた。だが、こうした信頼と友情にかかわらず、労働者出身の闘士の大多数は、ジャックを《インテリ》と考え、《シンパ》と考え、心からの自分たちの仲間ではないと考えていた。プログレ亭では、中二階にある、かなり広い、そして天井の低い部屋が彼らの集会所になっていた。そこへは、党に関係のある支配人が、常連だけしかあげないことにしていた。その晩は、年のころまちまちな二十人ばかりの連中が、タバコの煙と、すっぱいようなビールのかおりの中で、よごれたいくつかの大理石のテーブルを囲んで集まっていた。みんなは、その朝掲載された、戦争の場合インターナショナルの任務に関するジョーレスの記事をあげつらっていた。

そこには、カディウ、マルク・ルヴォワール、ステファニー、ベルテ、それにラップの顔が見えていた。みんなは、ほんのり赤みをおびた顔、ブロンドの髪、そしてひげのふかいひとりの男を囲んでいた。それは、かつてジャックがベルリンで知りあったドイツ社会主義者のタッツラーだった。タッツラーは、いま言った記事が、ドイツのあらゆる新聞に転載され、論じられることになるだろうと話していた。彼は、大統領のロシアへの旅行費に関し、フランス社会党がこれを拒否したことを正当であると認めた。最近議会でのジョーレスの演説が――ジョーレスは、フランスは、渦中に《まきこまれること》を意に介していない、と喝破していた――ドイツにおいて深い反響をひきおこしたことについて話していた。

「フランスでも」と、ラップが言った。彼は、ひげむじゃの、頭が妙にでこぼこしている印刷工あがりの男だった。「その結果、セーヌ県連では、戦争の場合、ゼネストをやる動議をしたんだ」

「ドイツの労働者には」と、カディウがたずねた。「社会民主党のほうでストライキの原則を認めた場合……そして、動員の脅威に直面してそうした命令を発した場合、なんの文句も言わずにそれをやってのけるだけの統率がとれており、準備ができているんだろうか?」

「ではおなじ質問をきみに向けよう」と、確信ありげな朗らかな笑いを見せたタッツラーが言った。

「いざ動員となったあかつき、諸君フランスの労働者階級にはじゅうぶん統率がとれていて……」

「それは、もっぱらドイツ・プロレタリアの態度いかんにかかっていると思うな」と、ジャックが口をはさんだ。

「おれはもちろんしかりと答える」と、カディウが言った。

「ところが、あまり確信ではないようだぜ!」と、ラップが言った。「おれはむしろいなと言いたい」

カディウは肩をすくめてみせた。

(彼は、大柄な、やせた、ぐにゃぐにゃした男だった。彼は、いたるところ、班の集まり、委員会、労働取引所、C・G・T(Confédération Générale du Travail, 労働総同盟)、ほうぼうの編集室、役所の階段を、いつもせかせか、いつも小走りに駆けまわっていて、なかなかつかまえられないといわれていた。いつも途中でしか出会わないような男だった。そして、いざ見つけようとすると、どこへ行ったかわからなかった。いつも通ってしまったあとで、ああ、あいつだったなと思いだされるような男だった。)

「しかり、しかしていな……」と、タッツラーは、大口あいて笑いながら言った。「そうだ、ぼくらのほうも gerade so(まったくおなじだ)!……諸君ごぞんじかな?」と、彼は、目をぎょろつかせながら言った。「ドイツでは、ポワンカレのツァー(旧帝政時代のロシア皇帝)訪問をとても気にやんでる!」

「ばかげているさ!」と、ラップがうなった。

「たしかに時期をあやまってる! まるで全世界にたいして、汎スラヴ主義の大っぴらなしり押しをしてでもいるような印象をあたえている!」

ジャックは言葉をさしはさんだ。

「とりわけ新聞を読むとそう見えるんだ。あの旅行に関するすべてのフランス新聞の解説には、がまんできないような挑戦的な態度がしめされてる」

「それがなぜだかわかるかね？」と、タッツラーが引きとった。「つまり外相ヴィヴィアニに同行しているため、きっとペテルスブルグ（当時の露都）でGermanismus（ドイツ主義）を敵とする外交的な話しあいがあるにちがいないと思わせるんだ……ドイツでは、フランスに三年兵役制を採用させたのがロシアだということを、みんな知りすぎるほど知っている。その目的は？　こうして汎スラヴ主義は、ますますドイツを、そしてオーストリアを威嚇している！」

「ところが、ロシアもうまくはいっていないぜ」と、はいってくるなり、ジャックのそばに腰をおろしたミラノフが言った。

「フランスの新聞は、それについて何も書かない。ところが、プラズノウスキーがロシアから来た。そして、いろいろ報告を持ってきた。ストはプチロフ工場からおこって、みるみる大きくひろがっていった。おとといの金曜日には、ペテルスブルグだけで六万五千の罷業者を数えた！　市街戦が行なわれた！　警官隊が発砲して、殺されたものがたくさんいる！　女子供にいたるまで！」

ふたたびジャックの目の前には、青いタイユールを着けたジェンニーの姿が、あらわれたかと思うとたちまち消えた。ジャックは、話しつづけようとして、そして、いまの悩ましい面影を払いのけようとして、ミラノフに向かってこうたずねた。

「プラズノウスキーが来たんだって？」

「けさ着いた。かれこれもう一時間ほどまえから、《おやじ》と部屋にとじこもってる……おれはやつを待ってるんだ……きみもそうかね？」

「いや」と、ジャックが答えた。またからだぐあいが悪くなり、熱っぽさをおぼえてきた。彼には、こうしたタバコの煙の中にいて、なんのへんてつもない質問のくり返しをきいているのが、なんともたまらなくなってきた。「だいぶおそいな。もう帰らなくちゃあ」

だが外へ出た彼には、夜の暗さ、しいんとしたさびしさが、仲間たちといっしょにいる以上につらく思われた。彼は、足を早めて、ホテルのほうへ向かって歩きはじめた。泊まっていたのは、ベルナルダン町とトゥルネル河岸のかどのあたり、セーヌ川の向こうがわ、モーベール広場に近い家具付きの下宿で、それを、ヴァンネードの昔の友人であるベルギー人の社会主義者が経営していた。彼は、さして注意もせずに、騒がしい夜の中央市場を、つづいて、ひろびろと静まりかえった市庁広場を通り抜けた。大時計は、二時十五分を指していた。それは、夜おそくとりのこされた男や女が、たがいに行きかい、みだれあい、雌雄の犬さながらたがいにかぎあうといったあの奇妙な時刻にあたっていた。

暑くなってきた。そして咽喉がかわいてきた。バーというバーはしまっていた。彼は、首うなだれ、重い足を引きずりながら、河岸にそって、睡眠と忘却とに向かって足をいそがせた。はるかかなたでは、ジェンニーが、父のまくらもとで夜どおし看護をしているにちがいない。彼は、そのことを考えまいとした。

《あしたのこの時刻》と、彼はつぶやいた。《おれはもう遠くにいってしまっている！》

手探りで階段をあがり、自分の部屋にたどりついた彼は、水さしの中の生ぬるい水をひとくち飲んだ。そして、ろうそくもつけずに着物を脱ぎ、ベッドの上に身を横たえたかと思うと、ほとんどすぐに眠りに落ちた。

二十

アントワーヌの前で行なわれた手術は、完全なものとはいえなかった。エッケは傷口を切開し、砕けている骨を取り出した。その骨片は、深く頭蓋の中にまではまりこんでいた。彼は穿顱(せんろ)手術を行なおうとまで決心していた。だが、患者の状態は、ながい探査をゆるさず、ふたりの医師は、ついにたまを見つけることを断念した。

ふたりは、このことをフォンタナン夫人に知らせることに相談をきめた。だが、きのどくに思って——ぜんぜんでたらめではなかったにしても——手術をしたので、あるいは助かるかもしれないといったように話した。もしからだの状態さえ回復したら、たまをさがし、それを抜き出すことができるかもしれない。(だがふたりは、そうした幸運のはなはだおぼつかないことについては話さなかった。)

エッケと妻とが病院から帰ろうとしたとき、それはちょうど二時だった。フォンタナン夫人は、ニコルに向かって、ぜひ夫といっしょに家に帰ってくれるようにと言ったのだった。

ジェロームは、三階の部屋に移されていた。そして、看護婦がひとり起きていた。

アントワーヌは、夫人とジェンニーのふたりだけを残しておくわけにもいかず、自分も泊まろうと申し出た。そして三人は、病室の隣にある小さなサロンへはいっていった。ドアの窓も、あけ放されていた。三人のまわりには、何か無気味な病院の夜の静けさがひろがっていた。ひとつひとつのドアのうしろには、身をもがき、ためいきをつき、眠られぬままに時のたつのを数えている悩める肉体のあることが想像された。

ジェンニーは、少し離れたところ、部屋の奥にある長椅子に腰をおろしていた。そして、スカートの上に両手を組み、上半身を立て、首すじをよせかけ、目を閉じて、さも眠ってでもいるようだった。

フォンタナン夫人は、自分の椅子をアントワーヌの椅子のそばへ引きよせていた。もう一年以上彼と会っていなかった。それでいながら、自殺と聞いてすぐに彼女の思いついたのは、ドクトル・チボーに助けを求めようということだった。彼は来てくれた。呼ばれるが早いか、来てくれた。いつものとおり、いかにも張りきった、たのもしい彼。

「お父さまがおなくなりになったときから、ずっとお目にかからずにいましたわね」と、とつぜん夫人が口を切った。「ずいぶんおつらかったでしょう……いつもご案じ申しておりましたわ。お父さまのためにもお祈り申しておりました……」夫人は口をつぐんだ。そして、ふたりの子供の家出のとき、たった一度だけチボー氏をたずねたことを思いだしていた。あのときのチボー氏の、なんと無情で、また無礼だったことだろう！……夫人はつぶやいた。「どうかあの世で、おしあわせでいらっしゃいますように……」

アントワーヌは、それにはなんとも答えなかった。沈黙がつづいた。

まわりに羽虫の飛びまわっている電灯は、容赦のない光を、見せかけだけの豪奢の家具や、椅子の金色の渦巻模様や、テーブルの中央に堂々とすえられてある、リボンにかざられた青い陶器の飾り鉢の中の、緑色の、貧血したような植木の上にそそいでいた。あいだをおいて、廊下のはずれに、低いベルの音がふるえるように鳴りわたった。すると、ゆかの上をすべるように看護婦の足音が聞こえ、やがてひとつのドアが静かにあけられ、ふたたびしめられる音がした。ときおり、はるかなうめき声、陶器の打ちあたる音、やがてまた、すべては沈黙にかえるのだった。

夫人は、アントワーヌのほうへ身をかしげ、ふっくらした小さな手で、疲れた目を、あからさまな電灯の光からかばっていた。

夫人は、低い声でジェロームのことを話しはじめた。そして、ぽつりぽつりと、夫の複雑な事業について、知っているだけのことを説明して聞かせた。夫人は、それを口に出すために、なんの努力も要しなかった。アントワーヌの前では、いつも安心した気持ちになれるのだった。

彼のほうでも、身をかしげながら、夫人の言葉に耳をすましていた。彼はときどき、思いだしたようにひたいをあげた。そしてふたりは、いかにもおもおもしい、たがいにわかりあっているような眼差しをかわした。《なんというりっぱな人だろう》と、アントワーヌは思った。これほど落ちついているること、こうした悲しみの中にあっても毅然としていること、けなげでいながら、いつもすなおな魅力を失わずにいることがたのもしかった。《おれのおやじは町人だった》と、アントワーヌは思った。《それに反して、これはりっぱな貴婦人だ》

そのあいだも、彼は夫人の語るひとつの言葉さえ聞きもらさなかった。そして、ジェロームが死に追いつめられるまでのあぶない道筋のひとつひとつを、だんだん組み立てていくことができた。ジェロームは、およそ、十八カ月ほどまえから、あるイギリス系の会社に勤めていた。本社はロンドンにあって、ハンガリーの森林伐採をやっていた。それはまじめな会社だった。そしてフォンタナン夫人も、何カ月かのあいだは、主人もやっと確実な地位にありつけたものと思っていた。じつをいうと、夫人には、夫の仕事がどんなものか、はっきりわかっていなかった。生活の大部分をウィーンとロンドン間の寝台車の中ですごし、パリにはほんのちょっとくるだけだった。そのときは、天文台通りの家へ来てひと晩をすごした。そういうときの彼は、書類でいっぱいのカバンを重そうにぶらさげ、いかにももっともらしいようすをしながら、しかもきわめて上きげんで、うきうきしていて、家族のものたちにも愛想よくして、みんなをよろこばせていたものだった。(ところで、これは夫人の話してきかせなかったことだったが、彼女は、いろいろな証拠から、夫がオーストリアにひとり、イギリスにひとり、かなり金のかかる女をふたりまでもかこっている事実を知っていた。)何はともあれ、生活はきわめて楽なようだった。そして、いずれ自分の地位ももっとよくなるにちがいない、そうなれば、妻と娘のため、もっとたんまり仕送りができるだろうなどとも言っていた。というのは、ここ数年来、夫人とジェンニーとは、まったくダニエルだけをたよりに暮らしをたてていたのだからだ。（夫人はこのことを打ちあけながら、夫の冷淡さを非難する恥ずかしさと、いっぽう親思いの息子を自慢したい気持ちとで、明らかに板ばさみの苦しみを味わっているらしかった。）

さいわい息子は、リュドウィクスンの美術雑誌のてつだいをして、そこからそうとうな手当をもらっていた。そのダニエルが軍隊にはいることになったとき、すべてはたいへんなことになりかけた。ところが、豪放な、それに見とおしのきくリュドウィクスンは、ダニエルが兵役解除になったあかつきふたたび自分のところに帰ってきてもらうため、その留守ちゅう、金額こそへらしはしたが、月々ちゃんと手当をはらうと約束してくれた。そんなわけで、なにはともあれ、夫人とジェンニーとは、最低限度の必要にはこまらずにいられた。ジェロームも、こうした事情を知っていないわけではなかった。それどころか、いくたびもこのことを口に出して言いさえしていた。彼は一流のむとんじゃくさから、わが家の生計をすっかり息子にまかせきっておきながら、まるで大大名とでもいうようなおうようさで、息子の支出している金額をはっきり知らせておくようにと言っていた。そして、息子にたいしては、おりあるごとに、感謝することを忘れなかった。そのうえ彼は、そうした金銭上の援助を、さも息子のほうから申し出てくれた立替えとでもいったように考え、余裕ができさえしたら、必ず弁済するようににおわせていた。彼は、その金額が《まとまった額》になるのを待って決済するつもりだと言っていた。そしてたんねんに、こうした負債の正確な計算書をこしらえ、ときどき思いだしたように、タイプライターでたたいた二通の表を、夫人とダニエルにわたしていた。利子は複利で、しかも割のいい利率になっていた……これらのことを説明しているときのフォンタナン夫人は、いかにもむじゃきな、なにげない態度で、それを見ていると、夫人がはたしてジェロームの悪意に気がついていたかいなかったか、それを見分けることさえむずかしかった。

アントワーヌは、ふと目をあげたが、おりから自分のうえにそそがれているジェンニーの目といきあった。考えぶかげな眼差し、慎ましさと孤独とが重く宿っている眼差し、彼はそれに打ちあたるたびに、いつもばつのわるさを感じないではいられなかった。彼は、かつての日、弟の失踪について、当時まだ子供のジェンニーにたずねに来たときのこと、そして、そのときはじめて見たこの目のことを忘れたことがなかった。

彼女は、とつぜん立ちあがったと思うと、

「息苦しくって」と、母に言った。彼女は、手の中にまるめていた小さなハンケチでひたいをふいた。「お庭へ行って、すこしいい空気を吸ってきますわ……」

夫人はうなずいてみせた。そして、その姿が見えなくなるまでじっと見送っていた。それからまた、アントワーヌのほうを向き直った。夫人は、ジェンニーが、ふたりだけにしてくれたことをうれしく思った。これまでの話だけでは、なぜ急に自殺を企てるにいたったかの点をはっきり説明することができなかった。これからいよいよ、そのむずかしい説明、その苦しい説明にかからなければ。

昨年の冬、それまですでにウィーンでいろいろ交遊関係のできていたジェロームは、不注意にもその名を——それに、その称号を、というのは、オーストリアでは、彼は自分をジェローム・ドゥ・フォンタナン伯爵と呼ばせていた——オーストリア人の事業にかかる、捺染紙（なっせんし）製造会社の取締役会長として使わせていた。ところが会社は、わずか数カ月で、顔向けできないような破産をした。いまやその清算が進行していた。そして、オーストリアの裁判所は、その責任の所在を追及していた。

事件はさらに、トリエステ博覧会事務所からの提訴によって紛糾をみせた。今年の春、捺染紙会社は、博覧会に宣伝のために店を出した。ところが、そこの家賃がずっと不払いのままだった。ジェロームは、とりわけこの博覧会に力を入れていた。そして、六月には、イギリスの会社から一カ月の休暇までとって、それを楽しくトリエステですごした。捺染紙会社は、数回にわたってかなりな金額を彼にわたした。ところが、その使途の説明がはっきりできないでいたらしかった。そして、予審判事は、フォンタナン伯が店賃も払わず、会社の費用で、トリエステで大乱痴気をやったものと認めた。いずれにしても、ジェロームは、破産会社の取締役会長として、訴追をうけなければならなかった。うわさによれば、彼は大たばの株券を持っていた。それは、会長を引き受けた報酬として《名刺代わりに》贈られたものということだった。

ところで、どうしてフォンタナン夫人に、こうした細かいことまでわかったのか？ つい数週間まえまで、夫人は何ひとつ知らずにいた。ところへジェロームからの手紙がきた。わけのわからないせきこんだ手紙で、夫人自身の所有になっているメーゾン・ラフィットの別荘を抵当に、さらに金を借りてほしいというのだった。（別荘は、すでに彼のため、その一部が抵当に入れられていた。）夫人の相談をうけた公証人は、至急オーストリアのほうを調べさせた。こうして夫人は、夫の身にかかる提訴の事実を知ったのだった。

ところで、この四、五日のあいだに何がおこったというのだろう？　いかなる新しいできごとが、ジェロームを絶望の所業にまでもおもむかせたというのだろう？　夫人は、その推測に迷っていた。トリエステでの債権者たちの何人かが、毎日毎日地方新聞で夫を摘発していることは知っていた。だが、そうした彼らのいわゆる摘発が、はたして根拠のあるものだろうか？　だが、ジェロームのほうでは、自分の将来が、これでだめになったと思ったらしい。たといオーストリアの裁判所から告発されずにすんだとしても、こうした醜聞をおこした以上、イギリスの会社での地位を保ちつづけるわけにはゆくまいし……こうして、あらゆる手段が尽き、あらゆる方面から追いつめられたとなった以上は、身を消してしまう以外、道がなかったのではないだろうか？

フォンタナン夫人は口をつぐんでいた。じっと前をみつめ、何かたずねるとでもいったような、とりとめないような夫人の眼差しは、口に出せない問いかけの言葉をつたえてでもいるようだった。《わたし、あの人に、つくすべきことをすべてつくしてやったかしら？　昔のように、わたしがそばにいたとして、やはりこんなことになったかしら？……》それは、胸刺されるような、そして、いくら考えても解決できない問題だった。

夫人は、つとめて心をとり直した。そして、

「あら、ジェンニーは？」と、言った。「かぜをひかないかしら……おもてで寝たりしなければいい

けど」

アントワーヌは立ちあがった。

「どうかそのまま。ぼくが見に行ってきます」

二十一

ジェンニーには、庭へおりていくだけの気力がなかった。ただアントワーヌの前にいないですむため、サロンから逃げ出そうと考えたまでのことだった。

片方の手でタイル張りの壁にもたれながら、彼女は、廊下にそって、いきあたりばったりにいく足か歩いた。窓という窓はあいていたが、息苦しいことに変わりはなかった。階下にあたる手術室からは、胸のわるくなるようなエーテルのかおりが階段づたいにあがってきて、建物の上から下までこもっている、むしむしする空気にまじっていた。

父の病室の戸口は、半分開かれたままだった。部屋の中は暗く、ただびょうぶのかげのナイト・ランプだけが照らしていた。看護婦は、椅子に腰かけて編み物をしていた。掛けぶとんの下には、じっと動かないからだがぼんやり見えていた。両腕は、ベッドの上にのばされていた。頭は、まくらの上に平らにおかれていた。ひたいは包帯でかくれていた。なかばひらかれた口は黒い穴のようで、そこからは低く、ちょうしをきざんだ呼吸がもれていた。

ジェンニーは、細めにあいているドアのすきから、自分でもおどろくほど落ちついた、ほとんど無関心といったほどの沈着さで、その口を見、そのあえぎを耳にした。父は死にかけている。彼女はそれを知っていた。そのことを、心にくりかえしつづけていた。だが彼女は、そのおそろしい考えを、とりとめのない考えの底からひき出して考えることができず、父の死を、自分と交渉のある、確実な、現実のできごととしてながめることができなかった。彼女は、自分がひねくれもので、かたくなるように感じていた。それでいながら彼女は、たとい父にどんな欠点があったにしても、父を愛していた。彼女は、自分の若かりし日のほかの機会に、重態だった父のまくらもとにすわり、苦しさにゆがんだ父の顔を見ながら、胸のつまるような思いをしていたときのことを思いだした。そうした自分が、きょうという日、どうしてこれほど心を動かさずにいられるのか？……彼女は、両腕を下にたれ、目をじっとベッドにそそぎ、冷然として、さも罪を自覚したといった態度で、自分自身の冷淡さを腹だたしく思いながら、目をそむけたい気持ち、こうしたできごとを忘れたいと思いがちな気持ちと戦いながら、じっと立っていようと思った……さも今夜という今夜、この思いがけない父の臨終こそ、彼女が幸福になれそうな最後の機会を失わせてしまうものかもしれないとでもいったように……

やがて彼女は、すこし風にあたろうと思って、もたれていたかまちから肩をはなした。そして、廊下の窓のそばへ歩みよった。そこには、椅子がひとつおかれていた。彼女はそれに腰をおろし、手すりの上に腕を組み、組みあわせた両手の上に重い頭をのせた。

彼女はジャックを憎んでいた！　彼は、卑屈で気まぐれな男だ。無責任な男ともいえるだろう……

気ちがいなのだ……

下のほうでは、暑くるしいやみの中で、庭が、葉ずれの音ひとつたてず眠っていた。彼女の目には、しばふのまわり、暗いこんもりした茂みのかげに、ほのあかるい小道の見せる曲がりくねりまでがうかがわれた。日本のうるしの木が一本あって、その漢方薬をおもわせるしつこいにおいが、あたりの空気に毒をたきこめていた。木立の向こうには、間遠にともった大通りの街灯が輝き、そこをゆっくり野菜車の列がつづいてゆく。いつはてるともない車の列は、コーヒーをひくときのようなきしみをたてながら、石だたみの上をおどってゆく。ときおり、自動車の警笛が、それらの車のひびきを圧して聞こえた。と、流星のようなヘッド・ライトの光が、茂みのなかを竜巻のようにすべりぬけ、やがてふたたびやみの中へと消えてゆく。

「こんなところで寝てしまってはいけませんよ」と、耳もとでアントワーヌのやさしい声がした。

彼女は、からだにさわられでもしたように、はっと思って飛びあがると、あやうく声をたてそうになるのをおさえた。

「安楽椅子を持ってきてあげましょうか？」

彼女は、身ぶりで、いらないという返事をした。そして、ぎごちないようすで立ちあがると、アントワーヌのあとから、サロンのほうへ歩いていった。

「ご容態も悪くない」と、彼は歩きながら説明した。「脈はむしろよくなってます。昏睡にも、まえほどでない兆候が見えだしました」

サロンの中には、フォンタナン夫人が立っていた。そして、ふたりを迎えようと歩みよった。「わたし、ちょっと思いついたんですけど」と、夫人は、元気な声でアントワーヌに言った。「ジェームズさんにお知らせしたほうがよかったんでしたね！ グレゴリー牧師さん、わたしのお友だちの……」

夫人は、そう言いながら、そこはかとない愛情をこめてジェンニーの肩に腕をまわし、自分のほうへ引きよせた。ふたつの顔は、べつべつな悲しみのかげをきざみながら、じっとひとつに合わせられた。

アントワーヌは、牧師のことならよくおぼえているというようなようすをした。彼は、この絶好の機会を利用して、逃げ出すことを考えていた！……せめて一時間でも病院をぬけ出す……そして、ヴァグラム通りへ駆けつけられたら？ アンヌの姿がいやおうなしに頭に浮かんだ。白いペニョワールに身をつつみ、長椅子の上にまどろんでいるアンヌの姿……

「わけありません！」と、彼は言った。声の割れていたことから、そこには彼自身も気のつかなかった興奮がしめされていた。「番地を言っていただきましょう……わたくしが行ってきます！」

夫人はウンと言わなかった。

「でも、遠すぎますわ……オーステルリッツ停車場のところ！」

「だって、下に車が待たせてあります！　夜ならずいぶん飛ばせますし……それに」と、彼はきわめてさりげないようすでつけ加えた。「ついでに、ちょっと家へ帰ってきます。ゆうべ、電話をかけてきた患者がありはしないか……一時間で帰れましょう」

彼は、はやくも戸口へ行きかけていた。そして、夫人の説明や、心底からの感謝の言葉も、ろくろく耳にははいらなかった。

「なんという親切なかただろう！　いてくだすってほんとによかった！」アントワーヌの姿が見えなくなると、夫人は思わず、こう言わずにはいられなかった。

「あの人、きらいだわ」ちょっと黙っていたあとで、つぶやくようにジェンニーが言った。

夫人はたいしておどろきもせずに、じっと娘の顔をながめた。そして、それにはなんとも答えなかった。

夫人は、娘をサロンに残したまま、ジェロームの部屋へはいっていった。

いまはもう、ぜいぜいいうあえぎも聞かれなくなっていた。一刻一刻弱くなっていく息づかいが、なかば開かれた口から、音もたてずにもれていた。

夫人は、看護婦に、そのままでいるように手まねでしらせた。そして、しずかにベッドのすそへいって腰をおろした。

夫人には、もはや少しの希望もなかった。その目は、包帯されたあわれな顔から離れなかった。自分でもそれと気づかず、涙が頬を流れていた。

《なんというりっぱな人だろう》夫人は、眼差しを移そうともせずにそう言った。

銀髪をかくして、東洋風な横顔の美しさだけを浮きあがらせている綿と包帯のターバンのかげに、男らしい、上品な、じっと動かないジェロームの顔は、若きファラオン（古代エジプト王の名）のデス・マスクとでもいった感じだった。すなわち、目に見えないほどのむくみは、しなびたところやしわのかげをすっかり消して、薄暗い部屋の中に、彼の顔をふしぎなほど若く見せていた。なめらかな両頬は、顴骨のとがっている下のあたりで、きりりとしたあごの曲線にかけて落ちこんでいた。包帯は、ひたいの肉をすこし引きつらせ、閉じているまぶたの線を、こめかみのほうへ引き延ばしていた。麻酔剤のために少しいためられて、唇は肉感的なふくらみを見せていた。そうした彼は、ふたりがまだ若かったころ、朝まず目をさました彼女がその上に身をかがめ、眠っているのをじっとながめたころとおなじように美しかった……

絶望感をも、愛情をも、ともにきわめつくすことのできなかった彼女は、ただ涙をとおして、ジェロームから残されているもの、自分の一生かけてのたったひとつの、そしてまたもっとも大きな愛の対象の残していてくれるものをながめていた。

三十歳のときのジェローム……彼は、そりかえった胴体、あかるいブロンズの顔の色、微笑、甘えるような眼差しとともに、そのなまめかしい、きゃしゃな姿で彼女の前に立っていた……彼女はそのころ、その人に愛されているのを誇りにして、彼を《わたしのインドの王さま》と呼んでいた！……彼女には、その笑い声、あお向きかげんになりながら、じゅずをつまぐるように《ハ、ハ、ハ……》とはっきり三段に区切った笑う声が聞こえるように思われた……その陽気さ、いつもかわらぬ上きげん……嘘でかためたその陽気さ！　そうだ、彼はまるで原素の中にでもいるかのように、そうした嘘の中に生きていた。おもしろずくの、平気の平座の、そして、なんとしてもなおせなかった嘘……ジェローム……女としての自分が生涯をかけて知ることのできた愛のすべて、それがいま、このベッドの上に横たわっている……何年かまえから、自分の愛の生活ももう過ぎ去ったものと思っていた彼女！　それがとつぜん、こうして自分が、たえず希望を持ちつづけていたことを知らされたのだ……しかもいま、そして今夜という今夜、すべてが永遠に幕になろうとしているそのときに。

夫人は両手で顔をおおって、聖霊に呼びかけた。だが、なんのこたえもきかれなかった。彼女の心は、いまやあまりに人間的な感動でいっぱいだった。不純な追懐に身をまかせ、神からも見すてられたような気持ちだった……うしろめたいことではあるが、彼女の心はもろくなって、最後の情交のときのことを、われにもあらず思い浮かべた……それはメーゾン・ラフィットでのことだった……ノエミが死に、ジェロームを、アムステルダムから、その別荘につれもどしてきたときのことだった……その晩、彼はおずおず自分の部屋へ忍んできた。そして、自分にゆるしを求めた。彼は、あわれみと愛撫を求めた。暗やみの中、彼はからだをまるくしながら、自分にぴったりよりそっていた。自分は彼を、まるで子供といったように、ぐっと腕にだいてやった。夏の一夜、それはちょうど今夜のような……森にむかってあけられた窓……それから朝まで、自分はまんじりともしないで彼を見まもり、まるで子供ででもあるかのように、自分の子供ででもあるかのようにだきつづけ、寝かせつけてやったのだった……暑い、そしてなごやかな夏の一夜、それは今夜とそっくりの……

夫人はとつぜん顔をあげた。その目の中には、何かしら動揺が見られていた……はげしい、狂おしい欲情。看護婦にこの場をはずしてもらい、そこ、彼のそばに身を横たえ、これを最後にしっかりだきしめ、彼の体温の中に身をうずめることができたとしたら。そして、永遠に目をつぶろうとする彼であるなら、これを最後に、われとわが手で寝かしつけてやれたとしたら……《子供のように……自分の子供ででもあるかのように……》

目の前の掛けぶとんの上には、鋳型にとられたような、きわめて美しい神経質な手がおかれていた。そして、薬指にはめられた大きな紅縞瑪瑙（べにじまめのう）の指輪が、一点黒い色を見せていた。その右手、敢然としてピストルをあげたその手……《わたしとしたことが、せめてそのときおそばにいたら？》彼女は、身も世もあらぬ思いでそう思った。手をこめかみまであげるまえに、心の中で自分を呼びはしなかったろうか？　ああした喪心のときにあたって、せめて自分というものがそばにいたら、思いとまってもくれただろうに。まさにそここそ、その地上の生活を通じて主のおしめしになった場所であり、いかなる恨みがあったにしても、ぜったい立ち去ってはいけない場所だったのではないだろうか……

彼女は目をつぶった。しばらくの時がたっていった。彼女は知らず知らず、ふたたび心の平静をとりもどしていた。思い出のかずかずははらいのけられ、いまや悔恨の思いだけが、彼女の心に宗教的な安らぎをあたえていた。彼女は、宇宙にみなぎる力との交感が、ふたたび自分にたちもどってくれたように思った。それこそは、彼女にとって、いつも変わらぬ、それなくしてはすまされないところの救いだった。彼女は、主のおぼしめしによるこうした試練を、あやうく見まちがえようとしていたのだ。わが身に落ちかかったこんどの不幸、いまもなおその衝撃の下に打ちたおされているこうした不幸、彼女はいま、それを踏みこえ、そこに、より高い、そして、隠されている《必然の意思》《おぼしめし》のおきての存在を見たいと思った。そして、あの清朗な世界……捨身と諦念とによる安らぎの、清朗な世界のほうへ近づけているように思った。そうした世界、それこそは、選ばれた人々のため、あらゆる苦悩の窮極境にほかならないのだ。

《み旨の成らんことを》彼女は、手を組みながら、つぶやくようにそう言った。

二十二

車は、窓ガラスをすっかりおろして、人けの少ない、よく響く町の中を快速力で走りつづけた。夜はすでに明けがた近いことを思わせていた。

アントワーヌは、シートの中央に腰をおろし、手足をひろげ、口にタバコをくわえながら考えつづけていた。いつものことではあるが、不眠の疲れは、彼をぐったりさせるどころか、かえって快い興奮状態を感じさせていた。

《三時半》、彼は、パレール広場の大時計の前を通りながらつぶやいた。《四時に、あの気ちがい牧師のやつを起こして、病院へ行かせる。あとはすっかり自由になれる。……もちろん患者は、おれのいないあいだにごねってしまうかもしれないが……だが、まだあと一日つづくかもしれない……》彼の気持ちは平静だった。《できるだけのことはしてやった》彼は、手術の段階をひとつひとつ思いだしていた。そして、思いだしたついでに、ジェンニーの来訪、ジャックとすごした一夕のことを思ってみた。この四、五時間を職業的な活動に身をまかせた彼にとって、弟とのあいだの論争のごとき、いかにも空疎なものに思われた。

《おれは医者だ。おれにはなすべき仕事があり、おれはその仕事をやっている。それ以上、やつらはいったいどうしろというんだ?》

やつら、それは第一にジャックのやつだ。何もせず、なんの仕事も持たず、ただ空間を動きまわり、わめき散らしているだけなのだ。それは同時に、ジャックの背後にある革命的扇動家たちの一群。まさにゆうべも、彼らの暴動への怒号の声を聞かされたように思った。

《不平等だと? 不正だと?……そんなことはわかっている。何もやつらの発明じゃあるまい……だからといって、どうだというんだ?……今日の文明、それこそあたえられた条件なんだ! あたえられた条件! そうだ、まさにそこから出発すべきだ。何をいまさら蒸しかえしてみる必要があるう！……やつらのいう革命》と、彼は、低く言葉をつづけた。《とんだ打ちこわしを考えてやがる！打ちこわしておいて作り直す。まるで子供の積木遊びだ！　ばかめ！　まず第一に自分自身の仕事をするんだ！……不完全な社会に文句をつけ、それへの協力をこばむかわりに、現在あるもの、環境なり、時間なり、あるがままのものととり組めばいいのだ。そして、おれたちと同じように、自分の仕事をやってみるのだ！　功徳のあやふやな変革などを考えるかわりに、めいめい謙虚な持ち場のなかで、調和的に、有効的に、最善をつくして、短い一生をいかに用うべきかを考えたらいいんだ！》

彼は、こうした長広舌に得意だった。彼は、最後に、ぽんとピアノのキーをたたくように《以上！》と言った。

《相続のことにしても同様だ》と、彼は、とつぜんこみあげてくる怒りに身をまかせて言葉をつづけた。《今日において、財産を持つということが、他人の搾取を基礎とした生活だって？……ばかめ！……おれは必ずしも世襲相続の原則を弁護しようとは思っていない……そうだ、おれはそれを弁護しない……きみと同様、それを非難することぐらいは心得てるんだ……だが、それがいったいどうだというんだ。いまのところ、そういうことになってるんだ！　生活は、そういうことにきまってるんだ！　それをいまさらどうしろというんだ！　おや、おれとしたことが、いったい何に突っかかろうとしていたのかな？》と、彼は、われとわが身のことを笑いながら思った。《まるでこれでは、自分の守ろうというものにかみつきかけているようだな……》

だが、彼はたちまち、論破すべき相手が、自分の前にいでもするようにおどりあがった。

《それにおれは、多くの場合、遺産相続は、きわめてりっぱな結果をもたらすものと思っている……これまでにもいく度となく認めたことだが、りっぱな生活――それは、人類の共同体にとって、有益な、役にたつ生活を意味している――の実現を可能にするには、その九割までが遺産相続によっている……貧乏でないこと、それがこれからは罪悪にでもなるというのか？》彼は、ぐっと腕組みをしながらそう言った。

彼は、はっきりとではないが、そこにちょっとした論理のごまかしがあるように思った。いま彼の良心が、その彼の良心にたいしてかけた質問というのは、むしろ次のような意味だった。《自身で働かずに財産を手に入れ、そして金持ちになるというのははたして罪悪といえるだろうか？……》だが彼はこうした些細な点にこだわらなかった。そして、それをふるい落とそうとするかのように、肩を大きくひとつゆすって、そうした区々たる気まぐれな考えを忘れてしまった。

《この冬、あいつは手紙をよこして〈ぼくはそうした遺産によって利益を得ようとは思いません〉と言ってきた……ばかやろう！〈利益を得る！〉それでいま、このおれがそれによって〈利益〉を得ているとでも非難するのか？　けっきょくおれの専門家としての生活、またおれたちの仕事のよくなることによって誰が〈利益〉を得ることになるんだ？　はたしてこのおれか？……なるほど、おれでもある》と、彼は正直にそれを認めた。《だが、おれは言いたい、それによって〈利益〉を得るものはおれだけなのか、と……それにけっきょく、おれのような地位のものは、自分の利益をもはかりながら、もっともよく社会一般の利益をはかるものではないだろうか？》

車はセーヌ川を渡っていた。川も、河岸も、遠く見わたされる橋々も、すべてばら色のもやに包まれていた。彼は、窓から吸いがらをすてると、新しい一本に火をつけた。

《おまえは、自分自身考えている以上に、こういうこのおれに似ているんだ》彼は、してやったりといった顔で、かるく笑いながら言った。《おまえの生まれたのはブルジョワの家庭だ。それは、生まれたときのおまえが、焦茶色の髪をしていたのと変わりはない！　なるほどあとでは栗色になった。だが、茶色のなごりはのこっている。これはどうにもならないことだ……革命家としての本能だって？　おれは半分ほどしか信用しないぞ……おまえの遺伝、おまえの教育、それにおまえの心の底の趣味というやつ、それがおまえを、あらぬほうへつれてゆく……見ていろよ。四十の声をきいでもしたら、おれよりずっとブルジョワらしくなるだろうから！……》

車は速度を落とした。運転手は、上体をかがめながら番地を読んでいた。やがて車は、鉄柵の門のところでぴたりととまった。

《だが、たといどうあろうと、いまのままのあいつであろうと、おれはあいつがかわいいんだ》と、アントワーヌは、車のドアをあけながら思った。

いまとなっては、弟がたずねてきてくれたこと、それが自分にとってどんなにうれしかったか、彼はそれを、もっとはっきりわからせるようにもてなさなかったことをざんねんに思った。

二十三

一年まえから、グレゴリー牧師は、ジャンヌ・ダルク町のみじめな下宿で暮らしていた。それは、彼から福音を聞かせてもらっているアルメニア人の労働者たちの大半が住んでいる、そうした町の奥にあった。

アントワーヌは、夜番を起こすのにひとほね折った。それは、なんとも不潔なアルメニア人の男で、とっつきの廊下のベンチの上に、着のみ着のままで眠っていた。

「へい、へい……グレゴリー牧師さま、承知いたしました。いっしょにおいで願いましょう……」

牧師の住んでいる部屋は五階だった。七月の暑さは、いやというほど居住者をつめこんだむさくるしい家のなかに、ごみ箱と動物質の脂肪のにおいを発酵させていて、アラビアの路地などでかがれる、つんと鼻にくる臭気をたてていた。

夜番の男がおずおずドアをたたく音をきいて、グレゴリー牧師はベッドからはね起きた。

《精神的な安らかな眠り》と、アントワーヌは心に思った。

掛け金が、受け座からはずされた。そして牧師は、石油のランプを持ってあらわれた。

その光景には思いもよらぬものがあった。グレゴリー牧師は、いつも足までとどくお行儀のいい寝間着を着て寝ることにしていた。そして、しっかり肝臓を圧迫しないでは眠れないので、茶色のフランネルの帯で、腰をしっかり締めていた。その結果、腰から上はブルーズのようにふくれ、腰から下は、スカートのようにひらいていた。はだしのままで、亡霊のような顔色、やせこけたからだ、髪はそそけ、眼差しにはこの世ならぬ光をあふれさせた彼の姿は、まさに、『千夜一夜』の魔法使いをそのままだった。

牧師は、アントワーヌが口をひらくやいなや――もっとも、はじめは彼とわからなかったようだったが――すべてを了解した。だが、それにはなんの返事もせず、まるで一瞬を争うとでもいったように、アントワーヌが、戸口に立って事情を話して聞かせているあいだに、帯のはしをベッドの鉄棒に結びつけ、四メートルほどの帯を解くため、まるでこまのように、ますますその速度を早めながら、ひとりでくるくるまわりはじめた。

アントワーヌは、ふき出したいのをやっとこらえて、外科医の助けを求めたこと、まだたまが抜き出せないでこまっていることを話してきかせた。

「ほほう！……」牧師は、くるくるまわりつづけながら、息切れのした声で抗議した。「ピストルのことなど忘れるのです！……そのままにしておくのです。たまは、そのままにしておくのです！　生きる意思……そう……それをよみがえらせなければいけませんぞ！」

彼は、まわりつづけていた。そして、不満らしい眼差しをぎょろつかせていた。やがて、すっかり皮がはげると、彼はアントワーヌの顔のそばまで、角ばった、つりあいのとれない、まゆげのあたりがけいれんをつづけている自分の顔を突き出した。つづいて、静かな笑い声、内面的とでもいったような笑い声をたててみせた。

「以前、ひげをはやしておられたおきのどくな先生！」牧師は、いかにも同情にたえないといったようなちょうしで言った。「あなたはなおすつもりでおいでになる。そして、諸君、おお、神を汚して悔いなきものよ、病をつくり出すところのもの、それはとりもなおさず諸君ですぞ。病は存在する。諸君はこうした前提のうえに立っておられる！……No！……わたしは言いたい、《光をして入らしめよ！》と。なおしうるものはイエスのほかにありませんぞ！　誰がラザロをなおしました？　心の暗きドクトルよ、あなたはラザロがおなおせですか？」

アントワーヌは、おもしろくなっていた。だが、そうしたようすはあらわさなかった。相手はたしかに、この自分が、目の中に見せるともなく見せていた悪意の色をよみとったらしく、まゆをしかめると、とつぜんこちらに背を向けた。裸の上体、そして腰にはシャツを巻きつけたまま、部屋の中をすみからすみまで歩きまわって、昼間きる下着類と服をさがしていた。

アントワーヌは、立ったまま、それを黙って待っていた。

「人間は、神性を持っておりますぞ！」牧師は、壁に背をもたせ、靴下をはこうと、身をかがめながらつぶやいた。「イエスは、みずからが神性を持ったものだということを心の中でごぞんじでした！　わたくしにしてもおなじです！　われらすべてもそうなのです！　人間は、神性を持っておりますぞ!」彼は、ひもの結んであるままの大きな黒靴に足を入れた。「だが、法は殺すものだと仰せられたおかたは、その法によってお殺されになった! イエスは、法によってお殺されになった。人間は、精神の中に、ただ法の言葉だけしか受けつがなかった。教会にして、どれひとつ、イエスさまのまことの教えのうえに立てられているものはない、あらゆる教会は、イエスさまのたとえ話のうえに立てられているにすぎない!」

ひとり言をつづけながら、彼ははげしい神経質の男に見られる、あの極端な、そして無器用な身軽さで、部屋を縦横に歩きまわっていた。

「主は、《あらゆるもの》において《すべて》であられる!……主! 光と熱との至高の源!」彼は復讐に燃えるといったような身ぶりで、窓の掛け金につるしてあったズボンをはずした。

ひとつひとつのその動作には、まるで放電とでもいったようなはげしさが見られた。「主はすべてであらせられる!」と彼はくり返した——まえより声を張りあげて。というのは、ズボンの前ボタンをかけるため、壁のほうを向いていたからだった。

それをすまして、くるりとからだを一回転させた彼は、はげしい挑戦的な眼差しを、アントワーヌのほうへ投げかけた。

「主はすべてであらせられる。主に悪なし!」と、彼はきびしいちょうしで言った。「そして、Poor dear Doctor,《宇宙的なすべて》であらせられる主のなかでは、悪や、悪意の微分子さえもないのですぞ!」

彼は、黒アルパカのモーニングに手を通し、縁のまくれあがった、おかしなかっこうの小さなフェルト帽子を頭にかぶった。そして、さも服を着たのがうれしいかのように、思いもかけぬ、ほとんどはしゃぎきったちょうしで、いんぎんに帽子の縁に手をかけながら、天井をあおいでこうさけんだ。

「Glory to God!（主にみ栄えあれ）」

それから、アントワーヌにうわのそらの眼差しをむけると、とつぜん、

「おお、おきのどくなテレーズさん……」と、つぶやくように言った。その目の中には涙のしずくが光っていた。彼ははじめて、アントワーヌを彼のところへ来させるにいたった家庭悲劇に気がついたかのようだった。「きのどくなジェローム」と、彼はためいきをついた。「きのどくな懶惰（らんだ）な心の持ち主、きみはとうとう負けたのか？……きみはとうとう敗北したのか？《虚無》を追いのけることができなかったか？　おお、イエスよ、《やみ》のなせるわざを打ちはらい、《光》を受くる力をあたえさせたまえ！……罪びとよ、われなんじに来たれり！　われなんじの方へ歩まん！……さあ」彼は、アントワーヌのほうへ歩みよりながら言った。「あの人のところへおつれ願いましょう！」

ランプを吹き消すまえに、彼は、モーニングのしりポケットから小さなろうそくを出して火をともした。それから、踊り場のほうへのドアをあけた。

「どうぞおさきへ！」

アントワーヌは、言われるままにした。グレゴリーは、階段を照らそうと、差しあげた腕にろうそくをかかげた。

「主は仰せられました。《灯火（ともしび）を高く灯台の上におき、すべての人々に光あらしめよ！》……われらにろうそくをともしてくださるかた、それはイエスさまにほかなりません！……しばしば低きにおかれ、いつも揺れながら、不愉快にいぶりつづける哀れな灯火……おお、あわれむべきは物質！　あわれむべきはわれら！……いつも炎が、すっきり細く輝くよう、また、物質を深きやみの中へ追いやりたもうよう、イエスさまに祈るのです！」

　そしてアントワーヌが、手すりにつかまって狭い階段をおりて行っているあいだ、さも悪魔ばらいとでもいったように、《物質》とか《やみ》とかいう言葉をたえず気むずかしいいらだたしさでくり返し、声はだんだん聞きとりにくくなりながらも、つぶやきつづけていたのだった。

「車を待たせてあります」と、中庭へ出たとき、アントワーヌが説明した。「その車で、病院までお送りさせましょう……わたくしは」と、言葉をつづけて「……一時間ばかりあとで参りますから……」

　グレゴリーは、べつに反対しなかった。だが、車に乗りこむまえ、アントワーヌのほうをきっとみつめた。その眼差しの鋭さに、思わずアントワーヌは赤くなった。

《まさか、どこへ行くのか知ってやしまいし》と、彼は思った。

　彼は、なんともいえぬほっとした気持ちで、黎明のほのあかるさのなかを遠ざかってゆく車のあとを見送っていた。

町かどに、軽い風が立っていた。どこか雨の降ったところがあるらしかった。まるで《とめおき》からゆるしてもらえた中学生とでもいったように、アントワーヌは駆けるようにしてヴァリュベール広場に出て、タクシーをひろった。

「ヴァグラム通り！」

車に乗った彼は、とつぜん、自分がとても疲れているのに気がついた。だが、それはいらだつような疲れであり、欲情をそそりたてるような疲れだった。

彼は、運転手に命じて、家の手前、五十メートルほどのところに車をとめさせ、いきおいよく飛びおりて、袋小路の中へはいっていった。そして、音もたてずに戸をあけた。

家の中にふみこむなり、彼は面を輝かした。アンヌのにおいだ……そそるようなにおい。花の、というより樹脂のにおい。こってりよどんだそのにおいが、咽喉（のど）の底までにおってきた。においというより、彼の大好きな、においのかてとでもいうようなもの。

《おれは、頭のふらふらするようなにおいが好きだ》彼は、こう思いながら、まるで発作といったように、かつてラシェルがつけていた竜涎香（りゅうぜんこう）の首飾りのことを思いだした。

彼は、まるで強盗のような慎重さで、おりから明けかかる朝の光が乳色にみなぎっている浴室の中へはいっていった。すばやく着物をぬいだ。そして、浴槽（ゆぶね）の中につっ立ちながら、首すじのところに大きな海綿を押しあて、さわやかな気持ちに身をまかせた。水は、彼の燃えるようなからだの上で、まるで熱しきった金属板の上でのように蒸発した。疲れがすっかりからだからひいた。

彼は身をかがめ、水栓に口をあてて水を飲んだ。それから足音を忍ばせて部屋の中へはいっていった。足もとに、なまめかしい、軽いあくびの声を耳にしたとき、彼ははじめてフェローのいたことを思いだした。そして、くるぶしのところに、ひんやりした鼻面と、柔らかい耳のこすりつけられているのを感じた。

窓掛けは引かれていた。まくらもとのランプが、部屋の中に、しののめの光をみなぎらしていた。それは、アントワーヌが、ついさっき、橋を渡りながら見とれていた、あのもやがかったばら色の光そのままだった。アンヌは、大きなベッドの上に、壁のほうへからだを向け、あらわな腕をまげながら、それに頭をのせて眠っていた。ゆかの敷物の上には、流行新聞が散らばっていた。小テーブルの上の灰皿は、吸いかけのタバコでいっぱいだった。

じっとベッドのそばに立ったまま、アントワーヌは、ふさふさした女の髪、首すじ、肩、それに掛けぶとんの下にのばされたつつむ形の両足の線をながめていた。《めずらしくまかせきったようす》と、彼は思った。アンヌが、こうしたやさしい、しおらしい感じをおこさせたことはめずらしかった。多くの場合、彼は、スポーツでもやるような気持ちで、はげしい、あくこと知らぬ彼女の欲情を受けとめていたにすぎなかった。彼はしばらくのあいだ、すぐ手のとどきそうな快楽への時をのばしながら、歓楽への期待をたのしんでいた。それこそは、ジャックであれ、ジェロームであれ、グレゴリーであれ、この世における誰にしても、彼から奪いとれないものだった。女の髪にわが顔をうずめ、そのぴちぴちした暖かい背を胸にだきよせ、女とひとつになろうという欲望が高まってくるにつれ、彼の微笑は凍っていった。彼は、息をつめながら、そっと掛けぶとんのはしをもちあげた。そして、からだをくねらせ、確信をもったしぐさで、おもむろに女のそばへすべりこんだ。女は、短いさけび、しわがれたさけびをこらえた。そして、腰をひねって向き直ると、男にだかれて目をさました。

二十四

朝早く目がさめたとき、ジャックの心身は爽快だった。

《夕方五時の汽車に乗るんだったら、ぐずぐずしてはいられないぞ》と、彼は、ベッドから飛びおりながらそう思った。だが、いざ起きてみると、いかにも割りきれない気持ちだった。前の晩のできごとが、心について離れなかった。

彼は手早く服をつけると、アントワーヌへ電話をかけにおりていった。

フォンタナン氏はまだ死なずにいた。昏睡状態はあと一日、いやおそらくもっと続くだろう。助かる見込みはないらしかった。

ジャックは、きょうスイスへ帰るつもりだから、もう会う機会がないだろうと兄に話した。それから、宿へ帰って部屋代をはらうと、スーツケースを東部停車場の一時預り所にあずけにいった。

その日一日、彼は出発まえにしておかねばならないことをかたづけることにいそがしかった。それは、かねてリチャードレーから住所をわたされていた、六人ばかりの《会うべき人物》への訪問だった。

いまやあらゆる左翼の方面では、戦争の脅威をせきとめるため、広汎な運動が準備されていた。各派のあいだの結合も、すでにできあがっているらしかった。この点、情報はきわめて楽観的なものだった。

それでいながら、彼の心には、不安がついてはなれなかった。そして、ひとりきりになるやいなや、そうした不安は、彼の心を陰険につかんでいた。なんともえたいのしれない気ぬけの感じ。彼は、まるで熱に浮かされでもしたかのように、汗みどろになってパリじゅうを駆けまわり、たえず考えをぐらつかせ、あるいは方向を変え、あるいは話を早くきりあげ、三十分もかかってたずねていって、いざとなってその訪問をやめたりした。町も、家並みも、往来の人々も、さらに自分の仲間さえ、すべていままでとは顔が変わり、敵意をいだいてでもいるようだった。まるでおりに入れられた動物のように、たえず鉄棒にぶつかっているといった感じ。しかもおりおり、急に気分が悪くなりさえした。しばらくのあいだ、ぼんやりして、手はじっとりと汗ばみ、胸は万力にかけられたように締めあげられ、とつぜん息の根をとめようとする、えたいのしれない恐怖と戦わずにはいられなかった……

《どうしたというんだろう?》と、彼は思わず、われとわが心にたずねてみた。

だが四時までには、緊張を要する用件はすべてかたづいて、いつでも出発できるようになっていた。いまは、一刻も早くジュネーヴへ帰りたかった。だが、同時に、パリを去るということが、なにかふしぎに気がかりだった。

《夜汽車まで待つことにしたら》と、彼はとつぜん思いついた。《『ユマ』やクロワサン亭やプログレ亭へも行き、またクリシー通りへ行って、あの兵器廠（へいきしょう）事件についての情報を集めることもできるだろう……》

（その日の六時、クリシー通りの一軒のバーでは、海員組合総連合の集まりがあることになっていた。そして、そこへ行ったら、いく人かの指導者に会えるということもわかっていた。そうした彼らは、あした、スト準備の着々進んでいる西部地区の諸港へ出かけることになっていた。それについて何か確報をつかむというのも、まんざらむだではなかったのだ。）

彼は、けさから、さらにひとつの考えに苦しめられていた。それは、ダニエルがやってくるということ。もちろん、その手を握らずに出発しようと思えばできないこともなかった。だが、ダニエルには、自分のパリにいたことがわかるだろう。《せめて、病院へ行かずに会えるのだったら……》彼は急に決心した。《夜の急行にしよう。晩飯のあとで、ヌィイーへ行ってダニエルに会おう。そのころだったら、あれに……彼女に会わずにすむだろうから……》

八時半、彼は忠実に予定をまもってプログレ亭から帰りかけていた。彼は、クリシー通りでの集まりのあと、まったくの気まぐれからそこへやってきたのだった。彼はさいわい、そこでふたたびビュロに会えた。西部の兵器廠(へいきしょう)に関するあらゆる情報を、『ユマニテ』紙のために集めている編集者だった。

あとにはただ、ヌィイーを訪れることだけが残されていた。《あしたはもうジュネーヴだ》と、彼は、自分の心を固めようとして考えた。

彼は、中二階と喫煙室とをつないでいる、小さならせん形の階段をおりかけていた。ちょうどそのとき、誰かが肩に手をのせた。

「なんだ、パリにいたのか?」

薄暗がりの中でも、バスの声、そのフォブールなまりから、それがムールランだとすぐわかった。髪の毛の黒い、老いたるキリストとでもいうような彼。髪は伸びほうだい、夏も冬も、印刷工のブルーズを着ている彼だった。

ムールランは、ドレフュス事件はなやかだったころ、謄写版刷りの闘争パンフレットを発行していた。それはそのころ、毎週、人々の手から手へとわたされて読まれていた。その後『旗』が革命家の小機関誌になったとき、ムールランは、いく人かの有志の援助をうけてその編集をやっていた。ジャックは、おりおり彼のところへ、報告とか、外国論文の翻訳とかを送っていた。雑誌が、理論的に妥協しないことを精神としていたことも、ジャックにとってうれしかった。ムールランは非妥協的社会主義理論の名において、党の幹部、とりわけジョーレス一派、彼のいう《日和見的社会主義者》の面々を攻撃しつづけていた。

彼は、ジャックに友情を感じていた。若い人々には、熱意と不撓の精神があるといって、彼は若僧たちをかわいがっていたのだった。べつにたいした教養とてもなかったが、奇弁饒舌の才にめぐまれ、さらにパリはえぬきの労働者の口調をもった洒脱さが加わり、すでに何年かまえから、独力ではなかったにしても、ほとんど独力で、雑誌存続のために戦いつづけていた。人々からはおそれられていた。すなわち、厳然と正しさの中に閉じこもり、貧しき闘士として生活に鍛えられ、心の底から革命のために戦いつづけてきた彼は、なんの仮借もなく党の策士どもをいじめあげ、そのちょっとしたつまずきさえもやり玉にあげ、その背任をあばきたて、しかも矢は、けっして急所をはずさなかったから。やられたものは、しかえしのつもりで、ひどい風説をまきちらした。彼がしばらく、フォブール・サン・タントワーヌで社会主義文献の小さな店を出していたことから、敵は、そこでは主として猥本が売られていたと悪口を言いふらした。それは、必ずしも、あり得ないことではなかった。私生活には、そうとうあやしいふしぶしがあった。純正社会主義誌『旗』の発行所のあったロケット町の小さな家へは、たえずラップ町の貧民窟から出てくるらしい、あやしげな近所の女どもが出入りしていた。そうした女どもは、彼の大好物の砂糖菓子を持ってきた。女どもは、大きな声でしゃべりたて、けんかもすれば、ときにはなぐりあいの騒ぎもやった。そうしたとき、わがキリストは立ちあがり、パイプをしずかに下におき、たけり狂った双方の女の腕を引き立てると、階段口から突きおとす。それからふたたび、話のつづきにかかるのだった。

きょうの彼は、なにか物案じげなようすだった。彼は、ジャックを、人道のところまで見送った。

「金庫には一文の金もない」と、彼は、その黒いブルーズの両ポケットをくるりとひっくりかえして見せながら説明した。「木曜までに金ができないと、次号は当分おあずけだな」

「だって」と、ジャックは言った。「発行部数をふやしたというのに」

「読者は殺到、ただし金は払ってくれない……しからば発送を見あわせるか？　これが金もうけ目あての仕事だったら、すぐにやめてしまったろう。だが、そもそも雑誌の目的は？　宣伝だ。とすると？……いったいどうする？　費用をけずるか！　だって、何から何まで、このおれひとりでやってるんだ！　はじめのうちは、金庫から、百フランだけちょうだいしていた。だが、その百フランにしても、一度だけしかちょうだいする気になれなかった……宿なしそっくり、パンのくずで生きてるんだ。借財ときたら山のごとし。それが十八年もつづいてるんだ……ところで、こんどはまじめな話に移ろう」と、言った。「スイスのほうでは、こんどの不吉な風評をどういうふうに思ってるかな？……おれはもともと古狸だ、どんなことにもおどろかない……何から何まで見てきた男だ……八三年（一八八三年のこと）そっくりだ……当時のおれはわずか二十歳。だが、すでに毎晩『ラ・レヴォルト』（『反抗』）の編集室へ出かけていた。『ラ・レヴォルト』のことを知るまいな？……では、一八八三年、イギリス、ドイツ、オーストリア、ルーマニア、この四国がひとつになって、フランスの孤立をもっけのさいわい、ロシア相手にヨーロッパ戦争をおこしかけたことも知ってはいまいな？……まさに一触即発だった……ところが、情勢は、今も昔と変わりがない！　細工はまったくおんなじなんだ……もうあのころから、やれ祖国だ、やれ国家的名誉だ……、だがひと皮むけば何がある？……いわく、工業上の競争の問題、いわく輸出税の問題、いわく高等財政やりくりの問題……何ひとつとして変わっちゃいない。ちがってるのはただ一点。クロポトキン（ロシアの無政府主義者。一八四二―一九二一）のいないことだ……八三年、クロポトキンは悪鬼のように荒れまわった……彼は、アンザン（フランス鉄工業の中心地、大兵器工場の所在地）、クルップ（ドイツの世界的鉄工業家。鋳鋼鉄工場を創設し、武器車両の製造をもって有名である）、アームストロング（アームストロング砲の発明者の名をつけたイギリスの大兵器工場）、そのほか一連の大兵器工場――つまり、ヨーロッパの大新聞を買収して野望達成をねらっていた、それら大工場の摘発をやった……やつらがあわてたことといったら！……おれは、彼の書いたものをさがしてみた……いまと少しも変わっていない！こんどの号には、そのうち三編を載せようと思う……クロポトキン！……読んでみろ。たしかに得るところがあるだろうぜ……！」

ジャックはうまく逃げだした。

けいけいたる眼光と、いかにも老闘士らしい口のあけかた。そうした彼は、次号の印刷に三百五十フランの金がいり、しかも自分に一サンティームの金もないことを忘れていた。

《『旗』を、戦争防止の全体的活動プランの中に組み入れさせよう》と、彼は思った。そして、ジュネーヴへ帰ったら話してやろう、できれば、ムールランに、いくらかの補助金を送らせるようにしてやろう、と心の中に思いさだめた。

彼は、まだ晩食をすませていなかった。取引所まえの駅でシャンペレ行きの地下鉄に乗るまえに、彼は、クロワサン亭へいってサンドイッチを食った。『ユマニテ』紙の記者の多くは、《おやじ》の例をみならって、モンマルトル町のかどにあるこのカフェーで飲み食いすることにきめていた。

ジョーレスは窓のそばのいつもの席で、三人の友人たちと食事をとっていた。ジャックは通りすがりに、ちょっとあいさつするようなようすをした。だが、皿の上にこごみこんでいた《おやじ》には、何も目にははいらなかった。沈鬱なようす、首を、ひげのところまでまるい両肩のあいだにはまりこませていた《おやじ》は、友人たちのおしゃべりをよそに、夢中といったような食欲で、ジゴ・ドゥ・フラジョレ（いんげん豆を盛り合わせた羊のもも肉料理）を食っていた。書類のいっぱいつめこまれた大きなカバン、どこへ行くにも持ちあるいているそのカバンは、テーブルのはし、すぐ手のとどくところにおかれていた。カバンの上には、さらに新聞や、パンフレットがたくさん、それに、仮とじB五判本が一冊おいてあった。ジャックは、ジョーレスが、うむことを知らない読書家であることを知っていた。彼は、おととい、ステファニーが、マリユス・ムーテ（社会党代議士。後、植民相となった。ジョーレスは、一九一四年七月このムーテの応援演説に出かけたが、それが彼の最後を飾る平和の獅子吼となった）から聞いたといって話していたゴシップのことを思いだした。ムーテは、最近ジョーレスといっしょに旅行しながら、ジョーレスが……ロシア語文典をむさぼり読んでいるのを見てびっくりしたということだった。そして、ジョーレスは、きわめてなんでもないことといったように、彼にこう言ったということだった。《そうさ、大いそぎでロシア語を学ばなければいけない。いまやロシアは、ヨーロッパで、どえらい役割をつとめることになりかけてるのだ！》

ジャックは、うしろから光をうけて席をしめ、遠くからジョーレスを見まもっていた。《いったい、ほかの人たちの話を聞いているのかしら？》と、ジャックは思った。これまでにも、ジョーレスを前にしながら、彼はいくたびとなくおなじようなことを思った。ふとジョーレスが口をつぐむときの反芻動物らしい沈黙、それは、心の中の音楽に耳をすましてでもいるようだった。ジャックはとつぜん、彼が顔をあげ、胸を張り、すばやくナプキンで唇をぬぐってから、話し出すのを見た。はえぎわのひたいの下にかくれた目は、鋭い速度で、右に左にそそがれていた。ひげにつつまれ、両端がさがりかげんにぽっかりあいている彼の口は、メガホンの筒といおうか、あるいはギリシャ悲劇の仮面そっくりの暗い穴をあけていた。ジョーレスは、客の誰彼のうち、とりわけひとりを相手に話しているというのではなく、ただ自分の思うことを声に出す、それを誰かに話しているとでもいうようだった。論駁と思想とは、この人の中できわめて緊密に結ばれていて、論争によってのみ精神の飛躍を感じる人とでもいうようだった。言葉は、はっきり聞きとれなかった。ジョーレスの声は低く——それは、演説家としての、太鼓のように響きのよい彼の胸郭のゆるす限度で、低く話されていたからだった。だがジャックは、部屋のなかのざわめきをとおして、きわめて特色のある彼の声を聞きわけていた。うなりとでもいったような、低くおさえたふるえとでもいったようなものが、オーケストラ・ボックスの共鳴作用をそのままに、うたうように舞いあがる彼の言葉の伴奏をなしていた。その聞きなれた声のひびきは、ジャックの心にさまざまな思い出を浮かび出させた。熱しきった集まり、はなやかな舌陣、悲壮な論断、狂ったような会衆の歓呼……いまジョーレスは、話の勢いのおもむくにまかせて、半分たべのこした皿を前へおしやり、まさに突っこもうとする水牛のように身をかがめて、その論陣をすすめていた。ちょうしに区切りをつけるためには、テーブルのはしにおかれたこぶしを、べつに粗暴というのでなく、ただ蒸気鉄槌のような正しさで、振りあげたり振りおろしたりしていた。そして、時間のせまったのを知ってジャックが店を出ようとしたとき、ジョーレスは、こぶしで大理石のテーブルをたたきながら、なおも話しつづけていた。

ジャックの勇気は、こうした刺激的な光景によってそそり立てられていた。そして、ビノー通りの家の門前に立ったとき、彼はまだその威力を感じていた。

《ベルトラン病院》。ここだ……

夜になろうとしていた。ジャックは、歩度をゆるめることなく、といって、家の正面を見あげる勇気もなく、そのまま前庭をぬけていった。

年とった家番の女は、ふるえ声で、まだ旦那は生きている。そして、息子さんが夕方到着したと教えてくれた。ジャックは、ダニエルを呼んでくれるようにたのんだ。だが、その時刻には、家番小屋にはほかに誰もいなかったので、あけるわけにいかなかった。

「三階の受付の人が、お呼びしてくれますよ」と、女が言った。「三階におあがりになってごらんなさい」

ジャックはちょっとためらったが、そうするよりほかにしかたがなかった。

二階の踊り場にも誰もいなかった。長い、白い廊下、それが柔らかい灯火に照らされてひっそりしていた。三階もまたおなじような静けさ。明るく照らされた、長い長い、そして人っ子ひとり見えない廊下。ところで、受付を見つけなければならない。彼は、しばらく待ってから、廊下の中を歩いていった。いままでの苦しい気持ちもどこかへいって、それとは逆に、好奇心が、彼を、大胆に、一か八かに向かって歩ませていた。

ちょうどそこは――窓のすみになっていたので、そこに腰かけているもののあるのに気がつかなかった。そばまで行くと、その人はふり返るなり、さっと椅子から立ちあがった。ジェンニーだった。自分の来るのを待っていたとでもいうのだろうか？《来るところまできた》彼は、べつに驚きもせずにそう思った。そして、すぐさま気がついた。《きょうも頭に何もかぶらず……ちょうどあのときとおなじだ……》

彼女はすぐ、自分でも、その乱れているのに気のついていた髪のほうへ手をやった。そのひろい、あかるくむき出されているひたいのうえには、やさしさ、といえないまでも、清純らしさがうかがわれた。

ちょっとのあいだ、ふたりは胸をときめかしながら向かいあっていた。とうとう彼のほうから口を切った。声は、感動のあまり、ぶっきらぼうなちょうしになった。

「失敬……家番がそう言ったものだから……」

彼は、ジェンニーの顔色の青さ、唇の白さ、小鼻のとがっているのに胸を打たれた。彼女のほうでは、緊張した、無表情な眼差しをジャックのうえにそそいでいた。そこにはただ、負けてはならない、目をそらしてはいけないという、そういう意思だけが読みとれた。

「ちょっとようすを聞きたいと思って……」

ジェンニーは《もうだめですわ》というようなようすをした。

「それに、ダニエルにも会いたいと思って」と、ジャックがつづけた。

まるで錠剤を飲みくだすような努力をしながら、彼女は、聞きとれないようなふた言三言をつぶやいた。そして、そそくさと、三階のサロンのほうへ歩いていった。ジャックは、あとを追いながら、五歩か六歩あるいていった。だが、そのまま廊下のまんなかに立ちどまった。彼女は部屋のドアをあけた。ジャックは、彼女が、ダニエルを呼ぶこととばかり思っていた。だが、ドアはあけられたままだった。そしてジェンニーは、なかば彼のほうへ向き直り、目を伏せて、こわばった表情を見せながら、じっとそのまま立っていた。

「あの……じゃまになるならいいんだけれど……」ジャックは、一歩あゆみよりながら、口ごもるように言った。

彼女は、なんとも答えなかった。まぶたをあげようともしなかった。ジャックがはいってくるようにと、じりじりするのをおさえながら、待っているとでもいうようだった。そしてジャックがはいると、そのままドアをぴたりとしめた。

フォンタナン夫人は、部屋の奥の長椅子の上に、ひとりの若い軍人と並んで腰をかけていた。ゆかの上には、軍帽と、皮帯と、剣とがおかれていた。

「きみか！」

早くもダニエルが立ちあがった。思いがけない喜びに、ダニエルの顔は輝いた。だが、彼はじっとしたまま、どうもはっきり思いだせないといったようすで、肩のずんぐりした、頬骨の出ばった、かつての日と少しも似ていないジャックの姿をみつめていた。ジャックのほうでも、しばらくじっと突っ立ったまま、あかがね色の顔、丸刈り頭のこの下士官――やがて、意を決したとでもいったように、思いがけない拍車と長靴の音をひびかせながら、ぎごちないようすで歩みよってきたダニエルの姿をながめていた。

ダニエルは、ジャックの腕をつかんで、母のそばへつれていった。フォンタナン夫人は、べつに驚きなり当惑なりのようすも見せずに、疲れたような眼差しをジャックのほうへあげ、そして、その手をさし出した。それから、落ちついた、その眼差しとおなじように冷静な声で、さもきのう会いでもしたかのようにこう言った。

「いらっしゃい、ジャックさん」

ダニエルは、父親ゆずりの、なれなれしい、同時にいささかものものしい優雅な身ぶりで、母親のほうへ身をかがめた。

「あの、母さん……ぼく、ちょっとジャックと下へいってきますが……いいですね？」

ジャックははっとした。彼はいま、その声、口の左のはしをあげてちょっとはにかんだような軽い微笑、《母さん》と一音ずつ言うときの、やさしい、敬愛をこめての物の言いかた、そこにかつてのダニエルを思いだした。

夫人は、ふたりの青年のほうへやさしく目をやってから、しずかにうなずいた。

「いいともさ……わたしだけでだいじょうぶ」

「庭へいこう」と、ダニエルは、ジャックの肩に手をおいたままで言った。

ダニエルは、なんの気なしに、幼かったころのそうしたしぐさをしたのだった。ふたりのあいだの背のちがいは、そうしたしぐさを、いままでとおなじように、きわめて自然なものに思わせた。というわけは、ダニエルはいつもジャックより背が高かった。そしていま、軍服を着ているため、さらに大きく見えるのだった。白いカラーをつけた地味な軍服にぴったり包まれたしなやかな胴体、それは、赤いだぶだぶなキュロットをはき、重い皮の長靴をはいたぼてぼての両足と、きわめて奇妙な対照をしていた。くぎをうった靴底は、廊下のゆかの上をすべっては、その音が、眠りこんでいる建物の沈黙をかきみだした。彼も、それに気がついていた。そして、すべるまいとジャックの肩に身をよせながら、気づまりそうにだまっていた。

《ジェンニーはどうしたろう?》と、ジャックは心の中にたずねてみた。彼はふたたび、恐怖にしめつけられるような発作を感じた。そして、首をしゃんと立て、目だけをゆかにそそぎながら歩いていった。だが階段のところへくると、われにもあらずふり返って、がらんとした廊下の中を目でさがした。そして、いささか怒りのまじった失望の気持ちにおそわれた。

ダニエルはおり口のところで立ちどまった。

「パリに来てたのかい？」

そのたのしそうな声のちょうしが、悲しそうな顔のようすをさらにきわだたせた感じだった。

《ジェンニーは、何も言わなかったんだな》と、ジャックは思った。そして、

「じつはもうたっていたはずなんだ」と、元気な声で言ってのけた。「もう少ししてからの汽車に乗るんだ」ダニエルが、目に見えて失望の色をしめしたのを見ると、彼はすかさず言いそえた。「きみに会おうと思って、わざと出発をのばしたんだ……あしたジュネーヴに帰っていなければならないんだ」

ダニエルは、何か問いたげな、考えこむようなおずおずした目つきで、じっとジャックの顔をのぞきこんだ。ジュネーヴ？……ジャックの生活、彼にはそれがわからなかった。それが彼にはじれったかった。といって、たずねる気にもなれなかった。ジャックの隠しているようすが、気おくれさせたというわけだった。彼は強いて聞こうともせず、ジャックの肩にのせていた手を放すと、手すりをつかんで階段をおりはじめた……うれしいと思った気持ちも、いまやたちまち消えてしまった。思いがけないジャックの訪問、思いきり語りあいたいと思っていたこの訪問、それもジャックが、こうしてすぐに出発するというわけだったら、そして、ふたたび会えなくなるということだったら、いったいどれほどの意味があろう……

いましがた水を打ったばかりの庭の中は、人けがなく、さわやかで、木々のあいだにまばらにともった電灯の光が、かなたこなたと照らしていた。

「タバコは?」と、ダニエルが言った。

彼は、ポケットからタバコを取り出し、がまんできないといったように火をつけた。その火が一瞬、彼の顔を照らし出した。とりわけ変わったと思われるのはヴォージュ山地の空気のおかげで、かつての、ひとみ、髪、それに唇の上の細いひげの黒さにたいしてきわめて特異な対照をなしていた、あの青白いつやのない顔色が見られないでいることだった。

ふたりは肩をならべ、黙ったまま、回遊式につくられた小道の中へ歩み入った。その道のはずれには、白い幾脚かの腰掛けが円形をなしておかれていた。

「掛けよう」と、ダニエルが言った。そして、相手の返事も待たずに、それにどっかり腰をおろした。「とても疲れた。なにしろものすごい旅行だった」彼はしばらく、あのいやがうえにも暑くるしかった、揺られつづけのきょう一日の汽車を思いだしていた。席をかえることもできず、つぎつぎとタバコをふかしつづけ、移ってゆく風景に目をやりながら、心を、三つ四つのいずれ劣らぬ不吉な予想のうえに走らせていたのだった。そしてそのあいだに、遠くのほうでは、思いがけない事件がおこっていたのだ。彼は「とてもすごかった……」と、くり返した。そして、タバコの火をあげて、いま父の臨終のせまっている窓のほうをしめしながら、沈鬱なちょうしで「だが、いずれこうなることと思っていた……」と、言った。

花壇のしめった肥料土は、やみのなかに、さわやかなにおいをたてて蒸発しつづけていた。そしてときおり、息のように軽やかな風につれて、何かしら、にがい、そしてかすかに甘みのあるにおい、薬用シロップのにおいとでもいったようなものが、ふたりのところまでにおっていた。それは、病院の薬局からのものではなく、遠く木立の中にまじっている、小さな日本産のうるしの木からのにおいだった。

軍服の友をそばにおき、ジャックは、さらに戦争の脅威を身に感じながらこうたずねた。

「休暇はらくにとれたかい？」

「とてもらくに、さ。なぜ？」それにジャックが答えずにいると、ダニエルは、何も知らずに言葉をつづけた。「四日くれた。そのうえ延ばしてもいいことになってるんだ。だが、そんな必要はないだろう……ここへ来たとき、きみの兄さんがいたんだが、だめだとはっきり言われたっけ」

そして、ちょっと口をつぐんだあとで、思いだしたように言葉をつづけた。

「けっきょくそのほうがよかったんだ」そう言いながら、ふたたび手を病室のほうへあげた。「おそろしいことにはちがいない。だが、事ここにいたった以上、だれも生きていてもらいたいとは思っていない。死んだところで、もちろん償いにはならないが」と、彼はきびしく言ってのけた。「だが、なにしろはっきりきまりがつく……あのままだったら、おそろしいことになっただろう……母のためにも……おやじのためにも……おれたちの家のみんなのためにも……」彼は、その顔を、軽くジャックのほうへふり向けた。「おやじは、拘引されるところだった」彼は、かわききった、つっかかるような、すすり泣くようなちょうしで言った。そして、目をとじると、軽く顔をあおむけた。茂みをもれた電灯の光が、一瞬彼の美しいひたいを、まんなかの毛のきれこみを中心に、両側にふたつの弧を描いている彼のひたいを照らし出した。

ジャックとしては、なんとか言ってやりたかった。だが、彼も、孤独の生活、それに政治的なつきあいの生活のおかげで、心情を吐露する習慣をすっかり忘れてしまっていた。彼は、ダニエルのほうへ、ちょっと身ぶりで答えたあとで、相手の腕にさわってみた。手には、軍服のあらいラシャの手ざわりが感じられた。ダニエルのからだからは、毛織物、あたたかに油ぎった皮、タバコ、馬、そうしたものの奇怪な臭気が発していた。そして、ちょっとからだを動かすたびに、それが、夜の庭のにおいとまじっていた。

ジャックは、四年このかたダニエルと会わずにいた。父の死後、いく度か文通だけはかわしていたが、それに、ダニエルのほうからいく度か呼びかけをもらいもしたが、彼は一度もリュネヴィルへ出かけてみようとしなかった。彼は、ダニエルに会うことをおそれていた。親しみだけはこもっていながら、だんだん間遠になっていったふたりの文通、彼はそれを、あれから後のふたりの友情そのままの、それに適当した風土ででもあるかのように思っていた。だがそうした友情、それは深くその根をおろしていて、心の底にいつも溌剌と生きていた。ダニエルこそは、兄のアントワーヌの場合とおなじく、自分がいままでもっとも愛していたひとりだった。だが、いまとなっては、それも過去の一片にすぎない。そうした過去から、進んで身を振りきったいまの自分だ。そうした過去をふたたびとりあげること、それは自分に許されないのだ。

「どうだ、リュネヴィルでは、戦争のうわさをしていないか？」彼は、沈黙を破ろうとしてそう言った。

ダニエルは、べつに驚いたようすも見せなかった。

「もちろんしている！　士官たちは毎日戦争の話で持ちきりだ……やつらにとっては、それが米びつの種なんだ……とりわけ東部のやつらにとって……」こう言いながら微笑した。「ところでおれは、毎日日数を数えてるんだ、あと七十三日……あと七十二日……しかも……あしたになれば七十一日……それからさきはどうでもいい。九月末には除隊になるんだ」

そのとき、またもや彼の顔の上に電灯のかげがたわむれた。そうだ。ダニエルは、たいして変わっていなかった。端正な線が、何かしらおごそかな感じをさえあたえている清らかな卵なりの顔のうえには（とりわけ疲労と悲しみとが、今夜のように沈鬱の色をそえているとき）、微笑が、昔ながらの輝きを見せていた。それは、遠方からといったような、ゆったりした微笑、上唇をななめにひらき、きれいに並んだ歯並みを見せての微笑……何やら物に臆したような、それでいて、なんのおそれも知らないような微笑……ジャックは、かつて少年のころ、ダニエルの唇に、こうしたじれったい、たまらないような微笑をみたいと、身も世もあらぬ思いをした。そして、いまもまた、何かうっとりとした情熱を感じた。

「軍隊生活って、ずいぶんつらいこったろうな！」と、彼は、あいまいなちょうしで言った。

「なあに……たいして……」

ふたりのあいだにとりかわされ、そのまま沈黙のなかに落ちていくたよりない言葉のかずかず、それはちょうど、海員たちが船から船へ投げわたし、それがたくみに宙で受けとめられるまでのあいだ、いくたびか水面に落ちこむ係留索とでもいうようだった。

かなり長い沈黙のあとで、ダニエルはふたたびおなじ言葉をくり返した。

「たいして……もっとも、はじめのうちはつらかったさ。肥くみ、便所そうじ、たんつぼそうじ……だが、いまは下士になっている、そんなことは問題でないさ……いまは仲間もできてるし、馬もいるし、友だちもいる……けっきょく、これもひとつの経験さ」

ジャックは、路傍の人とでもいったような、軽蔑するような眼差しで、じっとダニエルの顔をながめていた。ダニエルは、あやうくかっとなりそうだった。ひねくれたジャックの態度、その沈黙、彼のかける質問さえ、そこには何か隔たりをもった優越感が感じられ、とても不愉快でたまらなかった。ただ、ダニエルの愛情だけがそれを救った。自分とジャックを隔てているもの、それは、友情の長い中断で説明できるような、そうした表面的な無理解ではない。自分がジャックについて知らずにいるすべてのこと、家出をしたジャックの過去の、自分にわかっていないことのすべてなのだ……ジャックの信を取りもどそう……彼はとつぜんジャックのほうをのぞきこんだ。そして、相手の愛情に呼びかけるとでもいったような、いままでとはちがった声、やさしい、納得させるような声でこうつぶやいた。

「ジャック……」

これにたいして、彼はたしかに、ひとつの答え、ひとつの手ごたえ、心からのひとつの言葉が、たとい自分の顔をたてるためにも、聞かれることと思っていた……ところがジャックは、身をはずすといったように、本能的に身を引いた。

ダニエルは、一か八かの態度に出た。

「話してくれないか！　四年まえ、いったいどんなことがあった？」

「ごぞんじのとおりさ」

「ちがう！　ぼくは何も知らずにいた。なんできみは家出をしたんだ？　なぜこのぼくに、ひとこともいってくれなかった？　秘密を守れということだっても……何年ものあいだ、どうしてたよりをくれなかった？」

ジャックは、首を、肩のあいだにすぼめていた。彼は、つっかかりでもするかのように、じっとダニエルのほうをみつめていた。そして、無気力といったようすを見せた。

「そんなことを、なんでいまさら……」

ダニエルは、彼の手くびに手をおいた。

「ジャック！」

「いやだ」

「なに？　ほんとに《いや》か？　では、どうして……あんなことをしたんだか、ぜったい教えてくれないつもりか？」

「よしてもらおう」と手をはらいのけながら、ジャックが言った。

ダニエルは口をつぐんだ。そして、ゆっくり立ちあがった。

「いずれそのうち……」と、つぶやくようにジャックが言った。そこには、やりきれないほどの無気力さがうかがわれた。それだけに、彼がたけりたったように次の言葉をはきだしたとき、そのはげしい声の爆発はいっそうはっと思わせた。「あんなことだと！　まるで、おれが何か悪いことでもしたようじゃないか！……」彼はひと息にしゃべりつづけた。「第一、つべこべ説明する必要があるだろうか？　きみはほんとに、それがあり得ないことと思うのか、ひとりの男が、急にすべてと絶縁しようと思うことを？　ほかに仲間もなく、自分ひとりでいまいるところから出ていこうとするのを？……わからないのか？　いつまでもくつわをはめられ、手足をもがれるままになっている、がまんできないこの気持ちが？　男子たるもの、一生に一度は、自分自身になろうという勇気を持つべきなんだ！　自分の心にふかく分け入り、そこに、これまでまったく閑却され、軽蔑されていたものを見つけだし、最後に《これこそ真なるおれ自身だ！》と言いうる勇気を。万人にたいして、《おれはきさまたちを必要としない！》とさけんでのける勇気のことだ。え？　きみにはそれがわからないのか？」

「わかるさ、わかるさ、よくわかるよ……」と、つぶやくようにダニエルが言った。

彼ははじめ、こうした力強い、沈痛な、はげしい声を耳にしながら、そこにいつものジャックが見られたように思っていい知れぬ喜びをおさえきれずにいた。だが、やがて、こうした粗暴な言葉のかげに、何かわざとらしいもののあることをはっきりつかんだ。こうした爆発、それは何よりもまず、逃げ口上にすぎないのだ……彼にはいま、ジャックが、ふたりを釈然とさせてくれるようなすなおな説明、それをぜったいあたえてくれないらしいことがわかってきた。いまは知ることをあきらめなければならなかった。同時に、ふたりの友情、いままで自分の誇りとしていたたったひとつの友情も、あきらめなければならないのだ。ダニエルには、はっきりこのことが直感された。そして、胸迫るといった気持ちだった。しかもこの晩、彼には、ほかにも悲しいことがあるというのに……

ふたりはしばらくのあいだ、たがいになんの言葉もなく、なんのしぐさもみせず、見かわすことさえせずに向かいあっていた。やがて、ダニエルは、伸ばしていた足をひっこめ、ひたいに手をあてながら、

「ところで、そろそろ帰らなければ」と、つぶやいた。その言葉に、いつものような響きがなかった。

「そうだった」こう言いながら、ジャックはすぐに立ちあがった。「ぼくもそろそろ出かけなくっちゃあ」

ダニエルもつづいて立ちあがった。

「来てくれて、ありがとう」

「ずいぶん長くひきとめちゃった。お母さんにお詫びをたのむぜ……」

ふたりは、どちらかいっぽうが、歩き出すのを待っていた。

「何時の汽車だ?」

「二十三時五十分」

「Ｐ・Ｌ・Ｍ（パリ・リヨン・マルセーユ連絡列車）か？」

「うん」

「自動車でも見つけるかい？」

「いらない……そこから電車で行く……」

ふたりは、こんな話をたがいに恥じるといったように、そのまま口をつぐんでしまった。

「門まで送ろう」と、小道を歩いていきながらダニエルが言った。

ふたりは、言葉もかわさずに庭をぬけた。

往来に出たとき、一台の自動車が来て門の前にとまった。帽子なしの若い女、それにひとりの老年の紳士が飛びおりた。ただごとならぬ顔つきだった。そして、あわただしく、ジャックとダニエルの前を駆けぬけた。ふたりの青年は目送した。好奇心からというよりは、その場をとりつくろいたいといった気持ちで。

ジャックは、あっさり別れてしまうつもりで手を出した。その手をダニエルが黙って握った。手と手をしっかり握ったまま、ふたりは一瞬顔を見かわした。ダニエルは、気の弱そうな微笑さえ浮かべていた。それにたいして、ジャックは、微笑で答えるのがやっとだった。彼は、さっと身をひるがえして門を出ると、灯火に照らされた広い人道を向こうへわたった。だが、車道にかかるそのまえに、ちょっとうしろをふり向くと、ダニエルはもとのところに立っていた。ジャックには、彼が手をあげ、くるりとからだを向け直し、暗い木の間に姿を消すのが目にはいった。

とおく、茂みを透して、灯火に輝く病院の窓が見えていた……ジェンニー……

ジャックは、電車のくるのを待つことなしに、おどるように向かっていた、パリへ、列車へ、ジュネーヴへ――。ほとんど駆けんばかりにして――自分の生命を救わなければといわんばかりに。

二十五

うるしのつい立のある大きなサロンの中で（アントワーヌは、相手が誰であろうと書斎の中へはぜったいに人を入れないように申しわたしてあった）、バタンクール夫人は腰をおろして、あくびをしていた。

窓という窓はあけ放されていた。そよとの風もない中で、日は暮れかけていた。アンヌは、上体をゆすって、着ていた軽いイヴニング・コートを安楽椅子の背に振りおとした。

「ずいぶん待たせるわね、フェローちゃん」と、彼女はあまり高くない声で言った。

ものうげに敷物の上に寝そべっていたペキノワ（犬の種類）の耳が軽くふるえた。アンヌは、このブロンドの絹まりといったような小犬を、一九〇〇年の博覧会で買ったのだった。そしていまは歯ぬけになり、気むずかしいこの老いぼれ犬を、どこへ行くにもがんとしてつれてあるいていた。

急にフェローが首をあげた。アンヌははっと身を起こした。人と犬とは、同時に、アントワーヌのせきこんだ足音、いつもの癖で手あらくドアをあけたてする音を聞きつけたのだ。

はたして彼だった。そして、いかにも医者らしい、むずかしい顔をしていた。

かるくアンヌの髪にあたえたキスが、ずっと首すじのところまでさがってゆくと、彼女ははっとからだをふるわせた。彼女は手をあげた。そして、男のりっぱな四角なひたいのあたりから、意思の強そうなそびえたまゆのあたり、こめかみのあたり、頬のあたりへと、ゆっくりそれを動かしていった。それからちょっと手のひらのくぼみのなかに、男のあご、チボー家の人特有のたくましいあごをにぎってみた。それは彼女が好きであり、同時に何かおそろしくもあるあごなのだった。やがて、彼女は顔をあげて、立ちあがったかと思うと微笑してみせた。

「じっとあたしのほうを見てよ、トニー！　だめ！　目だけあたしに向けてても、あなたはわきを見てるんだもの……そんなおとなっぽい顔をしているときのあなた、大きらい！」

アントワーヌは、女の肩をつかみ、自分の前にちゃんと立たせて、両手で肩胛骨の高くなったあたりをかるくたたいた。それから、手をそのまま女の肩の上において、こころもちからだを離しながらさもわが持ち物をながめるといったように、上から下まで女をながめた。彼を何よりもアンヌに引きつけるものは、その残りの色香というより、むしろ彼女が、いかにもはっきり、愛欲のためにつくられているかに見える点にあった。

女は、いきいきとした、うれしそうな眼差しを男のうえへそそぎながら、見られるままになっていた。

「着物を着かえてすぐくるから」こう言いながら、アントワーヌは、そっと女を押しやって、いやおうなしにいままですわっていた椅子にかけさせてやった。

彼はこのごろ、夜はスモーキングを着ることが多かった。そのため、五分とかからないで、シャワーを浴び、ひげをそり、そして、ひやりとしたシャツ、白いチョッキ、そのほかのものを身につけられるようになっていた。レオンは、それらをあらかじめととのえておいて、さもまぬけな助祭とでもいったように、目を伏せながらひとつひとつわたしてくれた。

「ストロー・ハットと自動車用の手袋だ」と、彼は、落ちついた声で言った。

部屋を出るまえに、彼はちらりと鏡にうつったおのが全身に一瞥をあたえた。そしてカフスをひき出した。彼は、しばらくまえからしなやかなシャツ、ぴったりしたカラー仕立てのいい服の感じさせてくれる、快適な、はればれした気持ちをたのしむことをおぼえていた。毎日の仕事のあとで、のんき気な、金のかかるひと晩をすごすというのも、いまの彼には、正当なことであり、さらには健康にいいこととさえ思われた。そして、彼は、そうした気晴らしを、事実ときどきやってもいるように、自分ひとりだけで、はなはだ利己的に楽しむこともできはしたが、それをアンヌとともにするというのも、楽しいことにはちがいなかった。

「トニー、ご飯はどこへたべにいくの？」と、女がたずねた。アントワーヌは、女に外套を着せてやり、そのあらわな首すじにすばやくキスした。

「市中はだめね……暑くってやりきれないから……マルリーへ行って、《プラット》なんかどう？でなければ金鶏亭(コック・ドール)なんか？　そのほうが陽気ね」

「遠いよ……」

「かまわないわ。それに、ヴェルサイユからの道もこのあいだ直ったんだし」

女は、《これこれのことをしたらどうだろう》とか、《あそこへ行ったらどうだろう》とか言うときに、甘ったれたような、いささかだるげな眼差しを見せながら、なにげないちょうしで口にする彼女独特な言い方を持っていた。そして、距離とか、時間とか、アントワーヌの疲れとか、趣味とか、さらにはそうした気まぐれの結果、どれほど金がかかるかなどはぜったい考えてもみずに、いかにもむじゃきに、いつもとっぴょうしもない遠出を思いついた。

「よし。では《コック》にしよう！」と、アントワーヌは陽気に言った。「フェロー、起きろ！」彼は身をかがめ、犬を小わきにかかえると、ドアをあけて、アンヌを先へ出してやるために身をずらせた。

女は立ちどまっていた。ノクターン・ブルーの外套、クリーム色のローブ、黒うるしの衝立(ついたて)、それが女の焦茶がかった肌を落ちついた輝きでひき立たさせていた。女は向きなおると、誰はばからぬ眼差しで彼をしげしげとながめていた。そして、つぶやくように「わたしのトニー……」と言った。彼に向かって言ったとは思われないほどの低い声で。

「出かけましょう！」と、彼は言った。

「出かけましょう……」と、女はためいきをつくように言った。まるで、パリから四十五キロも離れたこのレストランを選んだことを、さも暴君の気まぐれに譲歩してでもやったように。そして、タフタのすそ飾りにさやさや音を立てさせながら、高くあごをあげ、足どりしなやかに、うきうきしたようすで出ていった。

「きみが歩いているところは」と、アントワーヌは、そっと彼女の耳にささやいた。「まるで沖へ出て行く美しいヨットといった感じだな……」

自動車は馬力も強く、それを動かすこともおもしろかったが、アントワーヌは、もはや操縦にほとんど興味をうしなっていた。ただ彼は、アンヌが、こうして運転手なしで彼とドライヴするのを何より好んでいることを知っていた。

すでに日は沈んでいた。夕方になっても暑かった。ボワ（ボワ・ドゥ・ブーローニュ。ブーローニュの森）を通るときには、アントワーヌは、茂みのかげの、あまり人通りのない小道を選んだ。あけ放った車の窓からは、なまぬるい、下草のにおいのする空気が流れこんできた。

アンヌは、しゃべりつづけていた。このあいだ出かけたベルグへの旅行の話。彼女は夫の話をした。これは、彼女としてめずらしいことだった。

「どう？　あの人ったらわたしを帰らせようとしないのよ！　泣きついてみたり、おどしてみたり。ほんとにいやな人ったら！　それでも停車場まで送ってきてくれたわ。でも、いかにも苦しんでるようすなの。そして、プラットフォームの上で、いざ汽車が出るというとき、思いきったようすでこう言ったの。《いつまでも変わらないでいてくれるかね？》って。で、わたし、車の中から《ええ！》って言ってやった。《ええ》いろいろおそろしい意味を持った《ええ》なのね……そうなのよ、わたし変わらないことはたしかだから。わたし、あの人が大きらいだから。もうなんといってもぜったいだめ！」

アントワーヌは微笑していた。女のおこっているのを見るのは、悪い気持ちがしなかった。彼はときどきこんなことを女に言った。《ぼくは、きみが海賊みたいな目をするときが好きなのさ！》彼はちょうど、ダニエルとジャックの友人の、シモン・ドゥ・バタンクールのことを思いだした。子やぎのような目、黄いろっぽい頭髪、おだやかな、ちょっと陰鬱なところのあるようす。要するにあまり好感が持てなかった。

「わたし、あんな男が好きだったなんて」と、アンヌはつづけた。「でも、そのためだったのね……」

「なんのためだい？」

「あの人がばかだったからよ……一生のあいだ、これといってはでなうわさのない人だったから……新鮮な感じにさせられたのよ。すっかり自分が変えてもらえるといった感じ。新規まきなおしに人生をはじめる絶好の機会をあたえてくれるといった感じ……ほんとに、わたしって、ばかなのね！」

女は、かつて自分のこと、自分の過去のことを、もっとたびたび男の耳に入れておこうと思ったことを思いだした。いまこそ絶好の機会なのだ。女は、居ずまいを楽にして、アントワーヌの肩にあごをあずけた。そして、目をじっと路上にそそぎながら、いろいろ思い出をたどっていた。

「わたし、あの人とは、おりおりトゥーレーヌで、猟のときに会ってたの。じっとこっちを見ていることはわかってたけど、べつに言葉をかけてこなかった。ところがある日の夕方、ちょうど宿への帰りがけに、森の中で行きあったの。どうしてだったかおぼえてないけど、そのとき、あの人歩いてたの。こちらはひとり。で、わたし、車をとめさせて、トゥールまで送ってあげましょうと言ってあげた。するとあの人まっかになったわ。車に乗るには乗ったけれど、そのままひとことも口をきかない。ちょうど夜になりかけててね。ところが、急に入市税関（オクトロワ）の少し手前で……」

アントワーヌは、気ののらないようすで聞いていた。道路と、モーターのリズムに気をとられていたからだった。

アンヌ……自分のあとでは、またほかの何人かの男を好きになるにちがいない彼女。こうして彼女は、自分自身の運命を追っていくのだろう。彼は、ふたりの仲が長つづきするだろうとは、夢にも思っていなかった。《ふしぎだな》と、彼は思った。《いつもこうした熱情的な新しい女にひかれるなんて……》彼はときどき、こうしていろいろな女を相手にしている恋愛遊戯が、けっきょく恋愛というもののかなり不完全な形式なのではないだろうかと考えてみた。おそらく、そのかなりなさけないものであるにはちがいなかった。《きみは、恋愛と情欲とを混同している》と、いつかステュドレルのやつが言った。不完全だろうがなかろうが、なにしろそれは自分自身の形式なのだ。そして、彼はそれに満足していた。女は彼に、自分の天職に惜しみなく打ちこむため、いつも自由でありたいとねがう活動人としてのはたらきを、完全にゆるしてくれていた。彼には、ついこのあいだ、ステュドレルとかわした会話が心に浮かんだ。《カリフ（ステュドレルのあだ名。回教国の王）》は、その知っているペギー（シャルル・ペギーのこと）という若い作家の言葉を引用して聞かせてくれた。《恋愛とは、あやまっている愛人をも、正しいものと見ることだ》その言いまわしが、アントワーヌにはげしい反発を感じさせた。そうした、かさにかかった、狂気じみた、ばかみたいな形式で表現されると、恋愛は、彼にとって、いつもあっけにとられる感じ、おそれの感じ、それだけでない、嫌悪といった気持ちさえおこさせずにはいなかった……

車は橋にかかり、セーヌ川をわたり、とほうもない勢いでシュレーヌの丘にかかっていた。

「あそこに、揚げ物をたべさせる小料理屋があるのよ」と、アンヌはとつぜん手を差しのべながら言った。

(それは、ついこのあいだまで、ドゥロルムがいつも彼女をつれていったところだった。――ドゥロルムは、医学部を卒業後、ブーローニュで薬剤師になっていたが、この冬までの何年かのあいだ、アンヌがモルヒネから解放されるときまで、いつもそれを供給することによって、思いがけなく、この女の歓心を得ることができていたのだ。)

アントワーヌから何かたずねられはしないかと思った彼女は、苦しそうに笑ってみせた。

「あそこのおかみさん、たしかに行ってみるだけのことはあってよ！　髪をカールにしたおばちゃん。靴下がくるぶしのところにまるまってるの……あたしだったら、だぶだぶな靴下をはくより、はだしのほうがよっぽどましだわ！　じゃなくって？」

「いつか日曜にでも行ってみよう」と、アントワーヌが言った。

「日曜はだめ。わたし、日曜が大きらいだって知ってるじゃないの。休養だなんて、町の中をうじゃうじゃしている人たち！」

「ほかの人たちが、一週六日間働いてくれるのはありがたいことさ」と、アントワーヌは皮肉らしくこれに答えた。

女は、その当てつけがわからなかったようすで笑いだした。

「カール！　わたし、この言葉大好きだわ。口の中で、まるでカスタネットのように響くんですもの。もう一匹犬がいたら、カールって名をつけるんだけれど……でも、ほかの犬はもうまっぴら」と、彼女は、もっともらしいようすで言った。「フェローが老いぼれたら、わたし毒をのまして殺してしまうの。そして、代わりの犬はおかないわ」

アントワーヌは、顔をふり向けざま微笑してみせた。

「フェローに毒が盛れるかね？」

「できるわ」と、女はきっぱり言った。「でも、それはフェローが、すっかり老いぼれて、身動きできなくなったときよ」

アントワーヌは、ちらりと女のほうを見た。彼は、グピヨの死んだとき、妙なうわさのあったことを思いだしていた。彼は、ときどきそのことを頭に浮かべた。多くの場合、一笑に付してはいたが、それでもときどき、アンヌがこわく思われた。《どんなことでもやりかねない女だ》と、彼は思った。《どんなことでも。老いぼれて、身動きできなくなったとしたら、夫にさえも毒をもりかねない……》

彼はたずねた。

「で、なんでやるつもりだ？　ストリキニーネかい？　シアン化物かい？」

「ちがう。バルビテュリック……でもいちばんいいのはディディアルだわ。でも、それB表に載ってるから、処方箋がなければだめ……ふつうのディアールでがまんするわ！　ねえ、フェローちゃん？」

アントワーヌはちょっと苦しそうな笑いを見せた。

「そうかんたんにはいかないさ、適量をきっちりはかるのは！……一グラムか二グラム、多いか少ないかで失敗するから……」

「一グラムか二グラム？　三キロもない犬なのに？　あなたごぞんじないのよ、先生！……」女は、ちょっと計算してみたうえで、確信をもってこう言った。「ちがうわ。フェローちゃんだったら、〇・二五か、たかだか〇・二八ぐらいでかたづくわ……」

彼女は口をつぐんだ。彼も黙っていた。ふたりは、はたしておなじことを考えていたのだろうか？　ちがう。女はつぶやくようにこう言った。

「わたし、フェローちゃんの代わりはおかない……ぜったい……おどろいた?」女は、ふたたび彼にしっかり身をよせた。「というのは、わたし誠実な女にもなれるんだから、ねえ、トニー……とても誠実になれるのよ……」

車は、方向を変え、踏切りを越えようとして速力をゆるめた。

アンヌは、じっと行くてに目をそそぎながら、うわのそらのようすで微笑していた。

「けっきょくわたしは、すばらしい、類のない恋愛をするために生まれてきた女ね……あんな生活をしたことだって、何もわたしが悪かったんじゃないわ……それにしても」と、女は力強く言いきった。「わたしにはっきり言えることは、ぜったい卑屈なまねをしなかったっていうことよ……」(女はきわめてむじゃきだった。すなわち、ドゥロルムのことなどすっかり忘れてしまっていた。)「わたし何ひとつ後悔なんかしていないわ」と、女は結んだ。

女は、さらにしばらくのあいだ、こめかみをアントワーヌの肩にあて、ひと言も口をきかずに、暗くなった茂みのかげや、その中を自動車がぬけてゆく、おどるような蚊の群れをながめていた。

「ふしぎなのよ」と、女は言った。「わたし、幸福になればなるほど、自分がいい人間のように思われてくるの……ときどき、何かひとつのことに、誰かひとりの人に、自分をすっかりささげきれたらどんなにうれしいだろうって思うことがあるの!」

彼は、その声の郷愁をおびた響きに心を打たれた。彼は、女の誠実さを知っていた。女のぜいたくさも、その社交上での地位も——それこそ十五年にわたる打算と掛引きの対象だった——ともに女に心の安らぎも幸福もあたえるものでなかったことを知っていた。

女はためいきをついた。

「わたし、こんどの冬こそは、生活を変えてみようと決心したの……まじめな生活……お役にたつ生活……トニー、あなた、助けてくださらなければ。よくって？」

このことは、彼女の話の中にいくたびとなく出てくる計画だった。それにアントワーヌも、女に生活を変える力がないとは思っていなかった。いろいろでたらめもやるが、それでいてとてもいいところのある女だった。かなり勘のいい実際的な頭を持ち、そしてあらゆる窮境に処して驚くべき粘りづよさを持っていた。だが、成功するためには、しっかり踏みこたえていくためには、誰かそばにいて導いてやるもの、その弱点にわざわいされないように守ってやるもの、たとえば彼自身のような人間が必要だった。この冬、女にモルヒネをやめさせようと思いたったとき、彼には女にたいする自分の力がわかった。すなわち、彼は女を一週間サン・ジェルマンの病院に入院させ、苦しい解毒治療を受けさせることができたのだった。病院を出てきたとき、女は疲れていた。だが、すっかりなおりきっていた。そして、それからは、二度と注射をしようとはしなかった。もし彼にしてその気になったら、いままで眠っていたこの精力を、まじめな仕事にふり向けさせてやることもできるだろう。ちょっと合図さえしてやったら、アンヌの将来をすっかり変えさせてもやれるのだ……だが、そうした合図、彼は断然それをしないことにきめていた。そうした《救援》、それが今後の彼にとって、さらに新しい、うるさい負担を意味することが、わかりすぎるほどわかっていたからだ。あらゆる行為はあとを引く。親切な行為の場合、とりわけそうだ……ところで彼には、自分自身としての生活があった。守らなければならない自分自身の自由があった。そのために、彼は断じて譲らなかった。それでいて、いつもそのことを思うごとに、何か心を動かされ、さびしくならずにはいられなかった。それはまるで、水面に、おぼれかかった人の手が自分のほうへ差し出されているのを見まいとして、顔をそむけるとでもいうようだった……

じつにめずらしいことに、その晩、金鶏亭（コック・ドール）にはほとんど客の姿が見えなかった。車がとまると、給仕頭、ボーイ、バー・ボーイたちが、このおそくやってきた客を迎えるために出てきて、植えこみから植えこみへとうやうやしくふたりを案内した。茂みの中に隠された小人数の弦楽隊は、静かなちょうしで演奏をはじめた。誰も彼もが、ちゃんときめられた演出どおりに動いている感じだった。そして、アンヌのうしろから歩いてゆくアントワーヌさえ、まるで手にいった当たり芸を演じる俳優が、いよいよ舞台に出るときとでもいったように、落ちつきはらって歩いていた。

食卓は、いぼたの木の植えこみや箱植えの花々などで、たがいに見えないようになっていた。アンヌは、ようやくひとつの食卓をえらんだ。そして何よりさきに、支配人が愛想よくじゃりの上においてくれたクッションの上に犬をのせた。（それは桃色の麻のクッションだった。というのは、金鶏亭では、小さなベゴニアの花壇をはじめ、テーブル・クロース、日がさ、樹間につるしたちょうちんまで、何から何までが桃色だった。）

アンヌは、立ったまま、きちょうめんにメニューをしらべていた。彼女は、わざと、食いしんぼうらしいようすをしていた。給仕頭は、まわりにボーイたちをしたがえ、口に鉛筆をあてながら、注意ぶかい沈黙を守っていた。アントワーヌは、女の掛けるのを待っていた。アンヌは彼のほうを向いて、手袋をぬいだ指先で、メニューの上のいくつかの料理をさして見せた。女は、彼が自分の特権を全面的に守りたがっていて、彼女自身直接ボーイたちに話しかけるのを好まないといったように考えた。そして、必ずしもこれは当たっていないことではなかった

アントワーヌは、こうした場合にいつも使う、きっぱりした、同時にくだけたちょうしで料理を注文した。給仕頭は、同意をあらわすような、うやうやしいようすでそれを書きとめた。アントワーヌは、その書いている手先をじっとながめていた。みんなからちやほやされること、それも彼にとっては楽しいことにちがいなかった。彼はむじゃきに、自分はここで受けがいいのだなと思いかけた。そして、それもきわめてあたりまえのことのように思われた。

「おお、かわいらしいpussy（英語。猫（小児語））ちゃん！」アンヌはこうさけぶと、控えのテーブルの上に飛びあがってきた黒い子ねこのほうへ腕を差しのべた。めんくらったボーイたちは、早くもナプキンを振って追いのけようとした。生後六週間ぐらいの、まっ黒な、腹をへらして、やせおとろえた子ねこだった。腹はふくれ、その大きな頭には、きみのわるい緑色の目がはまっていた。

アンヌはねこを両手にかかえ、笑いながら頬のあたりまで持ちあげた。

「おいおい、そんなのみの巣はおろしたらどうだい？……まごまごするとひっかかれるぜ」

「いいえ、あんたはのみの巣ではないことね……あんたはかわいいpussyちゃん」と、アンヌは、

よごれた子ねこを胸にだきしめ、その頭を自分のあごのさきであやしてやりながら言った。「まあこのおなか！　まるでルイ十五世風のたんすといったようにぼてぼてして！　それに頭の大きいこと！　まるで芽を出すときの玉ねぎそっくり……ねえトニー、あなた見たことないでしょう？　芽を出すときの玉ねぎって、どんなにおかしなかっこうだか……」

アントワーヌは、笑うことにした。ちょっと苦しそうな笑い。それは、彼にとってめずらしいことだった。彼はびっくりして、自分自身の笑い声に聞き入った。するととつぜん、彼はその笑い声の特別な響きに気がついた。《おや》彼は、なんだか妙に胸が苦しかった。《おれはいまおやじとまったくおなじ笑いかたをしていたぞ……》父の生前、アントワーヌはチボー氏の笑い声になんの注意もしていなかった。ところが今夜、とつぜん、われとわが口にそうした笑いを見いだしたのだ。

アンヌは、クリーム色のタフタのよごれるのもかまわず、そのものすごい小動物をむりやりひざにだいていようとした。

「いやな子ね！」と、女は、とても上きげんだった。「ベルゼビュット（聖書の中に出てくる悪魔の名。ここではねこに向かっていう）ちゃん、咽喉（のど）をならして見せてちょうだい！……ほうら……このねこ、なんでもわかるわ……たしかに魂を持ってるのね」と、彼女はむきになって言った。「トニー、わたしにこれ買ってよ……ふたりのマスコットになることよ！　これがいてくれたら、ふたりに何も悪いことがおこらないような気がするの！」

「見とどけたよ」アントワーヌは、ひやかすようなちょうしで言った。「それでいて、まだ迷信家でないって言うんだから！」

いままでにも、このことについて女をいじめてやったことがあった。女は、夜、何か悪いことがおこりそうな気がして、床につく気にならず、ひとりで部屋の中をあるきまわっているようなとき、昔の思い出の品をしまってある引き出しから古いトランプ占いの本を取り出し、眠くて眠くてたまらなくなるまで、トランプ占いをしていると話してきかせたことがあった。

「おっしゃるとおりよ」と、急に女が言った。「わたし、ほんとにばかなのよ」

女はねこを放してやった。ねこは、よろけながら二度三度ころがってから、植えこみの中に姿をかくした。女は、ふたりきりになったのをたしかめると、じっとアントワーヌの目をみつめて、ささやくようにこう言った。

「しかってよ。わたししかられたいのよ……あなたの言うことを聞くわ……自分を直すわ……あなたのお好きなような女になるわ……」

彼は女が、自分の望んでいる以上にほれているらしいと考えた。彼は微笑した。そして、ポタージュをたべるようにとすすめてやった。女は、言われるままにした。目を伏せて、子供のように。

つづいて女は、まったく別なことを話しはじめた。アントワーヌと離れないため、夏休みをパリですごす決心をしたこと、四、五日まえから各新聞をうずめている、なかば政治的、なかば感情的な裁判事件（カイヨー夫人のカルメット射殺事件）の記事のことなど。

「思いきったことをやったものね！　わたしもやってみたいと思うわ！　あなたのために、あなたを攻撃しようとしている人を殺してやるの！」遠くで、ヴァイオリン二挺と、ヴィオロンセロとアルトとが、なにかしらメヌエットの曲をひいていた。彼女は、しばらく夢でもみているようだったが、やがて甘えるような、そして沈痛な声で「すきな人ゆえの人殺し……」と言った。

「見うけたところ、まさにやってのけかねないな」と、アントワーヌは微笑しながら言った。

女は、それに答えようとした。だが、おりから給仕頭が、ひな鳩を切らない前の銀の皿を、まるで香炉とでもいったようにさし出していた。そこからは、うまそうなサルミ（焼き肉のシチュー）のにおいがたっていた。

アントワーヌは、女のまつげのふちに、涙がきらめいているのに気がついた。彼は、問いかけるように女を見た。自分ではそのつもりでなく、何か気にさわるようなことでも言ったかしら？

「思ってらっしゃる以上に、ほんとなのかもしれないわ」と、女は、彼のほうを見ずにためいきをついた。そして、その言いかたが変わっているので、彼はあらためて、グピヨのことを思いださずにはいられなかった。

「何？　ほんとだって？」彼は、ふしぎそうに問いかえした。

声のちょうしにおどろいて、女は目をあげた。そしてアントワーヌの眼差しの中に、何か動揺しているらしいけはいをつかんだ。それは最初、なんであるかわからなかった。とつぜん彼女は、毒薬について話したこと、それにたいしてアントワーヌのたずねたことを思いだした。女は、夫の死後、自分について言いふらされた陰口を知っていないわけではなかった。オワーズ県のある新聞のごとき、はっきりそれとほのめかすような記事さえ載せた。その結果、その地方では、老年の百万長者が、晩婚の若い莫連女の手でとじこめられ、そしてある晩、いまもって死因不明の死を遂げたといううわさが、動かすべからざる事実としてつたわっていた。

アントワーヌは、声に落ちつきをとりもどしながら、くりかえした。

「何？　ほんとだって？」

「わたし、ほんとにメロドラマの女主人公みたいなの」彼女は、アントワーヌの気持ちを見てとったことをかくそうとしながら、冷ややかなちょうしでこう答えた。そして、ハンド・バッグの中から小さな鏡をとり出すと、うわのそらのようすで鏡の中にながめ入った。「ほら……このわたし、寝床の中で平凡に死んでゆく女のような顔をしている？　ちがうんだわ！　わたし、たしかに、ドラマチックな死にかたをするのよ！　ある朝、短刀で刺されて、部屋の中に倒れているところを発見されるの……敷物の上に、まっ裸で……そして、短刀で突き刺されて！　それから、わたし、気がついたんだけれど、本の中で、アンヌという名の女は、いつも短刀で刺されて死んでいるのよ……ねえ」と、彼女は、鏡を見ながら言葉をつづけた。「わたし、死んだあとでも、みっともない顔になるのがとてもいや。死んだ人の白い唇、とてもこわくってたまらないわ……わたし、お化粧だけはしてほしいの。遺言状の中にも、ちゃんと書いてあるんだけれど」

女は、早口で、いつもより早口で、そして、何か気おくれでもしているときのように、少しどもりながらしゃべりつづけた。女は、ハンケチの端で、しとやかにまつげのあいだに残っていた涙をふいた。それから、ちょっとおしろいばけで顔をはたくと、みんなハンド・バッグの中にしまって、ぱちんと止め金の音をさせた。

「じつのところ」と、彼女はつづけた（そして、そう言いながら、美しいコントラルトの女の声は、たちまちげびたちょうしに変わった）。「わたし、メロドラマの女主人公みたいな顔って、まんざらきらいなこともないのよ……」

女は、やっと彼のほうへ顔をふり向けた。そして男が、じっと自分のようすをうかがいつづけていることに気がついた。女は、ゆったり笑ってみせた。そして、何か心に決するところがあるらしかった。

「わたし、自分の見てくれのおかげでこれまでずいぶん損をしたわ」と、女はためいきをついてみせた。「知ってるでしょう？　わたし、毒殺犯人だなんて思われたのよ」

一瞬、アントワーヌはためらった。彼は思わずまばたきした。そして、はっきりこう言った。

「知ってるよ」

女は、ひじを食卓の上にのせ、じっと愛人の目をみつめながら、こびるようにこう言った。

「そんなことのできるわたしと思ってる？」

そう勇ましく言いきりはしたが、女は、目をそらして、あらぬほうをながめていた。

「できないかしら？」と、男は、なかばじょうだんのように、なかばまじめなちょうしで言った。

女は、じっとテーブル・クロースをみつめながら、しばらくは何も言わなかった。そして、そうした疑い、それがおそらく、自分にたいするアントワーヌの気持ちに何か刺激をあたえるにちがいないということを思い浮かべた。いっそ男を、不安のままにさせておいたらといった誘惑が心をかすめた。だが、ふたたび男をながめたとき、そうした誘惑は消えてしまった。

「できないわ」と、女は荒っぽく言ってのけた。「事実は、そんなに……小説めいたものではなかったの。グピヨの死んだ晩、偶然あの人とふたりきりだったというだけなの。これはほんと。あの人は、寿命が尽きて死んだのよ。わたしになんのかかりあいもないの」

アントワーヌの沈黙、また、話に耳を傾けているようすから察して、もっと詳しい説明を待ちかまえてでもいるようだった。女は、手をつけないまま皿を、前のほうへ押しやった。そして、ハンド・バッグから、ティー・シガレットを一本出した。アントワーヌは、手をこまぬいて、女が火をつけるのをながめていた。女は、よくこのタバコをふかしていた。女は、それをニュー・ヨークから手に入れていた。それは、草のこげるような、強い、目まいするようなにおいをさせるのだった。女は、ふた口三口吸いこむと、ふーっと煙を吐きだした。それから、ぐったりしたようにつぶやいた。

「こんな昔話、あなたおもしろい？」

「おもしろい」彼は、われにもあらずせきこんだちょうしで答えた。

彼女は微笑した。そして、じょうだんといったように肩をすくめた。

アントワーヌの考えは迷っていた。アンヌは、いつかこんなことを言わなかったか？《わたし、世の中で、自分というものを守っていくため、とても嘘をつくようになっちゃったの。だから、もし嘘をついたとお思いだったら、すぐにわたしに言ってちょうだいね――そして、悪く思ったりしないでね》彼はとほうにくれていた。彼はふと、かつてアンヌと、ユゲット嬢の乳母のミス・メリーとが、妙に仲のいいことに気がついたのを思いだした。そうした親しさがどういうものか、彼は、自分のにらみにくるいのないという自信があった。ところがあとで、彼は、微笑しながら、アンヌにきっぱりそのことを聞いてみようとすると、アンヌは、ざっくばらんに打ち明けるどころか、そうした疑いをかけたというので、相手がとほうにくれるほどおこってみせ、見せかけの潔白を言いはってみせた。

「だめよ！　骨なんか！　咽喉をつまらせてしまうじゃないの！」

フェローのクッションの前に、ボーイがパテの鉢を持ってきていた。そして、親切なところを見せようとして、ひな鳩の骨まで入れてやろうとしたのだった。

給仕頭が駆けつけた。

「奥さま、なんぞご用で？……」

「なんでもないんだ、なんでもないんだ」と、じりじりしながらアントワーヌが言った。

フェローは、立ちあがって、鉢のにおいをかいでいた。だが、ひとつの
びをしてから、耳を動かし、くんくん鼻で息をしたかと思うと、とほうにくれたといったようすで、小さなだんご鼻を女主人のほうへふり向けた。

「フェローちゃん、どうしたの？」と、アンヌが言った。

「どうしましたね？」と、給仕頭が、これに応ずるようにくり返した。

「見せてちょうだい」と、ボーイに向かってアンヌが言った。彼女は、手の甲で鉢にさわってみた。

「ああら、このパテ、すっかり冷めちゃってるじゃないの！　わたし、あたたかいのをと言ったのに……それに、脂肪だってちっともないわ」彼女は、ほんの申しわけだけといったような脂肪を指しながら、きびしいちょうしで言いそえた。

「ライスと、にんじんと、こまかくきざんだお肉を少し、べつにむずかしいことはないじゃないの！」

「さげなさい！」と、給仕頭が命じた。

ボーイは、鉢をとりあげ、ちょっとパテをながめたあとで、おとなしく調理場のほうへもどっていった。だが、もどるまえに、ちょっと目をあげながら食卓のほうを見た。アントワーヌの目と、ちらりとこちらをながめるボーイの目とがいきあった。

ふたりきりになったとき、

「ねえ」と、彼はとがめるように言った。「どうもフェロー君、少し気むずかしすぎはしないかね……」

「あのボーイ、ばかなのよ！」と、アンヌは、憤然としてさえぎった。「ごらんになった？　鉢の前に、まるで棒をのんだように立ってたじゃなくって！」

アントワーヌはやさしく言った。

「たぶんいまごろ、どこか郊外の町の屋根裏で、食事をしている女房や子供のことを……」

熱しきって、ぶるぶるふるえているアンヌの手が、いきなりアントワーヌの手の上におかれた。

「そう、それはそうよ、あなたのおっしゃることは、恐ろしいことだわ……でもまさか、あなた、フェローが病気になってもいいとおっしゃるんじゃないでしょう?」女は、とてもこまったようすだった。

「なぜお笑いになるの? ねえ、トニー、あのボーイに、チップをやらなければね……あのボーイの分を特別に……ふんぱつして……フェローちゃんからと言って……」

彼女は、しばらく考えているようだった。そして、とつぜんこう言った。

「ねえ、わたしの兄さん、やはりはじめはレストランのボーイをやってたの……そう、ヴァンセンヌの料理屋のボーイ」

「きみに兄さんがあったなんて、初耳だな」と、アントワーヌが言った。(そう言ったときの声のちょうし、顔の表情、そこにはどうやら、裏に《もっともぼくは、きみのことをあまり知ってはいないんだ……》といった意味がこめられていた。)

「そう、いまは遠くへいってるの……せめて生きていてくれるといいんだけれど……インドシナへ出かけたのよ、植民地軍に入隊して……向こうで所帯を持ったのね。一度もたよりがないんですもの……」彼女は言葉のちょうしをだんだん低く落としていた。女の声は、それが低いちょうしに落ちるときだけ、とりわけしんみりさせるのだった。女はさらに言葉をつづけた。「ばかだわね、わたし助けてやったらよかったのに……」そしてそのまま口をつぐんだ。

「じゃあ」と、しばらく黙っていてから、アントワーヌがたずねた。「きみがいないあいだに死んだのかい？」

「誰が？」と、女はまつげをしばだたいた。女は、こうして彼から執拗にたずねられるのに驚いた。それでいて、アントワーヌの心がこうまで自分に向けられているのを感じて、何かうれしい気持ちだった。

とつぜん、彼女は笑いだした。思いがけない、ほがらかな、相手を誘いこまずにはいないような笑いだった。

「でもいちばんばかばかしいのは、自分でしなかったこと、とてもするだけの勇気のなかったことを、したといって責められたことだわ。しかも、わたしがほんとにしてのけた悪いことは、誰ひとり知ってなんぞいないんですもの。お話しするわ。じつはわたし、グピヨが書いたという遺言状を信用していなかった。で、あの人がもうろくしてからの二年間というもの、ボーヴェーの公証人の入れ知恵で書かせた委任状を持って、平然と、あの人の財産の大部分を自分のものにしちまったの。でも、それはなんにもならなかった、というのは、遺言状はどこからどこまでわたしに有利に書いてあって、ユゲットには、ただ法律上の相続分しかやらないことにしてあったから……でもわたし、なにしろ七年間もあんな地獄のような生活をがまんしていたわけですもの、自分のものにする権利くらい、たしかにあると思っていたわ！」

女は、笑いやめると、やさしい声でつけ加えた。

「そして、こんなことをお話しするのはあなたがはじめて」

女は、とつぜんさっと身ぶるいした。

「寒い?」と、アントワーヌは、目で外套をさがしながら言った。夜は涼しくなりかけていた。時間もだいぶおそくなっていた。

「いいえ、咽喉がかわくの」女はそう言うと、シャンパンを冷やしてあるおけのほうへ杯をあげて見せた。女は、男のついでくれたシャンパンをがぶがぶ飲むと、強いタバコに火をつけた。そして、肩に外套をはおろうとして立ちあがった。ふたたび腰をおろした女は、アントワーヌのそばへよるため、ぐっと椅子を近づけた。

「わかって?」と、女は言った。

夜の蛾が、いくつもちょうちんのまわりを飛びまわっては、大きなパラソルの布の上に、ぱたぱた音をたてていた。もうオーケストラの音も聞こえなかった。《料亭》の中では、窓という窓の大部分が明かりを消してしまっていた。

「ここもいいわ。でもわたし、もっと気持ちのいいとこを知ってるの……」と、女は、思い入れたっぷりの目つきで言った。

男が何も返事をしないのを見ると、彼女は男の手くびをつかんだ。そして、その手をひっくりかえして、テーブル・クロースの上におかせた。男は、手相を読むつもりなんだなと思った。

「よせよ」彼は、手をふりきろうとしながら言った。(彼にとって、占いほどがまんならないものはなかった。それがどんなにりっぱな予言であっても、自分自身こうと思い定めた将来にくらべて、とるにもたりないものに思われた！）

「おばかさん！」女は、笑いながらそう言ったが、握った手くびは放さなかった。「ほら、わたしはこうしたかったの……」女は急にうつ向きこむと、男の手のひらに口をあてた。そしてそのまま、しばらく身動きしないでいた。

男はあいているほうの手で、まげている女の首筋をやさしくなでた。そして、女の向こうみずな愛情と、女にたいするいかにも打算的な自分の感情とをくらべていた。

このとき、さも直観したとでもいったように、女がかるく頭をあげた。

「わたし、自分があなたを愛しているように、わたしを愛してちょうだいなんて言わないわ。わたし、ただ、あなたを好きでいさせてほしいの……」

（続く）

解説

不吉なるもの、そして快楽の報い

ノーベル文学賞の与えられた（一九三七年）この『一九一四年夏』という巻に入ると、読者はこれまでの巻とはやや違った雰囲気のなかに入ってゆくような感を抱くかもしれない。まず目につくのは、思想的な論議が大きな部分を占めてくることであろう。ジャックをとりまく革命家たちが口にするその論議は、とうぜん資本主義体制批判、社会主義推進のありかた、労働者団結の問題、革命家の意識、といったイデオロギー的なものとなり、また急迫するヨーロッパ各国の動向、戦争の脅威、といった国際情勢の分析となる。

このような調子の変化は、ヨーロッパに近づく不吉なものの足音が必然的に小説にもたらした変化であり、『診察』の巻で外交官リュメルとともにその片鱗をみせた歴史が、そして、『ラ・ソレリーナ』の巻での小説空間のヨーロッパ的次元への拡大が暗示していた国際紛争の予感が、この巻にいたって、現実のものとして大きくクローズアップされてきたことによる変化なのである。

ジャックはローザンヌからジュネーヴに移り、新聞社や雑誌社で得る金で生活をたてながら、各国の社会主義者たちの集まる《本部》に足しげく出入りしている。《本部》の中心的指導者であるスイス人のメネストレルは、性格に一種不可解な暗いものを蔵する革命家であるが、今後ジャックと宿命的に結びついてゆく重要な人物である。メネストレルが「パイロット」と呼ばれているのは、彼が過去にスイス航空協会の操縦士兼機関士をしていたことがあり、スイス＝イタリア間の連結飛行に事故をおこして、足を負傷し、その後労働運動に身を投じた、という経歴の持ち主だからである。事故による負傷という、彼の肉体的欠陥が、性格に潜められた謎めいた部分を作っているのかもしれない。

パイロットは南米出身のアルフレダという若い恋人と、《本部》の建物の一隅に住んでいる。イギリス人の同志パタースンは画家で、ジャックの肖像画を描いているが、彼がジャックにしばしば「アルフレダはあのパイロットに満足をしているのだろうか？」と尋ねる場面がある。それにしても、パタースンはあまりにもしばしば、アルフレダに近づきすぎているという感がつきまとう。

ジャックは、人間は自分の祖国を完全にふるい落とすなどということはできない、しかし、そのような意味での愛国主義はインターナショナルな革命家の理想と抵触するものではない、という考えをもち、また彼自身は宗教からは解放されていながら、他の人々が反宗教論を強調すると、つねに腹をたてずにはいられないというところがある。彼は、同志たちが「ブルジョワ的」と呼ぶ「きわめてフランス的な一種の知的貴族主義」を捨てることなく、しかも、人間的な誠実さとあたたかみによって、同志たちの信頼と友情をかち得ているという、特殊な立場を保っている。

彼は同志たちのうちに、二つの革命家の型を見出していた。「使徒型」と「技術家型」である。ではジャック自身はそのどちらに近いかといえば、やはり前者が「もっとも相隔たること少ない」ということになるのではないか。

ジャックの反発には「不正不義にたいする持って生まれた感覚」というものが動機となっており、彼の理想は部での改革によっても実現できる、という考えである。

オーストリア人のミトエルクは「技術家型」に属する暴力主義の理論家であり、彼にとって革命的活動の第一歩は、民主主義との徹底的闘争でなければならず、「革命と民主主義国家内における解放とは別個のものだ」という彼の考えは、ジャックの使徒型の理想主義と根本的に対立する。

ジャックの考えでは、現代の文明社会における革命は、多くの血を流させた過去の偶発的な暴力による革命とは別種の、「ジョーレスのような人々により忍耐づよく導かれる」、ヒューマニズムにのっとった漸進的で緩慢な革命でなければならぬ、となるが、ミトエルクは「あらゆるものを打ち倒し、その最後の残骸までも地ならしする」ことが必要だと主張する。ジャックは、そうした乱を好む破壊熱のとりこになるのはどうしても正しいことと思えず、人間らしくありたいという個人的な意識を捨て去って、一つの党派の抽象的な主義や共同行動のなかに個を没してしまうことはできないと思う。そのようなジャックをミトエルクは、考えてばかりいて信念の持てない、精神主義的なディレッタントにすぎず、革命家などとは言えない個人主義者にすぎない、と評する。この点ジャック自身も、自分が他の人たちとは違っている、ということを認めざるを得ない。

指導者のメネストレルの考えは次のようになる。まず革命の先駆的状態というものがあって、それが革命状態へと変わるためには何かの新要素（たとえば戦争、敗戦、経済危機など）が必要であり、それが反乱を惹きおこす。これが一つの段階。しかし、その反乱が革命（プロレタリア革命）にまで発展するのは容易なことではない。ここで、反乱を反乱におわらせず革命にまでもってゆくのが、革命指導者たちの指導的意思と能力と手段というものである。したがって重要なのは、指導者たちが革命的状態から革命への推移を組織し、準備し、促進することであり、これこそが自分たちに課せられた任務ということになってくる。ヨーロッパは革命の先駆的状態にある。それは資本主義国家間の対立がかもしだしている危機的状態のことであるが、そこに新要素がかならず発生するであろう。そのときのために、プロレタリア指導者たちに用意ができていることが最もかんじんなことである……

右の考えかたのなかで重要なのが、新要素への待望ということである。メネストレルにとっては、たとえば戦争の勃発を防止すべきだ、という考えかたは成り立たない。それは新要素として必要なものだからである。このことを記憶にとどめておく必要がある。

戦争にたいするミトエルクの考えかたは、これとは少し違っている。彼は、戦争はプロレタリアを分裂させ、破滅にみちびく、と言う。プロレタリアがまだ「愛国的感情から一様に離脱しきっていないから」である。戦争はプロレタリアを自国の防衛に逆戻りさせて、インターナショナルを分裂させるし、多くの労働者を、対立させたまま、戦場の露と消えさせてしまう。ミトエルクの現実主義的な暴力革命論は、戦争を拒否する……。この予測もまた、きわめて現実的ということで、重要性をもつものと言わねばならない。

ジャックはもちろん戦争を最大の悪として、嫌悪する。

その戦争の危機という新要素が、サラエヴォに突発した。オーストリア＝ハンガリー帝国の皇太子フランツ・フェルディナントが、セルビアの一革命青年に狙撃され殺されるという事件が起きたのである。ジャックはオーストリアへと飛ぶ。そして、ウィーンの同志オスメールが調査した重大な情報を持ち帰ってくる。それは、オーストリア政府が皇太子暗殺事件を、セルビアにたいする軍事行動の絶好の口実としてつかみ、それについてのドイツの同意をとりつけたらしい、という情報である。オーストリアがセルビアに進攻すれば、汎スラヴ主義を進めるロシアは、セルビアを助けるためオーストリアにたいして立ちあがるであろうし、ロシアの動員は、たちまちそれにたいするドイツの動員を誘いだし、それは自動的にフランスの動員につながるであろう。ヨーロッパは戦乱の巷となるけはいにある……

ヨーロッパの火薬庫といわれていたバルカンでは、オーストリアとロシアが対立していた。ロシアは日露戦争敗戦後、コンスタンチノープルをめざしてバルカンへの南進政策をとり、汎スラヴ主義の名のもとにバルカン各地のスラヴ人を抱えこもうとしていた。これがドイツとオーストリアの利害と衝突することになる。とくにオーストリア領内にスラヴ系の圧迫された民族がいたために、オーストリアにとってそれは、死活の問題となっていた。一九〇八年オーストリアのボスニア・ヘルツェゴヴィナ併合はセルビア人を刺激していた。すなわちここバルカンで、列強の勢力範囲再分割という帝国主義の軋轢と、その帝国主義に圧迫される地域の民族の、大国にたいする抵抗という、一触即発の危機が世界の注目を集めていたのである。オーストリア皇太子暗殺のセルビア青年の背後には、汎スラヴ主義の秘密結社があって計画をねっていたといわれる。

ヨーロッパには、英・仏・露という三国協商があって、これがドイツ包囲をかためており、他方ドイツ・オーストリア・イタリアの三国同盟がそれに対抗していた。イタリアは同盟から次第に退いてゆく傾向にあったとはいえ、一九一四年六月二十八日バルカンの一角でセルビア青年がはなった弾丸は、この二つの大国グループを戦火のなかに投ずるのに充分な力をもっていたのである。このような危機を予測して、社会主義者たちは早くから目標を反戦運動におき、第二インターナショナルに結集して、戦争の阻止にあたろうとしていたのであった。

ジャックがウィーンから持ち帰った秘密情報は、オーストリアとおなじくバルカンに野心をもやしていたドイツのカイゼル（ウィルヘルム二世）に、オーストリアのフランツ・ヨーゼフ一世からの親書が送られ、ドイツがオーストリアのセルビア進攻を支持するという承諾が得られたらしい、という重大ニュースである。この情報は、ジュネーヴの同志たちを激論に駆りたてる。

戦争の危機にたいしてジャックが考える対応策は、インターナショナルの理想にしたがって、公式の集団的デモンストレーションを展開することである。すなわちそれは、ドイツ議会、フランス議会、ロシア議会へのはたらきかけであり、「各国外務大臣への時を同じゅうしての圧迫だ！　新聞政策だ！　一般大衆への呼びかけだ！」となる。そして、最上の武器として、ヨーロッパじゅうの労働者が手を結び、同時にゼネストを敢行して、各国政府にプロレタリアが一団となって戦争阻止に立ちあがることを知らしめること。そのためには、各国のインターナショナルの指導者たちが態度を明らかにしなければならない！

ミトエルクはジャックとは異なって、指導者などを信用せず、大衆行動に訴えて、反乱状態をひきおこすことだけを考える。軍需工場にサボタージュをおこし、機関車を打ちこわし、鉄道網を切断し、あらゆるところでいろいろな事件をおこさせ、全ヨーロッパの革命機関に火をつけて、いやおうなしにそれらの指導者や組合を戦争拒否と革命的反乱に引っぱってゆくこと……

《おやじ》のメネストレルは、ジャックがインターナショナルを讃美すると、「そうだ！」と答えながらも、その唇にかすかな皮肉をうかべる。彼は内心、戦争になるならなればよい、そうすれば、プロレタリアは資本家たちによって兄弟あいはむ闘争に投げこまれたことを知るだろう、そのときこそ帝国主義打倒の萌芽が植えつけられるのだ、と考える。ただ彼はそれを口に出して言わない。

アルフレダは、「だいじなことは、戦争をやめさせることではないんだ！」と言うその恋人の真意がわからなくなってくる。「じゃ、なぜみんなにそのことを言ってやらなかったの？」と恨みをこめて言う彼女は、いまだかつてなかったほど、胸の底まで傷つけられる。そして以前に、「恋愛か？　われらにとってそんなものはなんでもないんだ！」と言ったメネストレルの言葉を思いだし、「革命、それがこの人の固定観念なんだ！　この人は、ほかのすべてのものを軽蔑している！　このわたしでさえ！　わたしというひとりの女の命さえ！」と、メネストレルの身中のどすぐろいものに突きあたって、くやし涙を目に浮かべるのである。

ジャックはフランス左翼の動向をさぐれというメネストレルの命をうけて、七月十四日パリに出むいてゆく。そして十九日・日曜日、彼は久しぶりにアントワーヌに会いに家に帰ってみる。アントワーヌは父からの遺産をつかって、家をすっかり改造し、見ちがえるように豪華な医院兼研究所を作り上げていた。ジャックは遺産の分けまえを断固としてことわっていたが、兄は財産を均等に分配して、ジャックの分は仲買人に管理させることにし、自分の分けまえだけを実験室や書庫や手術室を完備した施設の建設と一群の優秀な助手の雇い入れにあてていたのである。資力のない若い医者たちの研究成果を金の力ですいあげ、自分の小児病理学の研究に利用しようという考えである。患者の待合室は必要以上に豪奢に飾られているが、アントワーヌはジャックに、こうしておくと上流の患者だけがくるようになり、患者の数がへって勉強の時間ができる、と説明する。快適な研究生活という優越感のなかにおさまっている兄を見て、ジャックは不安といらだちをおぼえ、「兄さんは、フランスでどんなことがおころうとしているのか、気がつきさえもしないのかしら?」とつぶやく。アントワーヌもバルカンの情勢については新聞で知っているのだが、ヨーロッパ全面戦争というジャックの言葉を真にうけようとはしない。彼は、何ごとも予見とはちがった発展がみられ、自然に解決されてゆくのがいつものことで、こんどもなんとかなるだろうぐらいにしか思っていないのである。このアントワーヌの楽観論は、「一週間にわたる共和国のお祭り騒ぎ(七月十四日のパリ祭)」を終わったばかりの大多数のフランス人の呑気さを代表していると考えてよい。

アントワーヌは弟にむかって、「フランスはそのあらゆる部面、あらゆる社会層において、絶対平和主義なんだ!」と自国への信頼を強調するが、これはある意味で、フランス精神の一側面を抽象的に要約した場合、正しい批評だとも言えるのである。自国についてこのように言える国民はそう多くは存在しない。ドイツ人がドイツのことをそのように自賛することはむずかしかろうと思われる。しかし、一国の文化的側面と現実の政治外交とは、かならずしも一致するとは限らない。(日本人が元来平和な精神文化をもつ国民でありながら、外国人に好戦的な国民と見られる歴史を有するのはわれわれのよく知るところである。)であるから、「勝ち誇ったフランス、超高度の軍備を持ち、巨大な植民帝国の上にどっしり腰をおろしたフランス……」というジャックの定義もまたきわめて正しいと言うほかはない。そして現実に、一八七〇年の普仏戦争に敗れたフランスには、アルザス・ロレーヌの失地回復を念願する愛国的好戦の気運が、高まりこそすれ鎮まることはなかったのである。

ジャックはアントワーヌに、現下の危機的国際情勢について解説し、インターナショナルの果たすべき役割について述べてゆく。アントワーヌには、弟の主張に対抗できるような知識の持ちあわせがない。そこで「生きることは、なんとしても働くことにある! それはむずかしい理屈をならべることではない……」と言う。

食事のあと、ジャックは資本主義制度の矛盾と、それにとってかわるべきプロレタリア革命について兄に説いてゆくが、この初歩的な理論はなにか月なみで、浮きあがった感を呈する。そして、あのミトエルクの暴力革命論に賛成しなかったジャックが、アントワーヌを相手にすると、「まず革命家たちの暴力によって口火を切ることが必要なのだ。反乱状態をひきおこすんだ」とメネストレルの言葉をまねて、革命論者になってしまうところがおもしろい。ジャック自身心のなかで、これを「ミトエルクに聞かせたら喜ぶだろうな」と思うほどである。これは、アントワーヌの無関心があまりにも自分たちの状態とかけはなれているためのいらだちからそうなるのでもあるが、ひとつには、急迫した戦争の脅威という現実が、ジャックの危機感をかき立てているからでもある。

アントワーヌはジャックのプロレタリア独裁論を聞きながら、次のように直観するが、このくだりにも、フランスの真実についてのある正しい判断がみられる。

彼にはプロレタリア独裁ということが、それ自身考えられないわけでもなかった。それがほかの国々、たとえばそれがドイツでだったら、たいした努力もなしに想像できたことだろう。だが、それがフランスでのこととなると、ぜんぜん不可能なことのように思われた。そうした独裁といったようなもの、それは単に急激な切り替えぐらいでがっしり打ち立てられるものではない、と彼は思った。そうした独裁が勝利を確保するためには、それが肯定されるため、経済的な結果をもたらすため、また新しい世代の中にしっかり根をおろすための時を要する。それは執拗な暴虐、絶えざる闘争、抑圧、略奪、貧困の、少なくとも八年、十年、おそらくは十五年でなければならない。ところでフランス——国民すべてが不平家で、個人主義的で、各人おのおの自由に恋々たるフランス、革命家といったところで、ふつうのやつは、自分ではそれと意識しないで、しかも小さな旦那衆といったような習慣なり傾向なりを持ちつづけているフランス——そうしたフランスが、はたして十年の長きにわたって、こうしたきびしい試練に堪えうるだろうか？　そんなことを期待するのは、それはまったく狂気のさたといわねばなるまい。

やがてふたりの議論は、ついにひとつの重大な問題につきあたる。それは、政治体制や社会制度がいかに変わろうとも、それをつくっている人間の愚かしい本性というものは変わらないのではないか、という疑問である。アントワーヌには、新しい制度を打ちたてても、「しばらくすれば、その新しい制度にもまた新しい弊害が生まれてくるんだ」と思えてならない。そこで彼は弟に、この点について、「本質的な要素には変わりがない。すなわち、人の本性がそれなのだ！」と言うと、ジャックは、さっと顔色をかえ、心の動揺をさとられまいとして顔をそむける。

ジャックは、人間への無限の同情と愛をいだいているが、かねてから、いかに熱烈な確信をこめて主義のお題目をくり返してみても「人間の精神面における可能性については依然懐疑的たらざるを得なかった」のである。

心の底には、いつも「悲痛な拒否」が横たわっていた。

彼は、人類の精神的進歩という断定に誤りのないということを信じなかった。それを信じることができなかった。全面的に制度を改革することにより、また新しい組織を打ち立てることにより、人間の状態の悪しきを正し、これを組織しなおし、これを完全なものにすることは、たしかにできるにちがいない。だが、そうした新しい社会秩序が、そのままずぐに、本質的によりすぐれた人間のひとつの型をつくり出し、それによって《人間》そのものを更新するということ――それが彼には考えられなかった。そして、心に深くいかりをおろしたこうした根本的な懐疑に気がつくごとに、彼は悔恨、慚愧、絶望に胸を刺される思いだった。

この人間の救いがたい本性についてのジャックの悲観的な懐疑の思想、これはやがて『エピローグ』の巻にいたって、兄のアントワーヌが人類の未来へと思いをはせるときの思索の底流をなすものと相通ずる。そしてまた、この不安は、私たちが生きている現代の、いや私たちの子供らが生きる二十一世紀の、容易に解答が得られそうもない永遠の課題、としてとどまるものなのだろう。

兄弟がブルジョワ資本主義の害毒について語っているあいだにも、アントワーヌが下男のようにかしずかせ、こきつかっているレオンが「お書斎のほうにコーヒーのおしたくをしておきました」と表情のない声で告げにくるのが、いかにも皮肉である。そしてそのあいだにも、アントワーヌには電話がかかってくる。今夜も、恋人が彼を待っているのである。

アントワーヌは数カ月まえから、患者の母親だったあのバタンクール夫人を情婦にしていた。かつてジャックがその結婚披露宴に出席したことのある、あの裕福な夫を毒殺して大金持ちになったという噂をもつ女、そしてチボー氏の死に際してお悔やみにきたあのアンヌ・ドゥ・バタンクールである。アンヌの夫のシモンは、ギブスをはめた養女（アンヌのつれ子）に療養地の海岸につきそってゆき、パリから離れている。アントワーヌとアンヌはヴァグラム通りにふたりだけの部屋をもって、そこで逢引きを重ねていたのであった。今夜はジャックが来たために、アンヌはひとりその部屋で待ちぼうけをくっている。アントワーヌには、できたら行ってやりたいという気持ちがある。

しかしここで大事件が突発して、なおもアントワーヌの足を引きとめることになった。フォンタナン家のジェロームが自殺をはかったというしらせをもって、ジェンニーがアントワーヌに助けを得ようと飛びこんできたのである。久しぶりに顔をあわすジャックとジェンニーの衝撃。

ジェンニーはジャックを恨み、憎んで暮らしていたのだった。一九一〇年夏の終わり、メーゾン・ラフィットで彼女への思いをつのらせ、壁面の影に狂おしく接吻したあのジャックが、なぜだかさっぱりわからぬままに姿をくらませてしまった。ジェンニーはもがき苦しんで体をこわしてしまったほどだった……いまのジェンニーにとっては、放蕩者の父の自殺より、ジャックとの再会のほうが大きなショックに違いない。ジャックの心も乱れる。彼はジュネーヴへ帰るのを二日はやめて、またもや逃げ出すことしか考えない。

しかしともかくも、みんなはジェロームが泊まっていたというホテルに駆けつけるほかはない。ジェローム・ドゥ・フォンタナンは、アムステルダムでノエミの葬式までをして助けてくれた妻のおかげで、無事家に帰してもらってからも、浮気の虫はおさまらなかった。つねに女とともにある生活、これがこの男のあるべき状態なのである。もう家出はしなかったが、ハンガリーの森林伐採をやっているイギリス系の会社につとめたことで、いつもウィーンとロンドンを往復し、パリには時たましか帰らず、「オーストリアにひとり、イギリスにひとり、かなり金のかかる女をふたりまでもかこって」いたのだった。彼がピストル自殺においこまれたのは、うっかり名義をかしたオーストリアの会社が破産し、彼が訴追をうける身となったことによるらしい。

ジェロームの体は救急車で病院に移され、アントワーヌ立ち合いのもとに、呼びよせられた医師エッケの手で手術がおこなわれたが、頭蓋からたまをとり出すことはできなかった。もはやあえぎも聞かれなくなったジェロームの瀕死の枕もとに、フォンタナン夫人は看護婦とともにつききって、夫のじっと動かない上品な美しい顔に見入る。それは彼女にとって、「自分の一生かけてのたったひとつの、そしてまたもっとも大きな愛の対象」だったのである。

夫人は若かりし日のジェロームを思い出す。その甘えるような眼差し、きゃしゃな姿、そして嘘でかためたその陽気さ……彼女はうしろめたさを覚えながらも、ふたりがかわした最後の情交を思い浮かべる。「はげしい、狂おしい欲情。看護婦にその場をはずしてもらい、そこ、彼のそばに身を横たえて……」恋しい夫の体をしっかり抱きしめたい、という欲望が彼女の心をよぎる……またしてもここに、死＝欲情の狂おしい結合がみられる。マルタン・デュ・ガールは、カトリック信者が聖体を拝受するときの法悦境と、性愛の極致における恍惚感と、臨終者が最期にむかえる謎の瞬間（神＝性＝死）とを、同質の玄妙なるものとみなしていた。

手術のあとの午前三時半、やっと解放されたアントワーヌは、アンヌがひとり寝ている逢引きの部屋へと車をとばす……

アンヌはアントワーヌに、夫を毒殺したという噂は嘘だ、と話してきかせる。しかし、そのような噂がたっても仕方のないようなところが、この女にはあった。彼女を入院させて、モルヒネ中毒を治してやったのはアントワーヌだった。彼はアンヌの「愛欲のためにつくられているかに見える点」に引きつけられていた。そして、自分が天職に惜しみなく打ちこむという自由を与えてくれる女、として関係をつづけている。しかし彼は、ふたりの仲が長つづきするだろうとは、夢にも思っていない。アンヌとのことは、アントワーヌにとっては一種の恋愛遊戯にすぎない。彼にとってもっとも大切なものは、みずからの天職に最善をつくして、「自分自身の仕事をする」ことよりほかにない。それを思うと、ジャックとの論争などは空疎なものに感じられてくる。「おれは医者だ。おれはなすべき仕事があり、おれはその仕事をやっている。それ以上、やつらはいったいどうしろというんだ?……やつらの革命……まるで子供の積木遊びだ! めいめい謙虚な持ち場のなかで、調和的に、有効的に、最善をつくして、短い一生をいかに用うべきかを考えたらいいんだ!」アントワーヌの自己の使命にたいする真剣な心構えは、彼が人なみ以上の強い性格を具えていることを知らしめる。その精力主義はチボー家一流のものである。ただジャックがならす警鐘は、時代が、そして世界が、そのような個人生活の追求をも許さぬけはいを示してきたことを訴えているわけである。アントワーヌはその警鐘を、まだ誇張されたものとしか聞きとれないわけである。

ジャックはジュネーヴへ帰るまえに、六人ばかりの「会うべき人物」を廻らなければならない。彼が見たパリでは、いまやあらゆる左翼の分野で、戦争阻止のための運動が始まっており、各派の結合もできあがっているらしかった。

ジャックはまだジェロームが瀕死の状態で命をつないでいる病院をいまいちど訪ね、そこでジェンニーと、駆けつけたダニエルにあう。ジェンニーは「負けてはならない、目をそらしてはいけないという」意思で、緊張した無表情な眼差しをジャックのうえにそそぐ。言葉らしい言葉もかわすことのない、にらみあいである。もし恋人と言ってよいのなら、このよく似たふたりは、なんと気むずかしい恋人たちなのだろう。ジャックは少しもはやく、スイスの同志たちのもとへ帰りたいと思う。

四年このかた顔を見ていないダニエルは、軍服を着ていた。下士官になって仲間もできた、というダニエルを、ジャックは「路傍の人とでもいったような、軽蔑するような眼差しで」みつめる。友に失踪の理由をたずねられても、ジャックは説明を拒む。そしてふたりは、理解しあえぬまま、すげなく別れる。ジャックは「自分の生命を救わなければといわんばかりに」パリへ、列車へ、同志たちの待つジュネーヴへと、おどるように向かってゆく……

店村新次

本書は2010年刊行の『チボー家の人々 8』第11刷をもとにオンデマンド印刷・製本で製作されています。

訳者：
山内義雄
（1894 〜 1973）
1950年「チボー家の人々」により芸術院賞受賞
訳書マルタン・デュ・ガール「ジャン・バロワ」
　「チボー家のジャック」他多数

解説者：
店村新次（たなむら　しんじ）
（1919 〜 1991）
同志社大学名誉教授，文学博士
主著「ロジェ・マルタン・デュ・ガール研究」

白水uブックス　45

チボー家の人々　8　一九一四年夏（I）

訳　者 © 山内義雄（やまのうち よしお）
発行者　岩堀雅己
発行所　株式会社 白水社
東京都千代田区神田小川町 3-24
振替　00190-5-33228　〒 101-0052
電話（03）3291-7811（営業部）
　　（03）3291-7821（編集部）
www.hakusuisha.co.jp

1984 年 3 月 20 日第 1 刷発行
2025 年 1 月 25 日第 18 刷発行
印刷・製本　大日本印刷株式会社
表紙印刷　クリエイティブ弥那
Printed in Japan

ISBN978-4-560-07045-1

乱丁・落丁本は送料小社負担にてお取り替えいたします。

Roger Martin Du Gard: *Les THIBAULT*